JN044482

ものづくり中部の革新者

中部産業遺産研究会 編著

風媒社

はじめに

中部は日本でも有数のものづくり産業が集積している地域で、「ものづくり王国」と言われるようになって久しい。名古屋を中心とする中部地域は、戦前は陶磁器や繊維産業、戦後は自動車産業が発展してきた。豊富な用地、用水、港湾を擁し、日本の中央に位置して交通の便に恵まれていたことに加え、時代や環境の変化するなかで、新しい事業に果敢に挑戦し、産業の革新をはかってきた先人たちの先見性や努力を見落とすことができない。

中部産業遺産研究会では、2019（令和元）年度および2020年度、2022年度に名古屋都市センターまちづくり広場で、「ものづくり中部の革新者たち」をテーマにパネル展を開催し、中部の産業発展に尽くした産業人・技術者など113名を取り上げてパネル展示をおこなってきた。時代が大きく変化するなか、明日の中部や産業の発展には技術を革新し事業を切り拓いたりした「ものづくりの革新者」から学ぶところは大きいと、パネル展を企画した。

本書では、パネル展での記述をさらに豊富化して、その113名を第1章 革新実業家、第2章 技術の革新者、第3章 産業基盤の革新者として採録している。それぞれ56名、38名、19名になる。中部地域のものづくりの革新者たちの仕事やその功績を学び、産業遺産にはこうした先人たちの思いや努力が埋め込まれていることを知っていただければと願っている。

中部産業遺産研究会は、中部地方に存在する「産業遺産」の調査研究とその保存を目的とした有志の集まりで、前身の研究会を含めて50年以上の活動歴がある。技術史・産業遺産の調査研究は1971（昭和46）年の「定時制工業研究会」に始まり、次いで「愛知技術教育研究会」に発展、さらにこれを母体として1984（昭和59）年に産業遺産の調査研究を目的とした「愛知の産業遺跡・遺物調査保存研究会」が発足した。そしてこの研究会を引き継ぎ、活動範囲を中部地方に広げたことをきっかけに、1993（平成5）年に「中部産業遺産研究会」が設立している。くしくも今年は中部産業遺産研究会として活動を始めて30年に当たり、本書の出版はそれを記念するものになった。

パネル展は2022年度で第17回を数えたが、名古屋都市センターには長年にわたって共催していただき、パネル展の会場提供はじめ多くの便宜をはかっていただいた。感謝の言葉もない。名古屋市、愛知県教育委員会、名古屋市教育委員会をはじめとして諸団体に後援していただいた。ご協力賜った関係者の皆さまに心から感謝申し上げたい。また、公益財団法人大幸財団より第29回（2019年度）および第32回（2022年度）「地域の学術文化振興助成」を授与していただいた。パネル展開催への多大な支援に深謝申し上げる。

パネル展および本書で取り上げた人物の原稿執筆においては、ご遺族や関係者の皆さま、所属されていた会社の方々のご協力をいただいた。本文では記載していないが、心より感謝申し上げる。

2023年11月
中部産業遺産研究会
会長　黒田光太郎

はじめに ……2

第1章　革新実業家

五世伊藤小左衛門（1819-1879）世界に通用する生糸に改良 ……10
石河正龍（1825-1895）先を見て事を起こす ……12
稲葉三右衛門（1837-1914）四日市発展の慧眼の士 ……16
森村市左衛門（1839-1919）私利私欲を捨て独立自営に当たる ……18
大倉孫兵衛（1843-1921）良きが上にも良きものを造る ……20
村松彦七（1845-1885）常に生産の増殖、事業興起を企図す ……22
鈴木久一郎（1845-1904）剛毅と侠気と人情と孝行の人 ……24
初代片倉兼太郎（1849-1917）至誠は息むことなし ……27
初代神野金之助（1849-1922）資性温厚、夙に意を開墾事業に注ぐ ……30
山葉寅楠（1851-1916）美しき旋律を求めた生涯 ……34
九代岡谷惣助（1851-1927）祖先の遺訓に遵ふて業を励む ……37
十世伊藤伝七（1852-1924）糸と技術の心を紡ぐ ……40
山田才吉（1852-1937）名古屋財界の鬼才、不屈の男 ……44
片岡孫三郎（1853-1925）あきらめず、失敗を糧にした人 ……46
田中善助（1858-1946）伊賀の鉄城、八面六臂の活躍 ……48
武藤助右衛門（1859-1925）熱意を以て寝食を忘れて尽力 ……50
浅野吉次郎（1859-1926）職工に先んじて働き範を垂れる ……54
鈴木政吉（1859-1944）海外で評価された華麗な音色 ……56
林 市兵衛（1859-1926）旺盛な好奇心が時を動かした ……58
今井五介（1859-1946）終始一貫天職に奉仕せよ ……60
兼松 熙（1860-1952）不撓不屈の人 ……62
下出民義（1861-1952）真面目が肝要 ……64
立川勇次郎（1862-1925）電気・電鉄事業に情熱を燃やす ……66
盛田善平（1864-1937）パン食の普及で食糧難解決に貢献 ……68
五代中埜又左衛門（1864-1919）堅実守成の人 ……71
越 寿三郎（1864-1932）郷土の繁栄を願い生きた人 ……74

田口百三（1868-1931）稀にみる達見の士……76
福沢桃介（1868-1938）木曽川の激流を止めた男……80
落合兵之助（1868-1932）新技術への挑戦と研究への情熱……84
服部兼三郎（1870-1920）身に薄く、他に厚い人……86
大隈栄一（1870-1950）非凡なる平凡……89
片岡春吉（1872-1924）資性闊達にして義侠に富む……92
富田重助（1872-1933）地域の発展をリードした鉄道人……96
藍川清成（1872-1948）鉄カブトに巻脚絆で現場に立つ……100
井元為三郎（1874-1945）幸福は我が心にあり……103
青木鎌太郎（1874-1952）私は機関車と言われております……105
大倉和親（1875-1955）妥協知らずのこだわり屋……108
松永安左エ門（1875-1971）電力の鬼といわれた経営手腕……111
蟹江一太郎（1875-1971）共存共栄 漸新主義……115
岡本松造（1876-1942）研究熱心で先端技術を学んだ人……119
岡本 櫻（1878-1935）公共奉仕の理念を掲げて……122
伊藤次郎左衛門祐民（1878-1940）誠実を旨とし万事華客の便宜を図り……125
伊原五郎兵衛（1880-1952）卓越せる識見と手腕……128
十七代早川久右エ門（1882-1941）伝統の味を守り続けて……130
貝塚栄之助（1882-1947）桑名の名望家の責務を担って……132
遠藤斉治朗（1888-1958）仕事熱心で旺盛な研究心……135
伊奈長三郎（1890-1980）企業は社会の公器だ……138
川越庸一（1893-1983）温かく飾らない謙虚な人柄……141
豊田喜一郎（1894-1952）準備はできた トヨタは邁進します……144
山崎定吉（1894-1962）機械に憑かれた創業者……148
後藤十次郎（1897-1978）おいあくまという五つのことばで……152
井上五郎（1899-1981）モノをつくるより人を創る……154
山崎久夫（1904-1963）諏訪を東洋のスイスに……156
豊田英二（1913-2013）夢に向け実行に移すことが大切だ……160
内藤明人（1926-2017）ロマンチックリアリズムを実践……162
端山 孝（1930-2007）人のやらないことをやろう……166

第2章　技術の革新者

鯉江方寿（1821-1901）技術者と美術家の両輪をもつ実業家……170
石坂周造（1832-1903）少壮世を憂い、晩節国を富ます……173
宇都宮三郎（1834-1902）和魂洋才の快男児……176
服部長七（1840-1919）石をつくったとんでもない男……180
臥雲辰致（1842-1900）発明益世、其業大慈……183
小渕志ち（1847-1929）並一通りでない生涯を描いた製糸家……186
服部俊一（1853-1928）神に近い人格者……190
大岡 正（1855-1909）生涯を通じて奮闘的生活……192
丹羽正道（1863-1928）電灯線を張りめぐらした男……196
豊田佐吉（1867-1930）障子を開けて見よ、外は広いぞ……199
土橋長兵衛（1868-1939）忘れられた発明家、鉄の長兵衛さん……202
吉浜勇次郎（1869-1934）義侠心に富み、責任感旺盛……206
鈴木禎次（1870-1941）時代を洋風建築で表現……208
森田吾郎（1874-1952）天賦の音楽の才能と手先の器用さ……212
寒川恒貞（1875-1945）独往邁進、独立独歩の気魄……215
丸山康次郎（1876-1955）卓越した語学力のエンジニア……218
久保田長太郎（1882-1964）クボチョウと慕われた鋳物の神様……220
今西 卓（1883-1933）高潔なる人格、卓越せる見識……222
江副孫右衛門（1885-1964）一個の不良品もだすな……226
菅 隆俊（1886-1961）頭がよくて努力家……228
川崎舎恒三（1886-1954）名古屋で三人目の工学博士……232
河合小市（1886-1955）類まれな研究心で楽器工業に功績……236
鈴木道雄（1887-1982）すべてを忘れて仕事をした人……238
田淵寿郎（1890-1974）苦難を乗り越え未来を築く……242
石川栄耀（1893-1955）商店街、盛り場は夜の公園だ……244
竹内芳太郎（1897-1987）穏やかな人柄に秘めた強い信念……247
榊 秀信（1898-1989）名古屋に発明の鬼才あり……250
内藤正一（1899-1960）技術者のプライドは高く……254
五明得一郎（1899-1983）技術勘の良さは抜群……257
高柳健次郎（1899-1990）一歩先を行く研究を目指して……260
川真田和汪（1901-1984）オートバイを浮かせが口癖！……263

林 達夫（1902-1992）寝ても覚めても電気炉……266
堀越二郎（1903-1982）綿密で粘りこくて緻密な男……270
梅原半二（1903-1989）原理原則を究めて実用に資する……273
安井正義（1904-1990）働きたい人に仕事をつくる……276
土井武夫（1904-1996）やってみなさい、失敗してもいい……280
本田宗一郎（1906-1991）技術と格闘した男……283
書馬輝夫（1926-2018）できないと言わずにやってみろ……286

第3章　産業基盤の革新者

都築弥厚（1765-1833）私財を投じた大用水計画……290
安場保和（1835-1899）愛知県の殖産興業の司令塔……293
西澤眞蔵（1844-1897）心血を注ぐも前途なお遠し……296
黒川治愿（1847-1897）立国の本は農、農は治水にあり……300
奥田正香（1847-1921）名古屋の渋沢栄一……304
服部太郎吉（1860-1941）職人技と技術で富を築く……307
黒田豊太郎（1861-1918）名古屋港の生みの親……310
上田敏郎（1864-1912）英知と判断力で仕事を成し遂げる……313
柴田才一郎（1864-1945）寛容忍辱能く教え能く導き……316
大岩勇夫（1867-1955）親しみやすい「市民市長」……318
奥田助七郎（1873-1954）港こそ「おのがいのち」……322
渋沢元治（1876-1975）捕雷役電を座右の銘として……326
茂庭忠次郎（1880-1950）患苦は池を玉成す……330
下出義雄（1890-1958）裸の心を持つ人……332
池田篤三郎（1890-1963）仕事には厳格だが鷹揚な人柄……334
清水勤二（1898-1964）僕は前にすすむだけだ……336
久野庄太郎（1900-1997）大欲の精神で幸せを築く……339
榊 米一郎（1913-2014）大きいことはいいことだ 超高圧電顕……342
濵島辰雄（1916-2013）愛知用水建設に賭けた半生……346

おわりに……349
人名索引……351

【凡例】

1. 本書は、2019年～2022年に名古屋市都市センターで開催されたパネル展「ものづくり中部の革新者たちⅠ、Ⅱ、Ⅲ」で取り上げた人物113名を次の3章に区分けし、人物の生年順（生年が同じ場合は没年順）に配列した。
   第1章　革新実業家　　56名
   第2章　技術の革新者　38名
   第3章　産業基盤の革新者　19名

2. 人名の表記は原則として常用漢字としたが、西澤眞蔵や濵島辰雄のように、現在も親族等で旧字体を使用している場合は、旧字体で表記した。地名などについても、原則として常用漢字で表記した。

3. 人物写真の下の年譜で、没年齢は、満年齢である。ただし、生年月日、没年月日が不明な人物の没年齢は、没年から生年を差し引いた計算上の満年齢である。

4. 石河正龍や臥雲辰致のように人名の読み方が複数ある場合は、コラム欄で読み方について解説した。

5. 人物の生誕地の地名は、生誕時の地名とし、（　）内に現在の地名を併記した。

6. 写真についてキャプションに、「○○年撮影」とあるものは、著者撮影の写真である。

7. 「ゆかりの地へのアクセス」は、人物ゆかりの遺構、遺物、記念碑、墓、博物館などの所在を示したものである。なお見学に事前予約が必要となるものもあるので、当地を訪問される場合は事前の下調べをお願いしたい。

8. 「○○をもっと知るために」は、いわゆる参考文献ではない。読者がその人物に興味関心を持ち、さらに深く調べてみようとするときの、手がかりとなる資料・文献を示した。

第1章

革新実業家

五世 伊藤小左衛門（いとうこざえもん） 1819-1879

世界に通用する生糸に改良

四日市の近代製茶業・製糸業の祖

伊藤家蔵　四郷郷土資料館提供

五世 伊藤小左衛門	
1819 年	桑名藩領室山村に生まれる
1834 年	伊藤家の家業に就き、醸造業は繁栄
1854 年	安政の大地震後、兄弟で味噌蔵を再建
1858 年	酒業を創業し多角経営を目指す
1859 年	横浜で茶の販路等を調査、宇治で茶の製法を学ぶ
1861 年	茶の輸出事業と桑苗を植え付け、養蚕業をおこなう
1862 年	製糸業を開始
1874 年	器械製糸所を開業
1876 年	富岡製糸の技術指導を受け、姪に繰糸技術を習得させる
1877 年	伊藤製糸の生糸は内国勧業博覧会で褒賞を授与
1878 年	パリ万博で伊藤製糸の生糸は銅賞を得た
1879 年	60 歳没

生い立ち

伊藤家は忍（おし）藩（現 埼玉県行田市）飛地の大矢知（おおやち）陣屋に仕えていた。祖父三世伊藤小左衛門は、桑名藩領の室山（むろやま）村（現 四日市市室山町）で副業として味噌の醸造業を営んでいた。五世となる伊藤小左衛門は富豪の伊藤家の長男として 1819（文政 2）年に生まれた。幼少の時から読書・習字を学んでいた。14 歳から珠算を習い、1834 年の 15 歳で醸造業の伊藤家の家業を手伝い、醸造高 2000 石になった。醸造業は繁栄して「室山の味噌」「ヤマコ味噌」は世間に広く知られた。

製茶と製糸が貿易に有利との先見性

1854（安政元）年の安政の大地震後、兄弟 4 人で再建し、醸造業で大きな収入を得たので、領主や寺社に御用金や寄付をしていた。小左衛門は書物を読み、生糸と茶が貿易に有望品であることを知り、茶畑を設けて時運を待った。1858 年、酒業を創業し多角経営を目指した。1859 年に、開港時の横浜に直ちに行き、茶の販路や外国人の嗜好を究めた。宇治に行き製法秘事も学んでいる。1861年、茶の輸出で多額の利益を得ている。また、明治初期に製糸業の事業に乗り出し、生糸取引店舗を横浜で始めた。外国商館の関係者から手廻し綿紡機を購入した。この紡機による綿糸の製造は実用化しなかった。

日本の生糸は外国製に比べて粗悪であったので、器械製糸の必要性を感じており、1874年、器械製糸所を開業した。当地に春蚕(はるご)飼育を起こし、甥小十郎に群馬・長野の育蚕(いくさん)を学ばせている。1876年、自ら富岡製糸の技術指導を受け、姪ら2人を伝習生として富岡で技術修行をさせるなど、貿易用の生糸の品質向上に努めた。実業家五世伊藤小左衛門は、将来の国益を考え外国との貿易の有益を説き、幕末から明治初期にかけて四日市の近代産業を推進した。

国産生糸の最上級を生産

1877年、伊藤製糸繰糸場は本格的な器械製糸に向けて努力し、富岡製糸に劣らない生糸の評価を得るまで改良された。繰糸場に県下で初めて汽缶(ボイラ)を導入し、近代工業としてスタートラインに立つことができた。

伊藤製糸第一繰糸工場
伊藤家蔵　四郷郷土資料館提供

この年、内国勧業博覧会に出品し褒賞を付与された。翌年パリ万国博覧会で銅賞となった。五世伊藤小左衛門は1879年、60歳で逝去した。その後、1885年、念願の直接輸出を伊藤製糸登録証「第438号」で開始した。

明治20年代には、職工100人以上を雇用する県下最大の製糸場となった。1900年、パリ万国博覧会で金賞を受賞し、世界に通用する品質の評価が高まった。伊藤製糸が全国最高品質の生糸生産ができたのは、養蚕農家との密接な関係による優秀繭の取得にあると「日本蚕糸業史分析」で評価されている。

製糸場は1900年の火災で焼失したが、富岡製糸工場の影響を受けて1903年繰糸場を含む第二工場は、落成した。1938年に室山製糸株式会社に改組、1941年に亀山製糸株式会社室山工場となった。（大橋公雄）

ゆかりの地へのアクセス

【伊藤小左衛門之顕彰碑、銅像と四郷郷土資料館】
➡三重県四日市市西日野町四郷小学校　小学校の南側に資料館がある
四日市あすなろう鉄道八王子線西日野駅より1㎞、徒歩10分
【亀山製糸株式会社室山工場跡（旧伊藤製糸場）】➡三重県四日市市室山町
四日市あすなろう鉄道八王子線西日野駅より1.5㎞、徒歩15分

石河正龍 1825-1895

先を見て事を起こす

我が国機械紡績黎明期の立役者

出典：『本邦綿糸紡績史』第１巻

石河正龍	
1825 年	大和国畝傍町石川村に生まれる
1846 年	江戸の杉田成卿で漢学を修め、長崎遊学
1856 年	薩摩藩に御庭役として仕える
1863 年	機械紡績所建設を建言
1867 年	鹿児島紡績所の建設に関わる
1868 年	堺紡績所の建設責任者となる
1872 年	堺紡績政府移管、大蔵省勧農寮八等出仕
1877 年	官営の愛知紡績所建設を担当
1881 年	愛知紡績所開業
1882 年	広島紡績所他、4 カ所開業
1983 年	豊井紡績所開業
1984 年	長崎紡績所他、2 カ所開業
1985 年	下野紡績所開業
1886 年	奏任四等技師に任ぜられる
1887 年	農商務省退職
1895 年	69 歳没

生い立ち

石河正龍は、1825（文政 8）年、大和国畝傍町石川村（現 奈良県橿原市）に父石河光美、母貞子の次男として生まれた。父は楠正季の末裔と伝えられる儒家であった。石河は 20 歳のとき江戸に出て蘭学者杉田成卿の門に入り漢学を学ぶ。ほどなくして長崎に遊学して蘭学を学ぶ。1854（安政元）年に帰郷するが、蘭書に通じた出来る人物として注目され、1856（安政 3）年に各藩の誘いの中から薩摩藩を選び仕えることになる。

鹿児島紡績所建設の建言

薩摩藩では、出仕当初から開明君主・島津斉彬の相談役の御庭役となる。石河は出来る人物との評価に違わず、1862（文久 2）年には薩摩の物産を大和で売りさばく物産交易構想を提言、その後も薩摩と各地を結ぶ物産交易の提言をおこない、文久年間に薩摩藩は大和高田に交易の拠点となる国産会所を開いている。

こうしたなか石河は、1859（安政 6）年頃から構想していた紡績所建設の建言を1863（文久3）年におこなう。これが採用され、1867（慶応3）年に、輸入した紡績機械による日本初の紡績所となる鹿児島紡績所の開業に結びつける。石河にとっては、紡績所に関わる最初の仕事ともなった。それだけでなくこの頃には、蒸気船の改製や、蔵方目付、銃薬水車方掛、集成館掛、織屋掛、交易方掛のほか、薩摩藩の洋学校開成所の教授も務めるなど、多方面に重用されていた。

堺紡績所の建設、責任者として活躍

鹿児島紡績所建設のきっかけとなった1863年の建言書は、じつは「堺紡績所建設建議書」と書かれていた。建設地に商業、交易の中心地大阪を視野に入れていたことを読み取ることができる。その建議書には、綿糸の国産化が第一と考え、機械輸入代金は交易によって償還が可能とも説いていた。いかに先見性を持っていたかがわかろう。

鹿児島紡績所開業の翌1868年に、分工場として本格的な紡績所となる堺紡績所建設の儀が採用される。石河は建設責任者として英国より紡績機械を輸入し、1870年に開業する。堺紡績所は1872年に廃藩置県を機に大蔵省に買収されるが、石河自身は明治政府に登用され、引き続き責任者としてその任に当たる。まさに我が国機械紡績黎明期の立役者として活躍した。

戎嶋（えびすじま）紡績所（堺紡績所）絵図　堺市立中央図書館蔵

官営紡績所、綿糸紡績所建設に奔走

紡績所は建設されたものの、明治初期には綿糸や綿織物の輸入が増大し、貿易収支では大幅な輸入超過の要因になっていた。明治政府はこの改善を図るため、国産綿の栽培と綿糸の国産化を急ぐこととなった。白羽の矢が立ったのが石河正龍であった。その役割は、官営の愛知と広島の模範紡績所と、十基紡と称される民間資本の10カ所（実質9カ所）の初期綿糸紡績所の建設であった。

1877年、政府は石河に模範紡績所用紡機（2000錘のミュール精紡機）の注文を命じる。官営の第一紡績所となった愛知紡績所の建設に取りかかり、1878年には英国に注文した紡機が横浜に到着し、1881年の開業に備えた。一方、機械払い下げとす

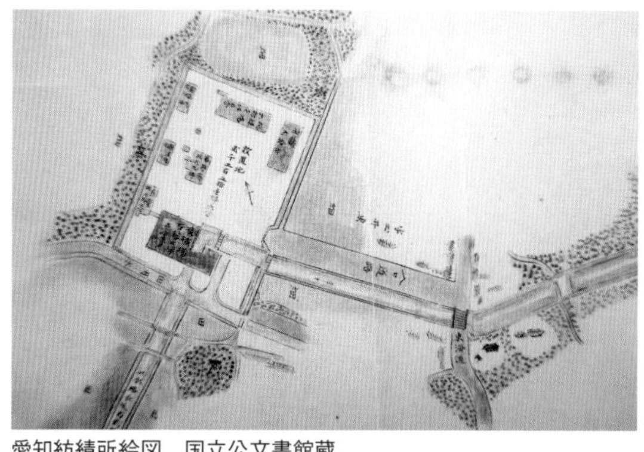

愛知紡績所絵図　国立公文書館蔵

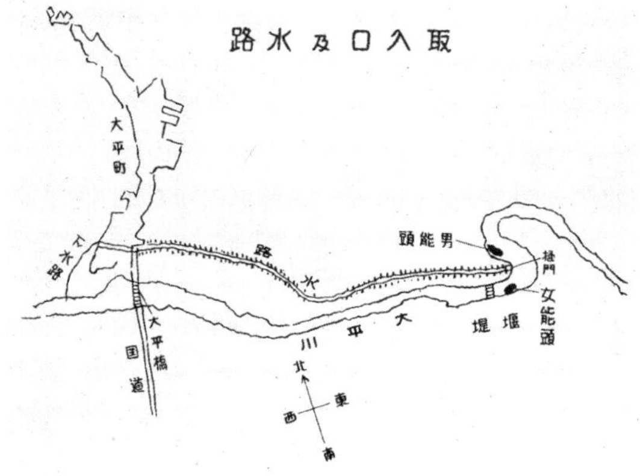

愛知紡績所、取水口及び水路図
出典：『本邦綿糸紡績史』第２巻

る十基紡用の紡機も1880年に到着し全国各地の紡績所に設置されていく。こうした中、石河の主要な用務は紡機調達のほか、紡機の動力として水車を前提としていたことから(水車動力は官営の2工場と十基紡の6工場、3工場は蒸気機関を動力)、まずはその水利を調査して立地を決めることであった。その後1885年までにすべての紡績所の開業を果たすが、その工場設置では官営の愛知紡績所をモデルとして建設を進めた。

下野紡績所の水力タービン
出典：『本邦綿糸紡績史』第２巻

外国人に頼らず

石河は立地選定や工場建設に関わるだけではなかった。当時ヨーロッパで開発されて間もない洋式の水力タービンの製造、設置にも関わっている。鹿児島紡績所時代の職人を頼って横須賀造船所に頼み込み、図面を元にそこで製作している。紡機などの機械を全て輸入する中、動力源となる水車だけは国産だったのである。国産にしなければ製造技術は育たないとする石河の先を見据えた方針であった。しかもヨーロッパで広く使われていたものと違い、軸受にかかる水圧負荷を軽減した、下から水を吹き上げる水車であった。設置した愛知紡績所での成功により、これ以後の水力タービンは全て国産で賄われた。写真に見る下野(しもつけ)紡績所の水車がそれを示している。

さらに特筆されるのは、この時代ほかの主要産業ではお雇い外国人が主導する中、官営紡績所、十基紡においても一人の外国人も採用せず、ただ一人石河の肩にすべてを任せていた。まさに石河なくして初期綿糸紡績所は成り立たなかったであろう。「我が国近代紡績の父」と呼ぶに相応しい人物でもあった。

愛知紡績所を拠点に全国を駆け巡る

石河の居は愛知紡績所のある愛知県大平(おおひら)の官舎に構えていた。そこを拠点に全国各地の紡績所を駆け巡った石河は、多忙な日々であったが、

官営愛知紡績所の水車場跡　2008 年撮影

勉強家で暇さえあれば机に向かっていたという。著書や書簡も多く、とくに紡績所建設に関わる日記や復命書は石河の動きを克明に記している。常に先を見て提言し事を起こしてきた石河の貪欲なまでの姿勢をここに見ることができる。墓は後妻と過ごした岡崎市の誓願寺にある。

（天野武弘）

【正龍はなんと読む?】

石河正龍は､石河確太郎正龍と呼んでいた。正龍の読みは「まさたつ」とも「せいりゅう」ともされ、今となっては判別しがたい。ただ実弟は石河武二郎正昭とも正明とも書かれており、兄弟のその読みからは訓読みだったと考えられ、本稿では「まさたつ」とした。

ゆかりの地へのアクセス

【鹿児島紡績所跡（国史跡指定）】
➡鹿児島市吉野町　JR 鹿児島駅より徒歩 30 分
【官営愛知紡績所跡（水車場遺構）】
➡愛知県岡崎市大平町東大森　名鉄美合駅より徒歩 20 分
【官営愛知紡績所の取水口と水路跡】
➡愛知県岡崎市丸山町能頭～大平町　名鉄美合駅より徒歩 30 分

石河正龍をもっと知るために

◉絹川太一『本邦綿糸紡績糸』第 1 巻、日本綿業倶楽部、1937 年
◉絹川太一『本邦綿糸紡績糸』第 2 巻、日本綿業倶楽部、1937 年
◉堀江保蔵「近代日本の先駆的企業家―石河正龍と大島高任」､『経済論集』第 84 巻 第 3 号、1959 年
◉岡本幸雄／今津健治 編『明治前期　官営工場沿革』東洋文化社、1983 年

稲葉三右衛門 1837-1914

四日市発展の慧眼の士

四日市港を築いた廻船問屋

出典：『四日市市開港百年史』

稲葉三右衛門	
1837 年	美濃国高須町で生まれる。廻船問屋稲葉家を継ぐ
1854 年	大地震で四日市港は被災
1868 年	太政官会計局御用掛となる
1870 年	総年寄及び領南方となる。四日市ー東京間に汽船航路開通
1872 年	連名で波止場などの修復願いを提出
1873 年	船改上取締役兼務。波止場・灯台以外未完成で中断
1875 年	県の事業として埋め立て完成、埋立地に稲葉夫妻の名を残す
1884 年	条件付きで私工事を再開し完了
1914 年	78 歳没

生い立ち

稲葉三右衛門は、1837（天保 8）年、美濃国高須町（現 岐阜市）で吉田家の六男に生まれた。四日市の中納屋町廻船問屋稲葉家を継ぎ、六代目三右衛門を襲名。1868（明治元）年太政官会計局御用掛に、1870 年総年寄を、1873 年船改上取締役兼務を命じられた。稲葉は、「四日市は港を開くことによって将来発展する」との信念を持った。また四日市に鉄道を敷設し、中部経済圏の発展を考えていた。

四日市港発展の兆し

四日市港は、波静かで水深に恵まれ、天然の良港であり、伊勢湾内沿岸航路の拠点となっていた。和船廻船問屋には稲葉、田中武右衛門らの 3 店があり、旅客や貨物集散に当たっていた。1870 年、当地の先覚者 3 人は東京の回漕会社と特約し、「四日市～東京」間に初めて汽船を運航させた。汽船航路の開通は、四日市港の発展をもたらし、出船入船は盛況を極めた。

旧港修築工事の写真
出典：『四日市市開港百年史』

四日市旧港修築の動き

ところが1854（嘉永7）年の安政大地震で、四日市は未曾有の被害を被った。四日市港は土砂が港口をふさぎ汽船の入港や小船の出入に支障をきたした。港の窮状を見かねた稲葉は、同業田中武右衛門の連名で「当港波止場建築灯明台再興之御願」を1872年三重県庁に提出し、快諾を得た。計画は、①今の高砂町と稲場町の西半と海面下の払下、②埋立し掘割を設ける、③長さ120間の直線の波止場を築く、④長さ150間の土堤防を設ける、⑤燈明台を再興する、⑥工事費は自費とする内容であった。1873年3月、修築工事は開始され、同年9月に開墾地と澪筋、掘割などがほぼ完成した。田中は資金不足で辞退したが、稲葉はくじけず事業に没頭した。同年12月には、波止場・灯台の建設と浚渫を除き、埋立地は完成に近かったが、資金難で工事は中断した。県は個人事業でなく、県事業として完成させた。1875年、県は埋立地に稲葉夫妻にちなみ、稲葉町・高砂町と命名した。

稲葉の執念により港修築工事は完成

稲葉は裁判所で「どうしても自分の手で港の修築を完成したい」と訴えたが、敗訴に終わる。1881年、波止場完成時は公有にする条件で工事の認可を得た。資金は三菱会社などの融資を受け、1884年に事業は完了したが、稲葉には工事に20万円（今の4億円ほど）を費やし負債を残した。稲葉の彰功碑は埠頭に建設、銅像は供出後、国鉄四日市駅前に再建された。近代的四日市港の基礎が、ここに築かれた。修築後の1889年、大暴風雨で港は壊滅され、県費で服部長七（本書180ページ）の人造石工法により修復された。旧港の稲葉町先の防波堤は、湾曲の形態でなく直線式で、高砂町地先の突堤は現存していない。（大橋公雄）

ゆかりの地へのアクセス

【稲葉三右衛門彰功碑】
➡三重県四日市市高砂町 旧四日市港　JR関西本線四日市駅より1㎞、徒歩20分
【稲葉三右衛門銅像】
➡三重県四日市市朝日町　JR関西本線四日市駅より西200m、徒歩5分

稲葉三右衛門をもっと知るために

◉高橋俊人『築港の偉傑　稲葉三右衛門』1943年
◉四日市港管理組合 編『四日市港のあゆみ』1987年

森村市左衛門（もりむらいちざえもん） 1839-1919

私利私欲を捨て独立自営に当たる
森村グループの礎を築いた日本陶器の設立

出典：『日本陶器七十年史』

森村市左衛門	
1839年	江戸京橋の白魚屋敷で生まれる
1852年	日本橋、近江屋に見習奉公
1859年	中津藩の御用商人となり、福沢諭吉に出会う
1860年	日米修好条約批准使節団の土産物など幕府より依頼される
1873年	銀座四丁目にテイラー・モリムラを開店
1876年	森村組（雑貨貿易業）創立
1878年	森村組のニューヨーク支店を開設
1882年	日本銀行監事に任命される
1894年	父の7回忌に市左衛門を襲名
1904年	日本陶器合名会社設立
1917年	森村商事設立、森村組、日本陶器合名を株式会社に改称。 東洋陶器株式会社設立
1919年	日本碍子株式会社設立。80歳没

生い立ち

森村家は代々市左衛門を襲名し、初代・市左衛門は遠州森村から江戸に出て、京橋で旗本屋敷に出入りする武具・馬具商を営んできた。

六代目森村市左衛門（幼名：市太郎）は1839（天保10）年に江戸京橋で生まれた。7歳で母を失い、祖父が残した莫大な借金のため見習い奉公に出て家計を助け、修業を積み、16歳で父とともに森村家を復活させた。その矢先、安政の江戸地震、日本橋の大火など未曽有の災害に見舞われ、また裸一貫からの出発となった。

森村組の設立とニューヨークへ進出

1859（安政6）年に横浜が開港、外国商人と自由に取引ができるようになると非凡な商才を発揮し「森村グループ」の礎を築いた。このころ中津藩の御用商人となり、福沢諭吉に出会い、幕府から日米修好通商条約批准のため使節団の土産物、服装、金貨の両替などを命じられた。この時、「質の悪いメキシコの銀貨と日本の金貨、銀貨とを相手の言いなりに交換することは、日本の金貨が減るばかりで困ったものだ」と福沢諭吉に相談すると、「我国の商品を輸出して外貨を獲得する以外に方法がなかろう」と説かれた。そして、自分がその先駆者となるため1876(明治9)年に貿易商社「森村組」を設立、雑貨貿易商を始めた。

海外貿易を決意した市左衛門は弟の森村豊(とよ)を慶應義塾に入れ、卒業後に渡米させた。2年後の1878年にニューヨークで「モリムラ・ブラザーズ」を開設した。日本の骨とう品、陶器、雑貨から陶磁器へと輸出を広げていった。

1890年、市左衛門はパリ万国博覧会に豊を連れて渡仏し、この視察旅行中、欧州の陶磁器生産技術が優れていることを知り、白磁陶磁器の国産化に取り組むきっかけとなった。

日本陶器の工場建設とメセナ活動

森村市左衛門の妹婿に当たる大倉孫兵衛(本書20ページ)は、私利私欲を捨て国益を第一に考える市左衛門の思想に深く共鳴し、当初から森村組に参画、さらに長男・和親とともに1904年に日本陶器合名会社の設立にあたった。

1910年、自邸内に私立南高輪尋常小学校・同幼稚園を創立する。建学精神「独立自営」を教育理念として、現在、横浜市緑区長津田町に学校法人森村学園として継続している。その他、1901年に財団法人森村豊明会を設立し、教育事業や社会事業に多額の寄付をおこなった。

(寺沢安正)

ニューヨークのモリムラ・ブラザーズの店
出典:『日本陶器七十年史』

ゆかりの地へのアクセス

【名古屋輸出陶磁器産業の地】➡名古屋市東区主税町公園付近

森村市左衛門をもっと知るために

◉砂川幸雄『森村市左衛門の無欲の生涯』草思社、1998年

大倉孫兵衛（おおくらまごべえ） 1843-1921

良きが上にも良きものを造る

日本陶器、大倉陶園の設立に参画

出典：『日本陶器七十年史』

大倉孫兵衛	
1843年	江戸四谷伝馬町に生まれる
1855年	絵草紙屋、内野弥平次方に奉公
1862年	父四郎兵衛が病没、兄由次郎の「萬屋」を引継ぐ
1863年	横浜で絵草紙を販売し、森村市左衛門と知り合う
1865年	森村市左衛門の妹ふじと結婚
1875年	日本橋に錦栄堂大倉書店を出店
1876年	雑貨貿易業「森村組」が創立
1889年	大倉孫兵衛紙店を大倉孫兵衛洋紙店に改名
1898年	森村組名古屋店に東京・京都の絵付け工場を集団移転
1904年	日本陶器合名会社設立
1917年	森村商事株式会社設立
1919年	日本陶器の碍子部門を日本碍子株式会社に分離独立
1921年	77歳没

生い立ち

大倉孫兵衛は、1843（天保14）年、江戸四谷伝馬町の絵草紙屋「萬屋（よろずや）」の二代目大倉四郎兵衛の次男として生まれた。この店は福沢諭吉の『西洋事情』の取扱店であった。孫兵衛は、1874（明治7）年に大倉書店を開業し、夏目漱石の初めての単行本『吾輩は猫である』もこの書店から刊行されたことで知られる。

1862（文久2）年、父の病没で萬屋を引継ぎ、横浜で絵草紙の販売をしていた頃、森村市左衛門（本書18ページ）と知り合い、私利私欲を捨て、国益を第一に考える思想に共鳴し、また市左衛門の妹ふじと結婚した。

森村組から日本陶器の設立に参画

1876（明治9）年に森村市左衛門が設立した貿易商社「森村組」に大倉は当初から参画した。森村組はニューヨークでモリムラブラザーズを開設して花瓶、置物などの商品見本を見せて半年あるいは1年後に渡す受注生産の販売施策で販路を広げていった。

森村組は1892年に日本での生産を確立するため名古屋店を開設した。そして1896年に東京、金沢など各地に散在していた絵付け工場を名古屋市東区主税（ちから）町（現 主税町公園付近）に集約し移転させた。これは、瀬戸や美濃など焼き物の本場であり原料の粘土の主産地に近いこと、日本の中心にある名古屋港の開港が1907年に予定されていたからである。また、当時の製品はハンドメイドで絵付けの美しさ、細工の繊細さで“チカラマチ”ブランドとして知られた。

その後、オーストリア、カールスバードのビクトリア工場を視察、白地陶磁器の窯、機械器具などの図面を得て研究を進め、1904年に現在の名古屋市西区則武（のりたけ）町に広大な敷地を確保、日本陶器合名会社（資本金：10万円）を設立、定款に「西洋式の製法により陶器を製造し、これに焼付画を施し海外輸出を目的とする」ことを定めた。初代社長に孫兵衛の長男大倉和親（かずちか）（本書108ページ）が就任し、近代的な製土工場、成型工場、釉薬絵付け窯工場などの一貫生産工場を建設、生産体制を確立した。

また、事業の成功と発展のためには、それぞれの事業に専念することが肝要という一業一社の理念から1919年に碍子（がいし）部門を日本碍子に分離独立、1936年に日本碍子から点火栓（スパークプラグ）部門の日本特殊陶業が分離独立し、一社一業の精神を実現化していった。

日本陶器合名会社の創立時の工場
出典：『日本陶器七十年史』

大倉陶園の設立

1918（大正7）年、大倉孫兵衛と長男和親父子によって東京蒲田（現 横浜市戸塚区に移転）に大倉陶園株式会社が設立された。この工場は、孫兵衛が私財を投じて「良きが上にも良きものを造る」ことを目的に商売抜きの道楽仕事として英国の骨粉焼、フランスのセーブル、イタリアのジノリ以上の美術陶器づくりを始めた。（寺沢安正）

ゆかりの地へのアクセス

【ノリタケの森】➡名古屋市西区則武新町3-1-36

大倉孫兵衛をもっと知るために

◉ノリタケ100年史編纂委員会 編『ノリタケ100年史』2005年

村松彦七（むらまつひこしち） 1845-1885

常に生産の増殖、事業興起を企図す
名古屋の産業界に新しい風を吹き込む

出典：『本邦綿糸紡績史』第３巻

村松彦七	
1845年	江戸に生まれる
1871年	東京小野組役員、額田県為替方を命じられる
1873年	小野組名古屋支店支配人
1876年	七宝会社設立、米国フィラデルフィア万博に出品（優等賞牌）
1878年	愛知物産組設立に尽力
1881年	名古屋紡績会社設立に尽力
1883年	横浜正金銀行取締役
1885年	41歳没

生い立ち

村松彦七は、明治維新後、その幅広い識見と実行力によって各界の信頼を集め、維新後の名古屋に七宝（しっぽう）会社、愛知物産組、名古屋紡績など各種事業を興起した人物である。村松は、1845（弘化2）年4月、江戸神田区三河町に生まれた。

1871（明治4）年為替商小野組に入り、同組が額田（ぬかた）県（岡崎）に支店を設けた1873年に額田県為替方支配人として岡崎に赴任した。額田県が愛知県になってからは、名古屋支店の支配人となり、県の為替方を担当した。しかし1874年11月に小野組は事業に失敗して閉店となった。

七宝会社

1876年1月、村松は七宝焼製品を製造販売する七宝会社の支配人となる。同社は、1871年3月村松が豪商岡谷惣助（おかやそうすけ）（本書37ページ）らに勧めて設立した会社で、名古屋で初の会社組織であった。

同年4月米国フィラデルフィアで開催された万国博に出張し、七宝焼製品を出品して優等賞牌を授与され、販路を開拓した。1878年2月開催のパリ万博にも出品し、ジャポニズムブームが高まる中、七宝焼製品は高い評価を得た。このとき、日本側の総裁を務めた松方正義（後に大蔵大臣）の知遇を得、誘われて一緒に欧州諸国の工場を視察している。

1883年10月のオランダ、アントワープの万博では同国皇帝から勲章を授与されたものの、不況の中赤字を抱え、七宝会社は閉鎖に至る。

織物会社・紡績会社の設立

1878年には、村松の尽力によって、結城縞を製織する愛知物産組が設立された。士族婦女を雇う時代の要請にも応える事業として発展した。

さらに名古屋地区初の近代紡績会社として、名古屋紡績を設立した。村松がパリ万博後に松方正義総裁と欧州視察での見聞を踏まえ、綿花栽培の盛んな愛知県に紡績会社を興し、輸入品を抑えたいと企図し、伊藤次郎左衛門祐昌、岡谷惣助など名古屋の有力財界人に周旋して実現したものである。

紡績機械の輸入代金は、村松の斡旋で、政府資金貸与が認められた（1880年2月）。当初は木曽川での水車動力を利用する計画だったが、費用が膨大になることがわかり、蒸気機関に変更して堀川端の正木町で工場建設し事業がスタートするまで、ほとんど村松の働きによって事業化が進められた。1885年4月に開業し、その後の業績は順調に推移した。

名古屋紡績会社
「名古屋明細全図」（1895年）　伊藤正博氏蔵

村松の活躍は東京にもおよび、1883年1月には横浜正金銀行の取締役に就任している。惜しくも1885年、41歳で逝去している。彼の存命が長ければ、奥田正香（まさか）（本書304ページ）と並ぶ人物として名古屋政財界で活躍しただろうと言われている。（浅野伸一）

村松彦七をもっと知るために

◉「公文録 明治18年 農商務省第二」国立公文書館
◉名古屋市 編『名古屋市史』人物編、1934年
◉絹川太一『本邦綿糸紡績史』第3巻、日本綿業倶楽部、1938年

鈴木久一郎（すずきひさいちろう） 1845-1904

剛毅と侠気と人情と孝行の人

島田紡績所の創業者

個人提供

鈴木久一郎	
1845年	駿河国志太郡島田宿に生まれる
1880年	大井川に木橋架橋。島田紡績所建設を出願
1884年	島田紡績所開業
1887年	機械代金の全てを政府に返納
1889年	ダイナモを買入れ、自宅と工場門に白熱アーク灯点灯
1890年	リング精紡機を増設
1897年	小山発電所建設に乗り出す
1904年	59歳没

生い立ち

鈴木久一郎は、1845（弘化2）年、駿河国志太（しだ）郡島田宿（現 島田市）の本通りで醤油業を営んでいた父鈴木源七、母けい子の長男として生まれた。6歳のときに父を亡くす。特別の教育を受けたわけでもなかったが、川越人足（かわごしにんそく）のごとき荒くれ者のいる島田宿に育ったことから剛毅と侠気を持ち合わせていた。1868年の明治維新の際には若くして副戸長に推されたように、一目置かれる存在であった。1880（明治13）年には、地域の人たちと協力して大井川に長大な木橋を架けている。これは1899年に東海道線が開通するまでの主要道となった。

島田紡績所の建設と開業

鈴木久一郎が紡績業を思い立ったのは、本邦輸入超過の最大原因が綿糸にあるとの新聞記事を見たことにあったとされる。東京滝野川の鹿島紡績創業者の鹿島万平邸に出向いて相談した際、まずは紡機を買入れてしかる後に来たれ、と叱咤されたことから、紡機の払い下げ申請の意を決したとの逸話が残っている。

島田紡績所の「フルネイロン式タービン」図面　鈴木家蔵　1991年撮影

紡機払い下げ願書に記された理由は二つあった。一つは当地方が綿花の産地であること、もう一つは大井川の水量が豊富なることであった。この水量豊富については紡績所開業後も恩恵を受け続け、当時同じく払い下げを受けたほかの初期綿糸紡績所が水量不足に悩まされる中、良好な経営の基盤となった。ただし綿花については、地域調達が容易でなく輸入綿を多く使用したが、逆に国産綿（和綿）より繊維長が長かったことが幸いとなり細番手の糸（細糸）を紡ぐことに成功している。

紡績機械はイギリスより輸入した2000錘のミュール精紡機を据え付け、動力には、初期綿糸紡績所建設を指導した石河正龍（本書12ページ）の指導もあって、国産の水力タービンを据え付けた。この水力タービンの製作は官営の愛知紡績所と同じく横須賀造船所である。このとき、同時期に建設した三重紡績や広島紡績所の小深川工場と同時に発注もあったことから、タービンの木型製作代を減少させることができたと、石河正龍の復命書に記されている。

こうした順調な操業もあって、島田紡績所では1887年には機械代金の全てを政府に返還している。

日英水電小山発電所の開設に尽力

鈴木久一郎は、紡績業だけでなく川越人足救済や茶園振興に取り組む過程で、1897年には、大井川の上流上川根村（現 榛原郡川根本町）に用地を買収して、大井川水系最初の発電所となる小山発電所建設にも乗り出している。しかしこちらは志半ばの1904年5月に久一郎が逝去したことから、1912年の完成前に日英水電に権利が譲渡されている。こうし

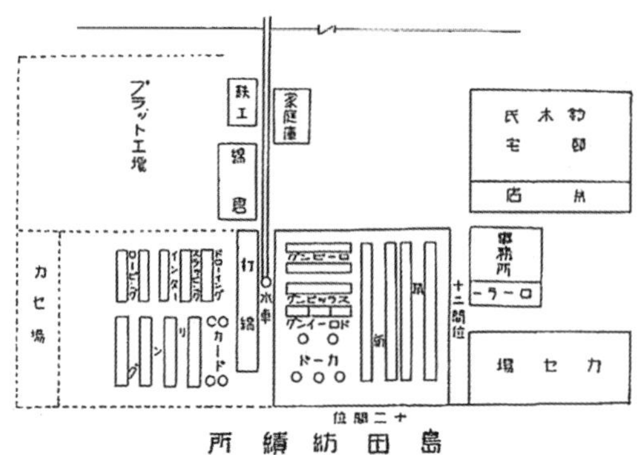

島田紡績所の工場・機械配置図
出典：『本邦綿糸紡績史』第３巻

島田紡績所の工場　妻面の図　鈴木家蔵　1991 年撮影

た電気事業への意欲を久一郎は早くから持っていた。1889 年にダイナモを購入して、島田紡績所及び隣接していた鈴木久一郎邸にアーク灯を設置して、島田で最初の電灯の点灯もおこなっていたのである。

鈴木久一郎は紡績所をはじめ、電灯事業にも取り組むなど、常に地域に近代化の光を届けることに尽力した人物であった。（天野武弘）

ゆかりの地へのアクセス

【島田紡績所導水路跡】

➡静岡県島田市横井三丁目周辺　JR 東海道本線島田駅より南へ徒歩８分

鈴木久一郎をもっと知るために

◉絹川太一『本邦綿糸紡績史』第 3 巻、日本綿業倶楽部、1938 年

初代 片倉兼太郎 1849-1917

至誠は息むことなし

世界一の生糸王

岡谷蚕糸博物館蔵

初代 片倉兼太郎	
1849年	信濃国諏訪郡川岸村に生まれる
1863年	平野村間下区の郷儒浜雪堂の門に入る
1868年	東京に遊学、書家巻菱潭の門に入る後、帰郷
1873年	父市助、自宅で10人繰の座繰り製糸開始
1878年	天竜川河畔に垣外製糸場(32釜)創設
1879年	製糸結社「開明社」組織
1890年	長野県松本に「松本片倉清水製糸場」創設
1894年	長野県川岸に「三全社」設立
1895年	片倉組を組織し、本部を「三全社」に置く。東京市京橋に東京支店設置
1916年	初代片倉兼太郎正六位に叙せられる
1917年	69歳没

生い立ち

初代片倉兼太郎は、信濃国諏訪郡川岸村（現 長野県岡谷市）で代々里正（名主）を務める家に、1849（嘉永2）年、父市助、母ひろ子の長男として出生した。

父市助は1873（明治6）年、自宅で10人繰の座繰り製糸を始め、後を継いだ兼太郎は、次男光治、三男五介（今井五介〔本書60ページ〕）、四男佐一（二代兼太郎）ほか一族で協働し製糸業に勤しんだ。

兼太郎は、諏訪郡平野村（現 岡谷市）の武居代次郎開発の諏訪式繰糸機を導入し、1878年、天竜川河畔に機械製糸「垣外製糸場」32釜を創設した。

当時、輸出生糸商は製糸家に生糸の斉一品質と大量荷口供給を望み、そのため1879年には、平野村の尾沢金左衛門、林倉太郎らと製糸結社「開明社」を組織した。開明社は各社共同し、1884年には共同揚返場を新設、品質統制、生産拡大をおこなった。開明社は兼太郎の統率力と経営手腕で長野県下一の結社となり、岡谷中心の生糸は「信州上一番格」

垣外製糸場　岡谷蚕糸博物館蔵

諏訪式繰糸機
岡谷蚕糸博物館蔵　2022年撮影

と呼ばれる市場標準格生糸となる。

世界一の生糸輸出国へ

1890年、兼太郎は繭（まゆ）や用地を求めて、郡外の長野県松本に「松本片倉清水製糸場」48釜を創設、その運営にはアメリカ帰りの弟今井五介があたり、発展した。

また、兼太郎は1894年には川岸に、360釜の「三全社」を設立した。これは当時最大の富岡製糸場を上回る規模で、片倉本家・新宅・新家の三家一致団結の経営で、垣外製糸場、松本製糸場と合わせ個人経営として全国一の規模となった。その後、「片倉組」を興して一族で事業拡大、兼太郎はその組長として統監した。

片倉組は明治30年代には県外へも進出、旭日昇天の勢いで躍進する。これに呼応して、日本は1907年、生糸宗国の中国を超え、生糸輸出世界一となるのである。

今に通じる経営哲学

片倉兼太郎は、いち早く製糸業の将来性を見抜き、日本の近代化を牽引する産業へと発展させた実業家である。そこには、一族の強固な繋がりと、兼太郎の卓越したリーダーシップがあるが、質素倹約、堅実経営、技術重視の経営哲学と、自身が記した「至誠無息」(至誠一貫、真摯に事に当たれば道は必ず開ける)を成功の根幹に置いた。また、教育・公共事業にも積極的に貢献し、「事業は人なり」と労使協調、従業員の厚生にも力を注いだ。

岡谷市鶴峯公園に立つ初代片倉兼太郎像
2017年撮影

兼太郎は1917(大正6)年に急逝するが、その後、川岸の鶴峯公園には初代片倉兼太郎の銅像が建てられ、今なお信州の陽光を満身に浴びて屹立している。(林 久美子)

ゆかりの地へのアクセス

【初代片倉兼太郎像】

➡長野県岡谷市川岸3-13-1　岡谷市鶴峯公園内
JR中央本線岡谷駅より2㎞、徒歩30分

【岡谷蚕糸博物館】

➡長野県岡谷市郷田1-4-8
JR中央本線岡谷駅より2㎞、徒歩30分

片倉兼太郎をもっと知るために

◉片倉製絲紡績株式会社考査課 編『片倉製絲紡績株式会社二十年誌』1941年
◉初代片倉兼太郎翁銅像を復元する会『初代片倉兼太郎』2003年
◉宮坂勝彦 編『片倉兼太郎―製糸王国の巨人たち』(信州人物風土記 近代を拓く第22巻)銀河書房、1989年

初代 神野金之助（かみのきんのすけ） 1849-1922

資性温厚、夙（つと）に意を開墾事業に注ぐ

世紀の大事業、神野（じんの）新田の開発

出典：『神野金之助重行』

初代 神野金之助	
1849年	尾張国海西郡江西村に生まれる
1864年	家督を相続し、苗字帯刀が許される
1876年	富田重助の名古屋紅葉屋の経営に参加する
1882年	名古屋銀行設立発起人に名を連ねる
1884年	額田郡の菱池（菱池沼）の干拓に着手した
1893年	毛利新田と牟呂用水を購入、工事開始した
1896年	神野新田の成功式をおこない、記念碑を建てる
1898年	明治銀行頭取に就任する
1904年	貴族院議員となる
1906年	勲四等を叙せられ旭日賞綬賞を受ける
1908年	福壽生命保険会社の社長に就任する
1922年	74歳没

生い立ち

初代神野金之助（幼名岸郎）は、1849（嘉永2）年4月15日に、父神野金平と母マツ子の五男として、尾張国海西（かいさい）郡江西（えにし）村（現 愛西市江西町）に誕生した。神野家は代々この付近の庄屋を務める豪農である。

父、金平には五男一女があったが、長男小吉は富田重助（本書96ページ）の養嗣子となって重助を襲名し、二男・三男・四男は若くして没し、五男岸郎が後をついで金之助といった。少年期より、母に伴われて寺参りをし、10歳の頃から朝の看経を始め、以後一日も欠かすことはなかった。このようにして、その信仰心は自然に培養され、金之助が一生を通じて不動の精神を支配するに至った。

1864（元治元）年、家督を相続し、苗字帯刀を許され、金之助と称した。1872（明治5）年に江西村外九カ村の副戸長（今の副村長）に任命され、その後戸長に昇進して、村務を鞅掌（おうしょう）したが、1876年3月に戸長の職を辞し、父兄の業務に参加し紅葉（もみじ）屋の事務に従事した。

紅葉屋は、金平・重助・金之助の

父子3人が一団となって活動し、その経営振りは、当時としては珍しい舶来品を取り扱うなど、時代の先端を行くものであった。その利得は金融で運転し、更に土地経営、山林事業に進み、遂に新田開墾にまで進展した。

神野新田の開拓

神野新田の前身は毛利新田である。1885年、毛利祥久が、愛知県令の勝間田稔から豊川河口の遠浅の海岸の干拓事業を勧められたことに始まる。1888年に起工式がおこなわれ、以後毛利祥久によって新田開発が進められた。

毛利新田は1889年に完成したが、度重なる高潮や1891年の濃尾地震などで堤防が破壊され、毛利祥久はやむなく再築を断念した。ちょうどこの頃、彼の家と親戚関係にある者が廃地となっている毛利新田の有望なことを説得した。これを聞き、神野金之助は土木請負業の服部長七（本書180ページ）を伴って三河へ出かけ、「隅々まで牟呂村の毛利新田を観察して、堤防再築の容易ならぬ」を直感したのである。

1893年、神野金之助は毛利新田を4万1000円で買収し、総工費70万円とも90万円ともいわれる巨額の費用を投じて新田・用水路の修復にあたった。

服部長七の人造石で施工された広島の宇品及び伊予の三津浜で、慎重に調査した結果、服部長七の人造石を新田築造に採用することに決めた。堤防を以前より6尺（1.8m）高くするなど、毛利新田の失敗を教訓に改

神野新田干拓堤防　出典：『神野金之助重行』

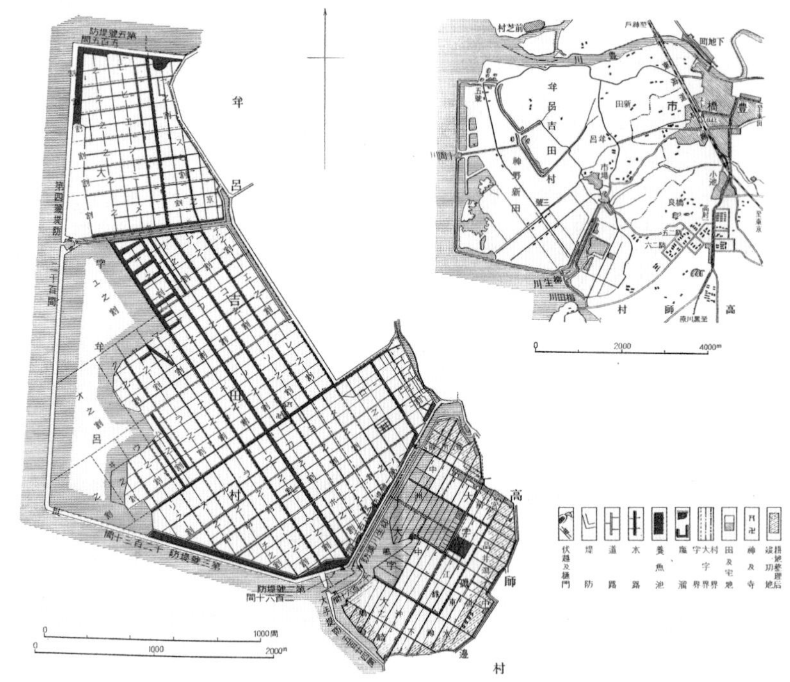

神野新田の図　出典：『神野金之助重行』

善が図られた。神野新田の開発にともなって牟呂用水の建設も進められた。堤防の総延長は12kmに及び、特に重要な三号堤と四号堤には、33体の観音が100間（およそ182 m）おきに安置された。神野の発案によるもので、住民が毎日巡拝することで堤防の安全を祈願し、破損部分を早期に発見することが狙いであった。

大堤防の構造に関しては1丈8尺（5.5 m）の所までは1割半（33度）の勾配、上部6尺（1.8 m）には5分（63度）の勾配を付ける計画であったが、1894年冬の大暴風雨の経験により大堤防の全高を2丈7尺（8.2 m）（他は2丈4尺〔7.3 m〕）に上げ、下位勾配は前設計通りとし、18尺（5.5 m）以上は全部5分（33度）勾配としたならば、余波が堤上を越すことはないとの結論を得た。

新田は、人造石工法で施工され、干拓面積千百町歩（10.91㎢）、干拓堤防の総延長は約3里（12㎞）に及び新田用の牟呂用水の修復もおこなわれ、1896年4月、神野新田が完成する。

入植者への援助、牟呂用水の活用

神野は、新田入植者への援助を惜

しむことはなかった。塩分の多い干拓地の入植者に対し、潮田の農耕の指導に必要な農事試験場の農事指導主事の導入や農事研究会の設置、また、新田内に7カ所の苗代場を設けた。

また、牟呂用水が豊川筋の大氾濫などにより水路が破壊された時、全水路の修復工事を人造石工法でおこなっている。これにより用水路の水量が増大し、新田の塩分除去も良好となった。

神野金之助翁頌徳碑 2022年石田正治氏撮影

中部を代表する経済人

神野は、服部長七という人造石工法の開発者を得て、長大な干拓堤防を完成させ、世紀の大事業といわれる神野新田を完成させた。

神野新田の他に、神野が創立または経営した会社は1888年に設立し社長を務めた東海汽船株式会社をはじめ数多くあり、最も長く尽力したのが明治銀行であった。他にも福寿生命保険会社、福寿火災保険会社、名古屋電気鉄道会社（現 名古屋鉄道）などの社長を務めるなど、中部財界の中心的な役割を果たした。

（井土清司）

ゆかりの地へのアクセス

【神野新田資料館】
➡愛知県豊橋市神野新田会所前66
豊鉄バス牟呂循環線牟呂学校前より徒歩約10分

【神野金之助翁鍠頌徳碑】
➡愛知県豊橋市新田町（新田神社境内）
豊鉄バス牟呂循環線牟呂学校前より南約600 m

神野金之助をもっと知るために

◉紅葉舎類聚編纂委員会『紅葉舎類聚―名古屋富田家の歴史―伝記篇』1977年
◉堀田璋左右『神野金之助重行』1940年
◉豊橋市立商業学校『開校廿周年記念東三河産業功労者伝』1943年

<ruby>山葉寅楠<rt>やまはとらくす</rt></ruby> 1851-1916

美しき旋律を求めた生涯

西洋楽器の国産化に成功

ヤマハ株式会社提供

山葉寅楠	
1851年	和歌山城城下に生まれる
1872年	長崎にて時計職人の修業
1883年	医療器具修理工として浜松に派遣される
1887年	オルガン試作に成功
1889年	合資会社山葉風琴製造所設立
1891年	山葉風琴製造所解散。山葉楽器製造所設立
1897年	日本楽器製造株式会社に改組
1899年	アメリカへ視察旅行
1900年	国産ピアノ完成
1902年	緑綬褒章授章
1916年	65歳没

生い立ち

山葉寅楠は、1851（嘉永4）年、紀州藩士の山葉孝之助の三男として生まれた。父・孝之助は天文係として天文暦数だけでなく、土地測量や土木工事設計もおこなう聡明な人物であった。

寅楠は幼い頃から手先が器用だけでなく剣道も上手であった。明治維新後、21歳で大阪に出る。

そこで懐中時計を見て興味を持ち、長崎まで行き、2年ほど時計職人の下で修業し、時計構造の研究をする。再び大阪に戻り西洋式医療器械を扱う河内屋に住み込み、2、3年で立派な修理工に成長した。

寅楠は、1883（明治16）年、浜松病院の医療機器の修理のため、河内屋から浜松に派遣された。

オルガン修理が楽器製造の契機に

楽器との出会いは、1887（明治20）年、浜松尋常小学校よりオルガンの修理を依頼されたことからであった。オルガン修理の際、修理の傍ら部品を調べて図面に書き、その設計図をもとに2カ月で、自作オルガンの試作品を完成させた。資金面での協力者は浜松宿の飾職人小松屋の河合喜三郎であった。

しかし、試作品ができたとは言っても、楽器としては不十分なものであった。寅楠には音楽の知識はなく、調律という言葉さえ知らない有様だった。あれこれと伝手を辿って、最終的に静岡県令関口隆吉より音楽取調掛の伊沢修二を紹介され、一度訪ねてみよと紹介状も書いていただけた。

1887年10月末、寅楠と喜三郎は伊沢の評価を受けるため、徒歩で東海道64里（約254km）あまりを上り、箱根を越えてオルガンを運んだ。伊沢からは「調律が不正確」と言われてしまった。そこで寅楠は1カ月間東京に留まり、音楽取調所で聴講生として音楽理論と調律を学び、帰浜してオルガン第2号を製作し、再び、箱根越えして伊沢の下に持参し、なんとか認めてもらうことができた。

伊沢の推薦もあり、オルガンが評判となり注文が急増し、1889（明治22）年、合資会社山葉風琴製造所を設立し、成子町の坂の上にあった寺へ移転した。1年ほどして八幡地へ移転した。さらに翌年、板屋町に移転して約30年間拠点にした。

1891年、株主総会で会社は解散に追い込まれてしまう。再び、喜三郎と2人きりになったが、新たに「山葉楽器製造所」を設立した。そんな中でも山葉オルガンの評価は高まっていった。

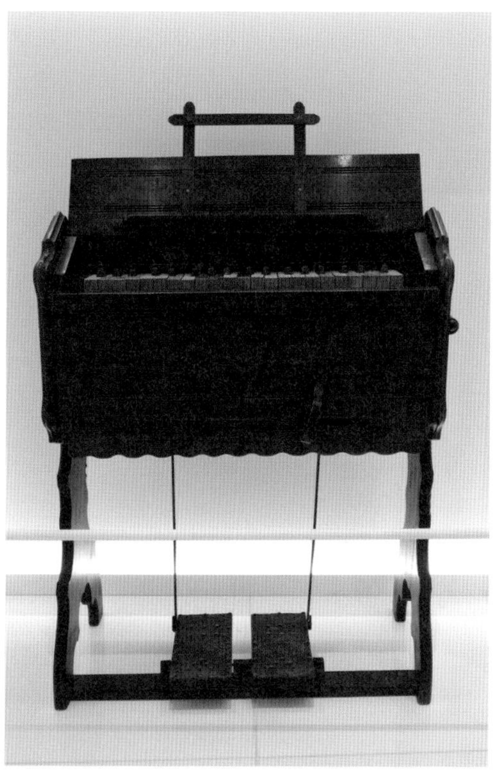
山葉オルガン第一号型　ヤマハ株式会社提供

ピアノの国産化に成功

1897年10月に資本金10万円で日本楽器製造株式会社（現 ヤマハ）に改組し、初代社長に就任する。この頃から本格的にピアノづくりへの取り組みを開始した。

寅楠は1899年、文部省使

1899 年製の日本楽器製造のピアノ　浜松市楽器博物館蔵

節としてアメリカ視察に出発した。5カ月間かけて100カ所ものピアノ工場をまわり、ピアノづくりの技術、知識、設備を学び、加工機械を手に入れ帰国した。

日本楽器製造は1900年、国産第一号ピアノを完成した。

日本楽器製造は1907年、ピアノとオルガン生産日本一になった。

寅楠は技術者を育てる見習生制度を始め、優れた技術者を数多く輩出させ、日本における楽器産業の礎を築き上げた。後に河合楽器製作所を興した河合小市（こいち）（本書236ページ）も、大橋ピアノ研究所を設立する大橋幡岩（はたいわ）も門下生である。

1916（大正5）年8月8日、死去。66歳であった。（漢人省三）

ゆかりの地へのアクセス

【ヤマハ企業ミュージアム　イノベーションロード】
➡静岡県浜松市中区中沢町10-1　JR東海道線浜松駅より徒歩5分
または、遠州鉄道新浜松駅乗車、八幡駅より徒歩2分
https://www.yamaha.com/ja/about/innovation/

山葉寅楠をもっと知るために

◉小粥章司『浜松・山葉オルガン創業前史―ヤマハ創業者・山葉寅楠の伝説とルーツ』2017年

九代 岡谷惣助（おかやそうすけ） 1851-1927

祖先の遺訓に遵ふて業を励む

七宝、紡績、銀行など新規事業創設に尽力

岡谷鋼機提供

九代 岡谷惣助	
1851年	尾張国鉄砲町に生まれる
1871年	名古屋初の会社組織として七宝会社設立
1874年	家督を相続、第九代惣助襲名
1877年	第十一国立銀行創設、取締役就任
1878年	第百三十四国立銀行創設、頭取就任
1885年	名古屋紡績設立、取締役就任
1890年	七宝会社解散
1895年	愛知銀行設立　頭取就任
1909年	貴族院議員
1927年	76歳没

生い立ち

岡谷惣助（第九代）は、1851（嘉永4）年2月、代々鉄刃物を商う豪商笹屋家に生まれ、17歳のとき実質的に家業を継ぎ、後に惣助を襲名した。維新後、買い集めていた古銅材等を基にして事業を拡大し、幕末維新の混乱を乗り切り、1872年には念願の東京支店を開設した。またこの資産を基に、国や県の殖産興業政策に従って、姻戚関係にある伊藤次郎左衛門祐昌ら地元資産家とともに各種新規事業の創設に取り組んだ。

七宝会社、紡績会社の設立

名古屋県権令（後に愛知県令）の井関盛良（いせきもりとめ）や村松彦七（小野組名古屋支店支配人、本書22ページ）の勧めで、1871（明治4）年7月に七宝会社を設立した。名古屋では初となる「会社」と名のつく企業であった。同社は、地元産七宝焼製品の製造ならびに海外への輸出をおこない、ウィーン、メルボルン、フィラデルフィア、パリなど海外の万国博に出展し、1873年のウィーンの万国博では1等銅賞に

明治期の岡谷商店『岡谷鋼機 350 年の歩み』

七宝会社製花瓶　横山美術館蔵

入賞するなど高い評価を受けた。しかし深刻な不況下で開催された1883年のアムステルダム万博では、想定外の失費を出した。会社は閉鎖に追い込まれたが、国産の七宝製品の美術品として高い評価と海外への販路を拓いた先駆的事業であった。

同じく村松彦七の勧めで、機械紡績をおこなう近代的紡績会社として名古屋紡績の設立に奔走し、その後取締役を務めた。紡績機械輸入の代金（9万5000円）は政府資金の貸与を受けている。当初は水車動力を利用する計画であったが、工事が至難で費用が嵩むことがわかり蒸気機関に変更するなど着工までに手間取った。1885年4月、堀川端の名古屋市正木町で操業を開始した。士族の婦女子を雇用する時代の要請に応えた事業であり、濃尾震災の打撃や日清戦争後の不況を乗り越えて順調に発展した。1907年1月には、三重紡績に合併され、岡谷は監査役に就任している。

百三十四国立銀行、愛知銀行頭取

名古屋区長吉田禄在に請われて、銀行の創設にも尽力した。1877年5月に第十一国立銀行、翌1878年3月に第百三十四国立銀行の設立に関わり、第十一国立銀行では取締役に、第百三十四銀行では頭取に就任した。国立銀行とは、1872年の国立銀行条例に基づいて設立された民間の銀行であり、紙幣の発行も許されていた（写真参照）。国立銀行条例による営業期間満了の後、両銀行は1896年に愛知銀行に統合され、岡谷は頭取に就任している。明治銀行、名古屋銀行と並ぶ名古屋の中心的金融機関として発展した。1909年、頭取職を辞任するにあたり、当時35歳の日本銀行名古屋支店長だった渡辺義郎を新頭取に登用したが、渡辺の才能を見抜いた岡谷の見識と英断は高く評価されている。

第百三十四国立銀行五円券（岡谷惣助の名前が入っている）
『東海銀行史』1961 年

このほか、岡谷は名古屋瓦斯、名古屋製陶、福寿火災保険、朝鮮起業などの会社設立に関わり、また名古屋博物館館長（1883年）をはじめ、市会議員（1889年）、県会議員（1896年）、名古屋商業会議所副会頭（1901年～1909年）等の公職を務め、さらに1906年には貴族院議員にも選ばれている。1926年、家督を第十代惣助（3男清治郎）に譲り、1927年2月、76歳で死去した。維新動乱期のなかで、家業を守るとともに、常に心を公共に致し、新しい時代の潮流をいち早く捉え、数々の新規事業の創設をはかった進取の気性に富んだ財界人であった。（浅野伸一）

【金山神社】

岡谷鋼機株式会社の創立記念日 11 月 8 日は、名古屋市熱田区の金山神社の例祭日に因んで定められた。金山神社は、熱田神宮の鍛冶職尾崎善光が応永年間に鍛冶の祭神である金山彦命を勧請して創建された神社。1833 年に六代惣助が修復、再興を依頼されて社殿を改築し、以来世話方を続けている。金山町の町名の由来となっている。

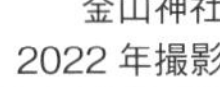
金山神社
2022 年撮影

ゆかりの地へのアクセス

【金山神社】➡名古屋市熱田区金山町 1 丁目　JR 東海道線金山駅より徒歩 5 分

岡谷惣助をもっと知るために

◉岡谷鋼機株式会社社史編纂委員会 編『岡谷鋼機社史』1994 年
◉岡谷鋼機株式会社人事総務本部 編集『岡谷鋼機 350 年の歩み』2021 年

十世 伊藤伝七（いとうでんしち） 1852-1924

糸と技術の心を紡ぐ
東洋一の大紡績会社を築く

出典：『東洋紡績七十年史』

十世 伊藤伝七	
1852 年	忍藩領室山村に誕生、伝一郎を名のる
1870 年	薩摩藩、洋式紡績機渡来に刺激
1875 年	叔父横浜で手動式フライヤ精紡機購入
1877 年	堺紡績所の見習工となる
1880 年	三重紡績所設立
1883 年	九世死去、十世伊藤伝七を襲名
1886 年	渋沢の援助で三重紡績会社設立
1888 年	漁網機所有の紡績会社となる
1893 年	三菱紡績株式会社となる
1901 年	印度綿使用は日本で嚆矢
1911 年	三重紡績、日本最大の紡績会社
1914 年	大阪紡績と合併、東洋紡績設立
1916 年	東洋紡績の二代目社長に就任
1920 年	会社社長を辞任、紡績業から身を引く
1924 年	72 歳没

生い立ち

十世伊藤伝七は、1852（嘉永 5）年、忍藩領の室山（むろやま）村（現 三重県四日市市）で長男伝一郎として生まれた。伊藤家は、室山村では酒造業、農業、質商、米穀の仲買を兼業していた。九世伊藤伝七と従兄弟の伊藤小左衛門（本書 10 ページ）は、伝一郎（後十世伝七）には紡績をやれと遺言のように言っていた。伝一郎は赤羽工作局、鹿児島紡績所、富岡製糸場、横須賀造船所等を歴訪し、紡績企業の知識を修得した。

家業の酒造業を弟に譲り、伝一郎は 26 歳のとき修行のため 1877（明治 10）年、堺紡績所の見習工となった。労務に従い工程の実地指導を受け、経済の運用、帳簿の整理に至るまで綿密に視察と研究を遂げた。父九世は詳細な報告を聞き紡績工場建設の決意を固めた。

三重紡績出発点の手動式フライヤ精紡機

九世伊藤伝七、伊藤小左衛門は 1870 年頃から洋式紡績に関心を持っていた。海外貿易で洋糸の輸入

手動式フライヤ精紡機　日本綿業倶楽部蔵
四日市市立博物館提供

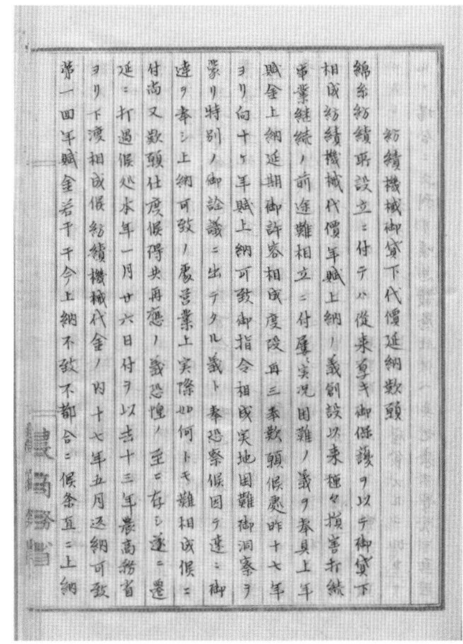

紡績機械御貸下代價延納歎願

綿糸紡績所設立ニ付テハ従来厚キ御保護ヲ以テ御貸下
相成紡績機械代價年賦上納ノ義創設以来種々損害打続
事業継続ノ前途難相立ニ付屢〻実況困難ノ義ヲ奉具上年
賦金上納延期御許容相成度段再三奉歎願候處昨十七年
ヨリ向十ヶ年賦上納可致御指令相成実地困難御洞察ヲ
蒙リ特別ノ御詮議ニ出テタル義ト奉恐察候因テ速ニ御
達ヲ奉シ上納可致ノ處営業上実際如何トモ難相成候ニ
付尚又歎願仕度候得共再應ノ義恐惶ノ至ニ存シ遂ニ遷
延ニ打過候処本年一月廿六日付ヲ以去十三年農商務省
ヨリ下渡相成候紡績機械代金ノ内十七年五月迄納可致
第一回年賦金若干于今上納不致不都合ニ候条直ニ上納

三重県平民伊藤伝七等へ貸与セル紡績機械代金年賦延期ノ件　国立公文書館蔵

が増大すると日本の経済を圧迫することを感知し、これを防ぐために機械紡績を起こすことを考えていた。伊藤小左衛門は明治初期に生糸取引店舗を横浜に開始した。横浜を往来する時に手動式フライヤ精紡機を発見し1875年購入した。

この紡機で綿糸の製造を試みに運転したが、実用化しなかった。1875年頃、政府は民間に奨励して紡績所

三重紡績所の蒸気機関　四日市市立博物館提供

三重紡績会社本社　1886 年
四日市市立博物館提供

の設立のため、紡績機を無利子 10 年賦返納で払い下げをした。伊藤伝七と伊藤小左衛門は、1880 年二千錘のミュール精紡機の機械払い下げを受けて、三重紡績所を設立。紡績所は父伝七の願いで川島村（現 四日市市）に決めた。1882 年開業後の成績は思わしくないのは、原料の綿の質と水量不足にあった。水量不足を補うために蒸気機関を導入したが、動力不足のため機械の半分しか運転できなかった。当時の紡績業界は技術の欠乏にあえぎ、三重紡績所も苦境に立たされていた。設立時の機械払い下げ代金の支払いは 1881 年から始まるが、経営悪化のため機械代金の延納願いを 1886 年まで 6 回提出した。

父九世伝七は 1883 年逝去し、伝一郎は十世伊藤伝七を襲名した。

三重紡績会社を設立

伊藤伝七の苦境を知る三重県令石井邦猷は渋沢栄一を紹介した。渋沢は各紡績会社と引け目のない競争をするためには、会社化と大規模化の必要性を説き、資本金 22 万円の半額を援助した。三重紡績会社は 1886 年 11 月 18 日創立し、1893 年に株式組織となった。

工場は四日市濱町とした。渋沢は優秀な技師をつくることを勧告し、技師長に造幣局技師斎藤恒三を推薦した。斎藤は入社後、工場の設計や英国紡績事業の視察・技術実習・紡機の買い入れに従事した。伝七は川島工場時代に専門の技術がなかったという苦い経験から、斎藤に破格の月報百円を支給し優遇した。斎藤は心を込めて部下の訓育養成に努めた。欧米視察した斎藤は、漁網に使用する綿網は価格低廉で耐久性があることを知り、撚絲機と製網機を注文して製網事業に着手した。三重紡は日本で唯一の製網機設備所有の紡績会社となった。また斎藤は英国の紡績実習中に印度（インド）綿の使用方法を研究している。印度綿使用の細糸の二十番手綿糸の生産は、三重紡では 1889 年に開始された。三重紡績は良い人材に恵まれたことで日本最大の紡績会社となり、模範紡績として天下にその名を馳せた。渋沢の助言で大阪紡績会社と合併、1914（大正3）年に東洋紡績会社を設立した。東洋最大の紡績会社を築いた伝七は1916年に二代目社長に就任した。1917年、四日市市富洲原町に富田工場を建設し、東洋紡のなかで最大規模の敷地面積約20万㎡の工場となった。工場では「ガス糸」やミシン糸などを生産した。ガス糸とは綿糸をガスの炎の中に高速で通し、糸の毛羽を焼いて、光沢と強度を出した高級糸である。一番細い糸のミシン糸も紡績できるようになり、特定工場となった。四日市港から荷揚げしたインドやエジプトの原料の綿は、富田の倉庫群で保管していた。倉庫は2000年に登録文化財に登録され、複合商業施設として再利用されている。1914年に第一次世界大戦が始まり、紡績業界は綿糸暴騰で黄金時代を迎え、東洋紡績も莫大な社内留保金を得た。伝七は1920年東洋紡績社長を辞任し紡績業界から身を引いた。

伝七は郷土への恩返しに1921年四郷役場の建物を寄付した。当時はハイカラな役場で、木造2階建て、正面に車寄せ、中央には玄関広場、最南端には螺旋(らせん)階段の展望台がある。現在は四郷郷土資料館となり四日市市の有形文化財になっている。

1924年、72歳で逝去した。（大橋公雄）

旧東洋紡績富田工場原綿倉庫　2009年撮影

四郷郷土資料館　2015年撮影

ゆかりの地へのアクセス

【四郷郷土資料館】
➡三重県四日市市西日野町　四日市あすなろう鉄道八王子線西日野駅より徒歩10分
【旧東洋紡績富田工場原綿倉庫】
➡三重県四日市市富洲原町　JR関西本線富田駅より徒歩5分

伊藤伝七をもっと知るために

◉絹川太一 編『伊藤伝七翁』伊藤伝七翁伝記編纂会、1936年
◉東洋紡績株式会社東洋紡績七十年史編修委員会 編『東洋紡績七十年史』1953年
◉四日市市教育委員会『東洋紡積株式会社富田工場』四日市市歴史的建造物（近代建築）調査の記録⑥、1996年

山田才吉（やまださいきち） 1852-1937

名古屋財界の鬼才、不屈の男

県内初の缶詰工場をつくる

出典：名古屋知名人士肖像一覧

山田才吉	
1852 年	美濃国厚見郡富茂登村で生まれる
1866 年	江戸に板前修行に出る。修業中、味醂粕の香の物を新案
1878 年	大須門前町に山才屋を開店
1881 年	末広町に喜多福を開店、名古屋名物・守口漬を販売
1884 年	缶詰の製造販売を開始
1895 年	名古屋市会議員初当選
1897 年	東洋一の東陽館を開業
1899 年	愛知県会議員初当選
1902 年	日本罐詰合資会社設立
1903 年	東陽館焼失
1906 年	名古屋瓦斯の創設に参加
1910 年	水族館・南陽館を開業。熱田電気軌道会社を創設
1912 年	台風で水族館と南陽館倒壊
1927 年	聚楽園に大仏を建立
1937 年	85 歳没

生い立ち

山田才吉は、美濃国厚見郡富茂登（みのあつみふもと）村（現 岐阜市大仏町）で、料理屋山田辰次郎の長男として生まれた。

1866（慶応 2）年、才吉は江戸に板前修業に出て、10 年間浅草界隈で腕を磨き、いっぱしの料理人となった。暇さえあれば保存食、香の物の改良・工夫をし、ナスやウリを味醂（みりん）粕に漬け込む新案を考案した。

守口大根を基に缶詰製造

1878（明治 11）年、名古屋の大須門前町に「山才屋」を開店した。1881 年、新しく喜多福（きたふく）を末広町に開店、守口大根の味醂粕漬を「守口漬」で売り出した。売り込みと品質改良に努め、「名古屋名物・守口漬」の名は全国に知れ渡る。

才吉は 1884 年ごろ缶詰の製造を考案し、マツタケ・タケノコ・ハマグリのしぐれ煮の缶詰製造販売を始めた。才吉は日清・日露戦争で軍部から大量の缶詰発注を受けて、巨額な富を得た。1902 年、才吉は、イワシを原料にした油漬缶詰をつくるた

明治20年頃の喜多福の銅版画　出典：『尾陽商工便覧』

めに日本缶詰合資会社を創設した。県は、缶詰工場として新開地を5万坪（現 東築地町界隈）を払い下げた。1910年、第10回関西府県連合共進会で、日本缶詰株式会社のイワシ油漬缶詰は一等賞を受けた。

東洋一の娯楽施設や大仏の建造

才吉は、名古屋に大集会ができる巨大な建物の建設を計画、1897年に東洋一を誇る娯楽施設、東陽館を建設した。本館は御殿風檜皮葺の二階建て、一階は小部屋20室、二階は396畳の大広間であった。庭園には築山、池、料理店、遊技場などがあり、家族連れで1日中楽しめて、連日満員の盛況となる。6年後にあえなく焼失した。才吉はめげずに焼け跡で再建を決意した。

才吉は手掛けた名古屋教育水族館建設にあたり、視察と研究を重ねた。水族館は1910年4月10日に開館し、1年目で45万人の入場者が押し寄せた。水族館や南陽館までの交通に熱田電気軌道株式会社を創業。熱田神戸橋～東築地間を同年開通した。ところが暴風で開業した南陽館と水族館は倒壊した。

才吉は自慢の建物を火事や台風でなくし、「名古屋のために何か大きなものを遺したい」と考えた。聚楽園に災害にもびくともしない、奈良の大仏より大きい日本一の大仏をコンクリートで造り、1927年に大仏の開眼式をおこなった。聚楽園の大仏は苦境を乗り超える不屈な男の最後の仕事となる。才吉は1906年、名古屋瓦斯株式会社の創設に貢献した。また、名古屋市会、愛知県会にも議席をもち、市政、県政の運営に関与した。1937年85歳で生涯を閉じた。

（大橋公雄）

ゆかりの地へのアクセス

【聚楽園の大仏】➡名鉄常滑線聚楽園駅より300 m、徒歩5分
【山田才吉翁の頌徳碑と寿像の土台のみ】➡同上、東海市聚楽園公園内大仏の裏側

山田才吉をもっと知るために

◉林董一「名古屋商人山田才吉小考」『熱田風土記』1980年
◉中部缶詰製造協会 編『中部缶詰産業史—中部缶詰製造協会の生立ちと周辺』1993年

片岡孫三郎（かたおかまごさぶろう） 1853-1925

あきらめず、失敗を糧にした人

尾西毛織物業発展の基礎を築く

出典：『繊維グラフ』1952 年 9 月

片岡孫三郎	
1853 年	尾張国海東郡で誕生
1892 年	三輪春吉を養子に迎えた
1896 年	手織りから製織業への進出を考え、婿の春吉にモスリン製織の技術と知識の取得をさせるため東京へ
1898 年	片岡毛織工場を設立し、モスリン製織に着手
1901 年	セル地（和服用織物、セルジス）の開発に成功。黒地セルを製造
1914 年	片岡毛織合名会社の代表を辞任
1925 年	72 歳没

生い立ち

1853（嘉永 6）年、尾張国海東郡（現 愛知県津島市）で生まれた。家は貧しく、若年より幾多の苦難をなめ一時は最愛の妻子とまで離れるほど貧苦の底に沈んだこともあった。当時、片岡家は、手織機に使われる筬（おさ）の製造販売に従事していた。

1898（明治 31）年、孫三郎は筬を売り、貯めた 3000 円を元手に旧尾張製糸株式会社の土地を購入、75 坪の工場と 15 坪の事務所を有する片岡毛織工場を設立し、モスリン製織に着手した。1901 年、モスリンに代わる和服用織物のセル地（セルジス）の開発に成功し、製織で舶来品に劣らない優秀品を生産するに至った。品評会、博覧会等で受賞を重ねた。

1914（大正 3）年、片岡毛織合名会社の初代代表を辞任した。1925 年、79 歳で没した。

片岡春吉とともにセル地を開発

片岡孫三郎は、後継者となる男児に恵まれなかった。そこで、三輪春吉を娘婿に迎えた。二人は、心優し

片岡毛織工場　出典:『繊維グラフ』1952年9月

く、何事も納得するまでとことんやり遂げるという性格がよく似ていた。日清戦争に従軍した春吉（本書92ページ）は、毛織物に将来性を感じ、新規事業については、新しい素材を使った織物に取り組みたいと思った。

1896年、孫三郎は、春吉に新事業のために全国の織物産業の実地調査に基づく研究をさせた。その後、同年に設立されたばかりの東京モスリン紡織株式会社（現 ダイトウボウ株式会社）に、無給の見習い職工として入社させた。春吉は、2年間でモスリン製織の技術と知識を身につけ、津島に、手織機を持って戻ってきた。

モスリンとは薄地の毛織物である。洋装の拡大を当て込んだ方針だった。その時、持ち帰った手織機を使い、親子はモスリン織りを始めた。しかし、その時はまだ、洋装の需要がなく、品質が良くなかったので売れなかった。しかし、この親子はあきらめず、失敗を生かし、今度は、和服用織物セルに挑戦した。輸入品に劣らない品質の高い毛織物を作り出そうと研究に没頭した。その間、家計は苦しく、困窮したが、織機の研究に励み、ついに試行錯誤の結果、輸入品に負けない毛織物を作り出す片岡式織機を作り上げた。

1901年、モスリンに代わるセル地の開発に成功し、日本で初めてセル地製織した。しかしながら当初の製品の品質は向上せず資金は逼迫した。片岡式織機の開発と整理加工の工程に知恵を絞り、良い技術があれば教えを乞う姿勢で改良を続け、その努力の結果、セル地の製織で舶来品に劣らない優秀品を生産することで実った。その後、国内の勧業博覧会等で、各種の賞を受賞し、片岡毛織工場は毛織物生産で名声を博した。尾西地区の毛織工業の発祥と片岡毛織の基礎は、ここに確立された。

1909年には、黒地生（き）セルの製造を始めた。同年、片岡毛織工場を法人化させ、個人経営から資本金5万円の合名会社となった。この頃は、尾張西部の織物業界は綿織物が中心であったが、片岡毛織の成功により尾西織物同業組合の中には毛織物の生産を志す工場も出てきた。片岡親子のパイオニア精神が、尾西織物業界の改革の原動力となったといえる。

（杉山清一郎）

片岡孫三郎をもっと知るために

◉片岡毛織創業九十年史編纂委員会 編『片岡毛織創業九十年史』1988年

田中善助（たなかぜんすけ） 1858-1946

伊賀の鉄城、八面六臂の活躍
巌倉水力発電所の建設と伊賀鉄道の設立

出典：『田中善助伝記』

田中善助	
1858 年	伊賀国上野相生町に生まれる
1872 年	叔父・田中善助の養子に入る
1882 年	「風景保護請願書」を帝国議会へ提出
1896 年	伊賀貯蓄銀行を設立、副頭取
1904 年	巌倉水力発電所竣工
1905 年	巌倉水電株式会社社長 関西水力電気を設立
1907 年	三重共同電気を設立、社長 近江水電を設立、取締役
1910 年	上野商会会会長
1914 年	伊賀軌道を設立、取締役
1918 年	比奈知川水力電気設立、社長
1920 年	伊賀鉄道社長、伊賀上野銀行頭取
1923 年	伊賀窯業株式会社を設立
1924 年	上野町長に当選
1937 年	榊原温泉の神湯館を開業
1946 年	87 歳没

生い立ち

田中善助は、1858（安政 5）年、伊賀国上野相生町の下駄屋、竹内長兵衛の長男・覚次郎として生まれた。東京に出る夢を捨て 1872（明治 5）年、15 歳で義弟・田中善助が営む金物商・金善の養子に入り、商人として実業に励んだ。1896 年に伊賀上野銀行の前身である伊賀貯蓄銀行を設立、副頭取に就任した。

伊賀の電気王としての業績

水力発電事業に早くから注目し、独力で巌倉（いわくら）水力発電所（出力:50kW）の建設を始め、4 度の失敗を重ねた。苦難の末、1904 年に発電所は完成し、田中は巌倉水電株式会社の社長に就任した。また、1910 年、上野商工会会長に就任、その後、関西水力電気、伊和水電、近江水力電気、比奈知川水力電気を設立するなど、電気事業の足跡は三重、奈良、滋賀、京都の 4 府県に及び、伊賀の電気王と呼ばれた。

巌倉水力発電所の建設　出典：『田中善助伝記』

朝熊登山鉄道（絵はがき）
石田正治氏蔵

鉄道事業の業績

1914（大正3）年、伊賀軌道株式会社を設立し、1916年に伊賀上野と上野町を開通、翌年、社名を伊賀鉄道に改称し、1922年に上野町と名張間が全通、1926年に電化された。

1921年、朝熊（あさま）登山鉄道を設立した。この登山鉄道は、当時ケーブルカーとして多くの伊勢神宮参拝客が利用したが、1944（昭和19）年に不要路線として廃止された。

地域産業と文化に貢献

田中は青年時代から地元の治水や開墾に尽力、1882（明治25）年に月ヶ瀬梅林の保護を図るため「風景保護請願書」を帝国議会に提出した。さらに還暦を過ぎた1924年に上野町長に就任し、下水道の整備などを図った。

1937年、田中は清少納言にゆかりのある榊原温泉に神湯館を建て復興させた。地元では、これを称えて1956年に温泉復興功労者田中善助翁碑を射山神社に建立した。さらに田中は茶道、書道などにも造詣が深く「鉄城」と号し風流人としても地元に貢献した。（寺沢安正）

ゆかりの地へのアクセス

【岩倉峡公園】

➡巌倉水力発電所跡の旧水路は川辺の散歩道となっている。
伊賀鉄道上野市駅からバス15分、岩倉バス停下車

田中善助をもっと知るために

- ◉鉄城会同人『鉄城翁伝』1949年
- ◉財団法人前田教育会『田中善助伝記』1998年

武藤助右衛門(むとうすけえもん) 1859-1925

熱意を以て寝食を忘れて尽力
中濃地方に電力文化をもたらした先見の士

出典：『電気協会雑誌』105号

武藤助右衛門	
1859年	美濃国武儀郡生櫛村に西部市兵衛の二男として生まれる
1879年	武藤家の養子となり、助右衛門を襲名。家業の鉱物商を引き継ぐ
1902年	畑佐鉱山を開発する奥濃鉱業を設立
1909年	板取川電気株式会社を創設し、社長に就任
1910年	安毛に第一発電所竣工
1911年	美濃電気軌道が開通
1914年	井ノ面に第二発電所竣工
1918年	美濃電化株式会社を設立
1921年	名古屋電燈が板取川電気、尾北電気、美濃電化肥料を合併
1925年	66歳没

生い立ち、奥濃鉱業の設立へ

武藤助右衛門は1859（安政6）年2月、岐阜県武儀(むぎ)郡生櫛(いくし)村（現 岐阜県美濃(みの)市）の西部市兵衛の次男（幼名虎吉）として生まれた。1879（明治12）年7月、20歳のときに武藤家の養子となり、1895年、十九代助右衛門を襲名した。武藤家はもともと刀鍛冶であったが、江戸時代からは鉱物商を代々営んでいた。助右衛門は、「家業鉱物商ノ外」鉱業の経営に乗り出し、1902年9月、郡上(ぐじょう)郡にある畑佐鉱山（銅、銀等を産出）を開発する奥濃鉱業を設立し、社長となった。鉱山に自家用発電所（100kW）を設けて、その電力を坑内の灯火や鉱石運搬用索道に使用し、これが契機となって後に電気事業に進むことになった。

板取川(いたどりがわ)電気の設立、第一発電所建設へ

当時、すでに名古屋電燈は武儀郡立花村（現 美濃市立花）に長良川発電所をつくり、電力事業を推進していたが、そこで生み出された電気は地元にはほとんど還元されず、名古

屋市内に送られていた。

地方の発展における電力利用の重要性を認識した助右衛門は、板取川電気を設立して、武儀郡安毛(あたげ)村（現美濃市安毛）に第一発電所（113kW）をつくり、1910年11月に運転を開始し、地元の町や村に電気の供給を開始した。この板取川電気株式会社は、安毛地区の最北より取水し、水路と堰堤、取水口、砂潤、水槽、第一発電所等を建設した。

「板取川電気株式会社工事概況」（『電気之友』第269号）によれば、発電用の水車は、「英国ラグビー、ウヰリアム、ロビンソン会社製」で「横軸双式ブービング、フランシスタービン四百五十馬力、回転二百六十にして自働油圧式調整器を付」したものであった。発電機は、「英国ブルース、ピープルス会社製」で「三相交流田磁、回転式にして回転六百、容量三百キロワット、三千五百ヴオルト、六十サイクル、三十寸のキャメルーヤーベルトにて運転」するものであり、励磁機は「直流六キロワット主発電機よりベルトにて運転す」るものであった。配電盤は、「英国ホリンウード、フヱランチ会社製」で、「大理石にて送電用一切の器具を備へ尚別に動力送電用一枚を備ふる」ものであった。

長良川の水利権は名古屋電燈が独占していたことから、その支流である板取川の水を利用して、水力発電をおこなった点は特筆に値する。また、この電気を利用して、1911年に岐阜県内で最初の鉄道である、美濃町と岐阜市を結ぶ美濃電気軌道が開通した。

井ノ面(いのも)発電所の建設

板取川電気の第二発電所である井ノ面発電所（300kW）が武儀郡安毛村につくられた。『美濃市史』等には、「電力需要がますます増大」したことが建設の理由とされているが、「其後水路に土砂が堆積して所要の出力を得ることが出来ぬやうになり、其水路の途中から分水して更に落差の大なる本発電所が建設され、両者を併用して出力の増加を図った」のが直接的な理由であった。

この井ノ面発電所は、長良川に面した山の岸壁に岩盤をくり抜いて、

井ノ面発電所　2020年撮影

井ノ面発電所　2020 年撮影

井ノ面発電所の導水路　2020 年撮影

その中に水車と発電機を設置した。それは建物をつくる余地がなかったからであった。また、『日本の発電所 中部日本篇』（1937）によれば、「こうした方が建物を作るよりも工事費が少なくて有利であった。斯くの如き方法は本発電所の如き小容量の場合に限って適当なることがある」。このような工法は、わが国でも初めての事例であり、土木技師であった永田喜之助の設計をもとに、スイス人ハトマンや京都大学の大藤高彦、青柳栄司両教授の指導を得て建設された。発電所は1913（大正 2）年に起工、1914 年に出力 300kW の井ノ面発電所が竣工した。

事業家としての武藤助右衛門

助右衛門は、奥濃鉱業、板取川電気以外にも数多くの事業を起こし、地域の発展に貢献した。1896 年には上有知（こうずち）銀行を創立し、その取締役となった。板取川電機の関連会社として、1916 年に中濃電気を合併した。可児川電気と犬山電灯（愛知県）も助右衛門は役員を兼任した。美濃電化（後に美濃電化肥料と改称）も 1918 年 6 月に設立し、社長となった。この会社は、1919 年に炭化カルシウム（カーバイド）の製造を開始し、板取川に白谷発電所（1500kW）を建設した。板取川電気は美濃電化から 230kW を受電し、美濃電気軌道に供給した。

板取川電気は、1921 年 8 月に名古屋電燈に合併されて、消滅した。晩年の助右衛門はその譲渡によって得た資金で美濃救護院を設立し、社会事業に尽くした。（横山悦生）

【武藤助右衛門の功績を記す「第二発電所之碑」】

井ノ面発電所の側に「第二発電所之碑」が建てられている。そこには、以下のように武藤の功績が記されている。

「美濃の北に河あり板取と言う。この河は藍水(らんすい)で源泉は滾々(こんこん)、緑樹鬱蒼(うっそう)たる広大な地域を流水しているが、雨量も豊かで天与の震沢(しんたく)である。地元在住の武藤助右衛門氏は、卓識明敏で有見の人柄、長江に利を欲することに着目し、水力を以って世人に応ずるは必須の要求と思念す。然し世は未だ電気事業の利点を知らず、投資を希(ねが)うも期待できず、発奮して単独工事を興(おこ)したが、経営は日夜惨憺(さんたん)を極め、自ら工を督して衆を励まし、こつこつ相労して漸(ようや)く第一発電所の完成を見る。その後、一年に到り社運隆昌に伴い、供給区域の拡大を計画、第二発電所の造営を画策す。然し地勢狭隘、施設の築造不能で困憊、計画至難となる。このため社員永田技師の提案を元に、大藤・青柳両工学博士及び瑞西(スイス)人ハトマン氏の助言を得て、穿巌(さくがん)により洞内に設置することとした。大正二年紀元節起工、督励倦(うま)ず旬月(じゅうげつ)に竣工これ本邦巌窩(がんか)発電所の嚆矢(こうし)である。規模大ならずと雖(いえど)も世人の嘆称措かず、工費多額を要せずして補修の憂なく、奏功顕著にして良き施設である。若夫武藤氏の功業偉績この如し、水いよいよ遠く大にして長江深し、ここに株主総会で決議しその所以(ゆえん)の碑を建てる。　大正九年三月」

第二発電所之碑

ゆかりの地へのアクセス

【井ノ面発電所と第二発電所の碑】

➡岐阜県美濃市安毛　長良川鉄道梅山駅より2㎞、徒歩30分

武藤助右衛門をもっと知るために

◉横山悦生「板取川水力発電と武藤助右衛門」『シンポジウム 中部の電力のあゆみ　第8回講演報告資料集』2000年

◉浅野伸一「中濃地域に電気文明をもたらした事業家　武藤助右衛門」『中部のエネルギーを築いた人々』日本電気協会 中部支部（ウエッブ連載）

浅野吉次郎（あさのきちじろう） 1859-1926

職工に先んじて働き範を垂れる

ベニヤ合板の創始者

木材・合板博物館蔵

浅野吉次郎	
1859 年	尾張国名古屋上畠町で生まれる
1879 年	家業の樽、桶の製造業を継ぐ
1886 年	セメント樽の製造開始
1894 年	農商務省の諏訪鹿三がアメリカの合板を紹介
1907 年	合板の生産に成功、丸剥機（ロータリレース）の完成
1908 年	勧業博覧会の能楽堂に長さ3尺、幅2間の合板を使用
1910 年	「浅野式合板」の特許取得、「アサノ板」として販売
1913 年	スプレッダー（ロール糊付機）を完成
1914 年	ローラー式乾燥機を考案、特許取得
1926 年	67 歳没

生い立ち

浅野吉次郎は1859（安政6）年、尾張国名古屋上畠町（うわばたちょう）（現 名古屋市西区上畠町）で三代目浅野文六の二男として生まれた。浅野家は170年前から尾張藩の御納戸役として桶、樽類の製造を業としていた。

1878（明治11）年、20歳で家督を継ぎ、毎日、朝は職工に先んじて工場で働き、徒弟に範を垂れ、夕方、手先の見えなくなる頃に労務を終え、夜は帳簿の整理に当たるなど働いた。また、常に机上に粗末なコンパス1個と曲尺（かねじゃく）、算盤（そろばん）を備えて、諸機械の発明、改良に没頭し、一度着想すれば、組立図、分解図をつくり、自らのこぎりを取り、槌（つち）を揮（ふる）って発明を完成させていった。

ベニヤ合板用のロータリーレースの開発

浅野吉次郎と合板との出会いは、三井物産が1899年頃、モミ材茶箱（チェスト）を浅野木工場に生産を依頼したことに始まる。また、三井物産の茶箱の輸出を担当していた伏見万次郎より、海外の茶箱は合板で出来ているとの知らせが入った。

浅野吉次郎開発のロータリーレース第２号機
出典：『合板七十五年史』

ベニヤは木材から剥ぎ取った１枚の薄板を指し、そのベニヤを３枚以上貼り合わせたものが合板（プライウッド）である。

浅野は合板製造法の研究を積み重ねる中で、蒸気で蒸した木を剥いで薄板（ベニヤ）にする技術が要であることを知り、まず剥ぐ機械、すなわち鉋（かんな）の発明に全力を傾けた。1907年、在来の大鉋をローラーに取り付けた単板丸剥（まるはぎ）機を完成させ、丸太から薄板を剥ぐことに成功した。丸剥機は、後にロータリレースと呼ばれた。

「浅野式合板」の製造は一本の木をロータリレースにかけてベニヤをつくり、膠（にかわ）をはけで塗り、数枚のベニヤを接着させる方法で合板を造り出した。そして膠をホルマリンによって処理する方法を発見し、安定した加工ができるようになった。さらに丸剥機、ロール糊付け機、ローラー式乾燥機など一連の木工機械を開発し、これらの特許を取得して、それまでの３～４倍の耐久力のある合板製造技術を確立し、今日の合板産業の基礎を築いた。（寺沢安正）

【浅野吉次郎の銅像と合板の日】

浅野吉次郎の銅像は当初、1957（昭和32）年11月３日に中村合板（名古屋市南区）の地に建立された。その後中日本合板工業組合の玄関、2012年には東京・新木場のNPO法人木材・合板博物館内の浅野吉次郎コーナーの入口に銅像を移転した。

同年、浅野吉次郎が1907（明治40）年11月３日、我が国で初めて合板を製造に成功したことに因み、日本合板工業組合連合会と木材・合板博物館が共同で11月３日を「合板の日」と制定した。

ゆかりの地へのアクセス

【木材・合板博物館】➡東京都江東区新木場1-7-22　新木場タワー3F・4F

浅野吉次郎をもっと知るために

◉林材新聞社 編『合板七十五年史』1983年

鈴木政吉（すずきまさきち） 1859-1944

海外で評価された華麗な音色
日本のバイオリン王

出典：『鈴木政吉物語』

鈴木政吉	
1859年	鈴木正春の2男として生まれる
1873年	東京の親戚の塗物商飛騨屋へ丁稚奉公、店舗閉鎖で翌年帰郷
1877年	家業、三味線造りの家督を継ぐ
1887年	甘利鉄吉のバイオリンを見て試作・第1号完成
1900年	自動削り機（渦取機）と甲削機を発明。パリ万国博覧会で政吉制作のバイオリンが銅賞受賞
1906年	マンドリン製作販売開始
1914年	ギターの製作販売開始
1926年	政吉の長男・梅雄、3男・鎮一がドイツを訪問
1930年	鈴木バイオリン製造株式会社創立
1935年	大府分工場建設
1936年	岐阜県恵那に工場新設、本社移転
1944年	84歳没

生い立ち

鈴木政吉は1859（安政6）年、尾張藩士鈴木正春の二男として尾張国名古屋宮出町（現 名古屋市東区宮出町）で生まれた。1873（明治6）年、東京浅草の塗物商飛騨屋の奉公先から帰り、1877年、琴、三味線づくりの家業を引き継いだ。

鈴木政吉とバイオリンの運命の出会い

1887年に愛知県師範学校音楽教師・恒川鐐之介から唱歌を習い、同僚の甘利鉄吉が持っていたバイオリンを見て、その音色に心を惹かれ、徹夜でそれを模写し、同年、国産第1号バイオリンを完成させた。その後も製作を続け1889年に東京音楽学校で伊沢修二とドイツのお雇い音楽教師のドルフ・デイットリヒに演奏をしてもらい、鑑定の結果「東京市内にも2、3カ所で制作しているが、この品には及ばない。和製品としては今日第一を占めるものであると」と高く評価された。なお、鈴木バイオリン製造株式会社所蔵の国産第一号バイオリンは、2008年、経済産業省の近代化産業遺産として認定された。

山葉楽器・山葉寅楠（やまはとらくす）との交友

1890年、東京上野公園で開催された第3回内国勧業博覧会に山葉寅楠（本書34ページ）がオルガン、鈴木政吉はバイオリンを出展した時から交流が始まった。お互い楽器製作の同志であったこと、山葉が8歳年上であったことなどから兄弟同様の交遊が続き、1889年に山葉がアメリカに視察した時には、鈴木政吉のバイオリンを預かり持参した。

鈴木バイオリンの工場生産開始

1890年から自宅を工場にして生産を始め、1900年、バイオリン頭部のスクロール部の「天神」の自動削り機（＝渦取器）を発明、2年後には表板と裏板に丸みを持たせる加工機・甲削機（こうさくき）の発明により量産化ができるようになった。

1930（昭和5）年に個人経営から鈴木バイオリン株式会社を設立。マンドリン、大正琴、ギターなどの生産に手を広げ大府、恵那工場などを拡張し世界的楽器メーカーに成長した。

アインシュタイン博士が絶賛

1926（大正15）年、政吉の長男・梅雄、三男・鎮一がドイツに留学した時に政吉が完成させたバイオリン数本を託しドイツのバイオリン製作者を訪問した。その中にバイオリンをこよなく愛したアインシュタインが梅雄、鎮一兄弟の前で、ドイツ人製作の愛用のバイオリンと弾き比べ、「音の出方、音の価値については到底貴下の父親の作品に比する価値はない。自分の一生の家宝として長く愛用したい」と語り、政吉宛に賞賛の手紙が博士より送られた。

なお、三男の鈴木鎮一は子どもが誰でも親の言葉で母国語を話すのに注目し、反復練習して楽器演奏ができるようになる才能教育研究会スズキ・メソード教育を実践した。

（寺沢安正）

鈴木政吉のバイオリン第一号
鈴木バイオリン製造株式会社提供

ゆかりの地へのアクセス

【鈴木政吉のバイオリン第一号】
➡鈴木バイオリン製造株式会社　愛知県大府市桃山町2-23-1

鈴木政吉をもっと知るために

◉井上さつき『日本のヴァイオリン王』中央公論新社、2014年

林 市兵衛 1859-1926

はやし いちべえ

旺盛な好奇心が時を動かした

掛時計を国産化、明治のイノベーター

出典：『名古屋時計業界沿革史』

林 市兵衛	
1859年	名古屋城下の本町に生まれる
1873年	太陰暦から太陽暦に移行
1880年	掛時計製作用の機械製作に取りかかる
1883年	掛時計の製作開始
1887年	名古屋杉之町に時盛舎を創設、時計の量産開始
1890年	第3回内国勧業博覧会に出品
1903年	愛知県時計製造組合の発起人となる
1909年	資本金5万円で林時計株式会社に改組
1913年	林時計株式会社を引退して丸八時計製造にて時計事業継続
1923年	長男市郎が林時計製造所を再興
1926年	66歳没

生い立ち

林市兵衛は、1859（安政6）年、名古屋城下の本町（現 名古屋市中区錦三丁目）で生まれた。父の林市老は、時計商を営み地元で製造された櫓（やぐら）時計の販売をしていた。明治に入り早くから横浜の商人と直接取引をおこなっていた。アメリカから輸入するボンボン時計（掛時計）の販売権を獲得し、好調な売れ行きで店は繁盛していた。林は、幼年期から家業に従事し10代前半で西洋の文化と先駆的な機械に触れていたのであった。

太陽暦によるビジネス変革

1873（明治6）年、林が14歳の時には、政府が太陰暦から太陽暦に改めたことにより、それまで「刻」に馴染んできた市民の生活リズムは、西欧式に「分」単位の時間感覚に一変した。この社会システムの急変革は、時計商に新たなビジネス潮流をもたらした。改暦以後、公的な建物への設置をはじめとして、西洋式の掛時計の導入が進み、時計の輸入量が増大した。なかでも価格競争力の

時計商林市兵衛の店舗の図
出典：『尾陽商工便覧』

四ツ丸掛時計
博物館 明治村提供

あるアメリカ製時計は、国別時計輸入高で最も優位であった。この時計市場の背景は、林市兵衛をアメリカ製掛時計の輸入、販売の一手販売へと後押ししたのであった。林は、この変化の中で安い価格ながら正確に時を刻むアメリカ製時計が、専用工作機械を使って大量生産されていることを知った。そして掛時計を輸入に頼らず自ら国産化することを決意したのであった。

掛時計の製造工程の確立

1880年、林20歳の時、アメリカ製掛時計を模範として掛時計製造の第一歩を踏み出した。当時は、国内に時計の主要部品の歯車、ゼンマイなど精密な金属部品を作るための工作機械などなかった。そのため熟練した錺（かざり）職人を雇い、時計部品を製造する機械を作ることから始めたのであった。これらの時計加工用の工作機械の製作は困難を極めたが、1883年に掛時計製造用の機械を製作することができた。

林は、自宅に時計製造工場を設置して、輸入されていた八角尾長（はっかくおなが）、四ツ丸等のアメリカ製掛時計を模範として、掛時計の製造を開始した。1887年には、製造も順調になり名古屋杉之町に時盛舎（じせいしゃ）を創設し本格的な時計量産を開始した。

時盛舎の事業成功と発展は、他の業者にも影響を与えた。そして、時盛舎の創業から数年後には、名古屋地方では10社以上の時計工場が新たに設立され、名古屋が時計の一大生産地として発達したのである。林は、苦労して作り上げた時計製造システムを公開し、時計製造技術を広めるとともに、1903年には、愛知県時計製造組合の発起人の一人として時計業界の発展に貢献したのである。

（梅本良作）

林 市兵衛をもっと知るために

◉吉田浅一 編『名古屋時計業界沿革史』商工界、1953年
◉内田星美『時計工業の発達』服部セイコー、1985年
◉川崎源太郎『尾陽商工便覧』（復刻版）国書刊行会、1986年

今井五介（いまいごすけ） 1859-1946

終始一貫天職に奉仕せよ

片倉製糸紡績を設立し地元産業界に貢献

出典：『今井五介翁伝』

今井五介	
1859年	信濃国諏訪郡三沢村に生まれる
1877年	今井太郎の養子に入る
1886年	東京内幸町農商務省蚕病試験場に入学。習得生卒業後に渡米、4年間アメリカ滞在
1890年	片倉組松本製糸所の所長に就任
1906年	片倉組を片倉合名会社として設立
1909年	松本商業会議所初代会頭に就任。松本電灯株式会社取締役社長に就任
1911年	財団法人私立松本商業学校評議委員長に就任
1914年	信濃鉄道株式会社取締役社長に就任
1927年	中央電気株式会社取締役社長に就任
1932年	貴族院議員に選出。片倉製糸紡績取締役社長に就任。全国製糸業組合連合会長等を歴任
1946年	87歳没

生い立ち

今井五介は1859（安政6）年、信濃国諏訪（すわ）郡川岸村（現 長野県岡谷市）で片倉市助の3男に生まれた。幼少の頃は製糸業を営む家業を手伝いながら地元の漢学塾で学び、19歳の時に今井太郎の養子に入り長女くみと結婚した。

1886（明治19）年、農商務省蚕病試験場習得生（この試験場は東京蚕業講習所、東京高等蚕糸学校を経て、東京小金井に移り、東京繊維専門学校から東京農工大繊維学部となり今に至る）を修了すると、蚕糸業の実地研究ということで4年間渡米した。

アメリカから帰国後、実兄の初代片倉兼太郎（本書27ページ）が松本市に設立した片倉組松本製糸所長となり事業を発展させた。1906年に片倉合名会社を設立、1920（大正9）年に片倉製糸紡績株式会社（資本金：5千万円）を設立し取締役副社長に就任、片倉王国を築き上げた。

片倉富岡製糸所について

官営富岡製糸所は1891年から

1902年まで原合名会社の原富岡製糸所時代を経て、1939（昭和14）年から片倉製糸が経営する片倉富岡製糸所となった。今井五介は1891年の払い下げ入札の頃から富岡製糸所の経営に意欲を持っており実現することになった。

戦後、片倉工業株式会社富岡工場に改称し生産を続けたが、1987年に操業を停止した。閉業後も工場を「売らない、貸さない、壊さない」の方針を堅持し維持と管理に専念した。2014年に「富岡製糸場と蚕業遺産群」として世界遺産に登録された。

松本市を中心にした事業活動

1909年に松本商業会議所が設立され、今井五介は初代会頭に選任、同年、松本電灯の社長に就任した。その後1922年に越後電気と合併、中央電気株式会社に改称し社長に就任した。このように長野県の中信、新潟県北越地方の電気事業に貢献した。

1914年に信濃鉄道の社長に就任、建設工事現場の陣頭指揮にあたり1916年に松本から信濃大町間の全線（現JR大糸線）が開通した。

公人として教育界に貢献

1911年に財団法人私立松本商業学校協議会長に選任された。これは経営難に遭った「松本戊戌（ぼじゅつ）学校」を引き継ぎ、長男の真平を新校舎の建設と質実剛健の教育にあたらせ、多くの中堅人材を実業界に送り出した。戦後の1951年に学校法人松商学園になる。松商学園旧講堂には翁の石膏像があり、開校記念日に扉が開けられる。また、松商学園高等学校の校門を入ると今井真平の頌徳碑があり功績を称えている。（寺沢安正）

松本四柱神社境内にある電灯点灯記念碑
2022年撮影

ゆかりの地へのアクセス

【今井五介翁石膏像】

➡JR松本駅より松本周遊バスタウンスニーカー東コース「あがたの森公園」下車

今井五介をもっと知るために

◉今井五介翁伝記刊行委員会『今井五介翁伝』1949年

兼松 熙（かねまつ ひろし） 1860-1952

不撓不屈の人
中部日本の電力開発の基礎を築く

出典：『中京名鑑』

兼松 熙	
1860年	美濃国加茂郡に誕生
1882年	郷里の戸長に就任
1899年	佐賀郡の郡長に就任
1903年	第8回衆議院議員当選
1904年	第9回衆議院議員当選
1910年	名古屋電燈取締役に選任
1921年	濃飛電力設立
1928年	濃飛電気は、三重合同電気。合併後に社長に就任
1929年	豊田式織機株式会社、社長就任
1932年	8月社内に研究部を設置、業務の刷新を図る
1934年	キソコーチ号　試作車生産開始
1940年	豊田式織機・昭和重工業社長をともに辞任した
1952年	91歳没

生い立ち

兼松熙は、1860（万延元）年、美濃国加茂郡坂祝（さかほぎ）町に生まれた。

1879（明治12）年、坂祝村の戸長となり、その後は、郡役所、県の官員として活躍、内務省に転職、拓殖事務官に進んだ。1899年佐賀県下の一郡長として就任し、強い意志を持って旧弊な地方行政を立て直した。郡長を退任後は、同地より衆議院に当選、翌年は、郷里より再選した。議員在任は、2年弱と短期間であったが、後年実業界での活躍の素地をつくったといえる。その後は、地方電気業の興隆にその知恵を絞り、中部日本の電業界を導いた。

1929年、68歳にして、危急の状態にあった豊田式織機株式会社（現豊和工業）の社長に請われて就任した。不振を極めていた織機製造からの脱却を目指して、社内に研究部を設置し、新規事業の開発と業務の刷新を図った。この時点で、日本初の専用車台を使ったバスであるキソコーチ号の生産もおこなわれた。また、混迷を深めていた豊田自動織機との交渉にも臨んでいた。高齢にもかかわらず毎日出社し、事業の陣頭に立った。結果として、豊田式織機は、復活を遂げ、中興の祖といわれた。大陸への進出も目論んでいた。1940年4月、豊田式織機・昭和重工業社長をともに辞任し、第一線からは引退した。1952年、満91歳で没した。

竣工直前の八百津発電所
出典：『木曽川第一水路工事寫眞帖』

一人一業主義

兼松煕は、木曽川の水利権を得ると、地元の財界を巻き込む形で、八百津（やおつ）発電所の建設に邁進し「名古屋電力株式会社」を設立するに至った。戦前期の中部電力の原型である東邦、大同をはじめ地方大小の発電事業者等の多くは、彼の関わり合いは大きかった。

中京地区（当時の名古屋総称）における地方電気業の興隆にその持てる能力をつぎ込んだ。戦前期の中部日本の電業界の基礎を形作った一人といえる。のちに、名古屋電燈が、名古屋電力を合併すると、取締役となった。民間主導で、群雄割拠ともいえるような状況であった中京圏の電力会社を一つに纏め上げようと努力もした。濃飛電気と大白川電力の社長に納まると、晩節を全うするために、株主に迷惑をかけないようにと、一人で多くの事業に関わり合いを持つのではなく、一人一業主義を信念として貫いた。

また、長良川の水運を運河のように、使用することさえ夢に描いた。1928年「木曾川運河計畫調査報告書」を著して、海外の運河利用状況も含めて、木曽川の運河としての利用促進を画策もした。

兼松煕は、明治の青年の多くが望んだ、政官界を経て実業界に転じ、栄達を極めた人である。

（杉山清一郎）

ゆかりの地へのアクセス

【旧八百津発電所資料館】
➡岐阜県加茂郡八百津町八百津1770-1（現在、内部公開停止中）

兼松 煕をもっと知るために

◉高島耕二『中部財界人物我観』1937年

下出民義（しもいでたみよし） 1861-1952

真面目が肝要
中部財界を影で支えた重鎮

学校法人東邦学園提供

下出民義	
1861年	和泉国岸和田藩に生まれる
1889年	愛知石炭商会開業
1910年	名古屋電燈と名古屋電力の合併問題浮上、民義関与
1915年	名古屋市会議員在職
1916年	株式会社電気製鋼所設立、初代社長
1918年	木曽電気製鉄株式会社設立、副社長
1920年	衆議院議員に当選
1921年	関西電気株式会社設立、副社長。大同電気株式会社設立、取締役
1923年	東邦商業学校開校。名古屋株式取引所理事長
1924年	名古屋紡績株式会社社長
1928年	貴族院議員初当選
1952年	92歳没

生い立ち、愛知石炭商会の創業

下出民義は1861（文久元）年12月8日、和泉国（いずみのくに）岸和田藩（現 大阪府岸和田市）に生まれた。1875(明治8)年、小学校の教員として勤めながら、関西法律学校（現 関西大学）に通い、その後、安治川（あじがわ）小学校の校長に昇進した。

西井直次郎と知遇を得て、大阪石炭会社に入社する。また西井の妹あいと結婚し、翌1890年5月には長男義雄（本書332ページ）が生まれた。その前年の1889年8月、民義は名古屋に進出し愛知石炭商会を開業した。愛知石炭商会は粉炭を紡績用燃料として、名古屋紡績や尾張紡績などに納入し売上げを伸ばした。

福沢桃介との出会いと電気事業参加

愛知石炭商会は北海道炭鉱鉄道の石炭も扱うこととなり、同社幹事の福沢桃介（本書80ページ）と民義はその縁で知り合った。

1889年、名古屋電燈が電気事業者として開業した。この名古屋電燈が業績低迷に苦しんでいることを

下出民義が初代社長に就任した電気製鋼所の熱田工場　出典：『中京名鑑』

知った桃介は投資先として株式取得を目指すことにする。1909年2月、三井銀行名古屋支店長の矢田績と桃介は名古屋電燈への投資を決め、民義は株式買収を始める。桃介は筆頭株主となり、常務取締役に就任し、民義も1912（大正元）年12月取締役に選出された。

以降、民義は桃介と連携して活動をおこなっていく。1914年12月、桃介が名古屋電燈社長に選出され、民義も常務取締役に昇格した。名古屋電燈、大同電力のほか白山水力取締役、矢作水力顧問、電気製鋼所社長、木曽電気製鉄副社長、愛知電気鉄道取締役、名古屋桟橋倉庫社長など、桃介と共に木曾川の電源開発や周辺電気事業の合併、需要対策として名古屋地区の工業化を推進し、桃介関連事業の経営に手腕を発揮した。

東邦商業学校創設と政界進出

民義は、実業界ばかりでなく教育界でも熱心に活動することになる。自ら設立者および校主となって学校の設立認可を受け、1923年4月、名古屋市中区南新町（現 東区）に東邦商業学校（現 東邦学園）を開校した。「真面目な実業人の育成」を教育理念に掲げ、初代校長には大喜多寅之助を招き、長男の義雄や豊田利三郎を同校理事に任じ、教員も多方面から集めた。民義も息子の義雄も、「永年いろいろな会社に関係してみて、まじめに実直に働く人材の養成が急務であると痛感した。学校の綱領として「真面目」を選んだのもそのためである」と語っている。

1920年5月、衆議院議員に、1928（昭和3）年9月からは多額納税者として貴族院議員に任命された。最終的に1947年5月の貴族院廃止まで3期務めている。

1952年8月16日、名古屋市中区南大津町の自宅にて民義は92歳で死去した。（朝井佐智子）

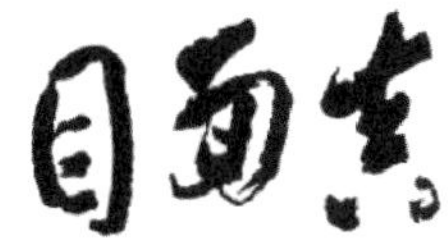

学校の綱領ともなった「真面目」
学校法人東邦学園提供

下出民義をもっと知るために

◉東邦学園九十年誌編集委員会『下出民義自伝（注解版）』2013年
◉愛知東邦大学地域創造研究所『下出民義父子の事業と文化活動（地域創造研究叢書№28）』2017年

立川勇次郎（たちかわゆうじろう） 1862-1925

電気・電鉄事業に情熱をもやす
大垣の工業都市化を推進

出典：『イビデン70年史』

立川勇次郎	
1862年	美濃国大垣に生まれる
1882年	立川清助の養子となる
1886年	名古屋で弁護士をしていたが、上京し、電鉄及び電力の企業化
1898年	大師電気鉄道設立（後の京浜急行電鉄）、専務取締役。東京白熱電灯、取締役
1911年	養老鉄道設立
1912年	揖斐川電力（後のイビデン株式会社）設立、初代社長
1913年	養老鉄道、一部の路線で開業
1914年	養老鉄道、全線開通
1915年	西横山発電所竣工
1921年	東横山発電所竣工
1923年	養老鉄道、全線電化
1925年	63歳没
1927年	「立川勇次郎君之碑」建立

生い立ち

立川勇次郎は、1862（文久2）年、美濃国大垣藩（現 岐阜県大垣市）の藩士・清水垣右衛門の次男として生まれた。1881（明治14）年、19歳のときに立川清助の養子となった。弁護士の資格を取り名古屋において開業していたが、1886年に産業・社会の近代化が進むなか実業家の道を決意し、上京して電鉄及び電力の企業化を目標とした。

立川は、関東で最初の電気鉄道である大師電気鉄道（後の京浜急行電鉄）を1904年に開業し、専務取締役として経営の任にあたった。また、電鉄事業のほかにも1898年に東京白熱電灯製造（後の東京芝浦電気）の取締役として経営に参加し、電球・電気機器の製造普及にも努めた。

揖斐川電力と養老鉄道の創立

明治末期ころに、岐阜県大垣では各産業にエネルギーを供給する電力会社を設立し、それを基に大企業の紡績工場などを誘致しようという計画があった。そこで、起業の具体化

揖斐川電力が建設した西横山発電所
出典：イビデン株式会社社史編集室編『イビデン70年史』1982年

養老鉄道の養老駅
2022年石田正治氏撮影

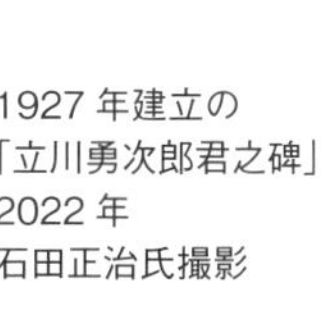

1927年建立の
「立川勇次郎君之碑」
2022年
石田正治氏撮影

を促進するために、当時業界で名高い有力者であった大垣出身である立川を経営者として迎え入れ、1912（大正元）年に揖斐川電力株式会社（現イビデン株式会社）を設立した。

揖斐川電力の最初の発電所は、1915年に完成した岐阜・福井県境の夜叉ヶ池を水源とする揖斐川支流の広瀬川の水を利用した揖斐郡久瀬村大字西横山にあった西横山発電所である。この発電所が完成したことによって、4000kWの電力供給が可能となり、大垣には摂津紡績大垣工場、田中カーバイト工場が設置され、揖斐川電力の電力は余裕がないほどに使用された。西横山発電所は、1964年、横山ダム完成により水没した。

また、立川は大垣の有志が地元振興策として1911年に養老鉄道株式会社の創立に参画、取締役社長に就任した。養老鉄道は、1913年に大垣～池野、大垣～養老が完成して営業を始め、1919年には池野～揖斐、養老～桑名が開通し、総延長56㎞の鉄道となった。また、養老鉄道は、「軽便鉄道法」によって敷設され、当初は蒸気機関車で運行されたが、1923年に全線電化をおこない、電車で運行されるようになった。立川の電鉄事業にかける意欲をうかがえることができる。

1925年、立川はこの世を去ったが、この地方の工業化に多大な貢献を尽くした立川の功績を讃えて1927（昭和2）年に養老鉄道養老駅脇に「立川勇次郎君之碑」が建立された。（入江隆亮）

ゆかりの地へのアクセス

【養老駅と立川勇次郎君之碑】

➡岐阜県養老郡養老町鷲巣白石道　養老鉄道養老駅

盛田善平（もりたぜんぺい） 1864-1937

パン食の普及で食糧難解決に貢献

ビールづくりとパンづくり

出典：『敷島製パン 80 年の歩み』

盛田善平	
1864 年	尾張国知多郡小鈴谷村で誕生
1883 年	家業の酒造業を廃業
1887 年	ビール市場調査を要請されて横浜東京へ出向く
1889 年	丸三麦酒 3000 本を初出荷
1892 年	事業の採算が取れるようになり、生産量も増加
1896 年	丸三麦酒株式会社設立役員に就任
1899 年	敷島屋製粉工場を稼働開始
1918 年	パンの試作生産を始める。愛知県県会議員に当選
1920 年	敷島製パン株式会社創業
1926 年	株式会社敷島屋製粉所設立、代表者に就任
1928 年	フォードのトラックを導入し、宣伝も兼ねて輸送力の強化を図った
1937 年	74 歳没

生い立ち

盛田善平は、1864（元治元）年尾張国知多郡小鈴谷（こすがや）村で生まれた。小鈴谷村郷学校私塾「鈴渓義塾（れいけいぎじゅく）」の１期生として入校し、大地が慈雨を吸い込むように学問を修め、前向きに努力し、創意工夫をする才能を開花させた。

明治時代は、徳川幕府の瓦解を経て、西洋文明への追従する時代であり、現在で評するところの「高度経済成長時代」であった。明治の実業家は、産業を興すことで、人を富ませ、社会を豊かにし、結果として国

カブトビールの広告
出典：『日本のポスター史』

を富ませることで、社会に貢献することを第一義と考える人が沢山いた。盛田善平は、その中でも第一義を履行できた一人であった

郵便制度が設立されると、父を助けて、郵便事業に従事し、四代目中埜又左衛門からビール醸造事業化調査を要請された時から地域の素封家から近代的な事業家への一歩を踏み出した。持ち前の行動力と自由な発想で、丸三麦酒（カブトビール）、敷島屋製粉、敷島製パンの設立にかかわり、成功へ導いた。

盛田の革新的なのは、ビール、小麦粉、パンなどの製品の品質を第一に考え、良い製品を生産するために設備の近代化を進め、最適な生産設備を導入、建設した。品質の向上、人材育成、広告宣伝に力を入れた。作った製品を、世の中に広め、販売するための手法として、大々的な宣伝をおこなった。盛田の企業活動の特色は、宣伝に力を入れた点である。つまり、宣伝の効果をよく理解していたと言える。良い品があっても誰にも知られることがなければ、商売として成立しない。

宣伝において重要なことは、第一段階としては、商品の名称を覚えてもらい、店頭で手に取る、購入する、次回も継続的に購入してもらう。第二段階として、反復継続的に購入してもらうことが必要である。継続的に購入してもらうためには、品質向上が不可欠であった。そこで、盛田は品質向上のための研究開発にも尽力した。ビール製造では最新の製造設備をドイツから輸入、ドイツ人技師の招聘をおこない、品質向上に努めた。

また、敷島製パン時代は、新しい食文化の導入をはかった。明治・大正期は、パン自体が主食という位置づけではなかった。そこで盛田は、おやつ的な存在から、主食への地位向上を図った。「麵麭（パン）」という漢字表記を避けてカタカナの「パン」と表し、「敷島製パン」を「シキシマパン」と表示することで、商品名と社名を広め、製品の販売力を広げることに成功した。昭和初期に広告宣伝を有効に活用し実行した非常に有能な人であった。

敷島パンの創設

盛田善平は、米騒動から米以外の主食を広めることを目的に、敷島製パンを創設した。敷島製パンは、「目的は、食糧難の解決が開業の第一の意義であり、事業は社会に貢献するところがあればこそ発展する。金儲けは結果である」という理念を持っている。

ここには、昨今の世評で、忘れがちな社会貢献をおこなう存在としての会社の位置づけがある。

明治・大正期は、生産技術を海外から導入することはできても、生産設備の稼働に関する技術者は、特権

的な技術者として地位を有していた。しかし、そうした一部の技術者に頼る生産は、効率が悪い。そこで盛田は、生産にかかわる従業員にも目を向けた。前近代的な徒弟制度を採用せず、多くの社員に均等な教育をおこなうことで、より多くの従業員がパンの製造に従事し、社員全体で均一な品質の製品を作り上げるための生産をおこなえる体制を作り上げた。この体制づくりは人への投資である。基本的な考えは、理論的にものを考えることができる人を育てるという目的があったと言える。これは、効果が見えにくいが、実際の効果は大きい。自身の経験からか、教育にも非常に熱心であった。県会議員時代に半田高校設立、町立だった常滑陶器学校の県立への昇格に尽力した。

研究熱心で、宣伝を有効利用した人

ビールもパンも、ビール酵母、ドライイースト菌を使っている点からある意味、醗酵（はっこう）技術の利用である。こうした醗酵技術を活用するということは、醗酵をコントロールするということである。大正時代、敷島製パン本社に研究室を開設した。その目的は、秘伝を否定して、すべて科学的に研究して科学的に作るべきという考えの発露であった。多くの人が喜ぶ良質廉価なパンが、この研究室から生まれることを願っていたといわれる。

敷島製パン時代は、特約店を増やすために、宣伝部として出店した直営店は、直販での利益の確保という面も存在したが、パンを普及させるための意味合いの方が大きかった。

盛田は、常に新規事業を求めた人であった、実利を求めるだけではなく、多くの人を救う方便としての事業に邁進した人である。当時のことを知る人によれば、「シキシマパン」といえば奇抜な風体でパン売ることで有名だった。奇抜な姿とは、トルコ帽をかぶる。サーカスの象を使う、配達に、白塗りのパネルバンを導入し、側面に「シキシマ」と赤文字で大書した。自身が使う自動車も白塗りで、赤文字のシキシマの文字を入れて町中を走り抜ける。非常に考えの進んだ人であった。（杉山清一郎）

敷島パンの配達用フォード車
出典：『敷島製パン 80 年の歩み』

盛田善平をもっと知るために

◉小松史生子 編著『東海の異才・奇人列伝』風媒社、2013 年
◉安保邦彦『敷島製パン 80 年史』敷島製パン、2002 年

五代 中埜又左衛門（なかのまたざえもん） 1864-1919

堅実守成の人

酢醸造技術の近代化を推進

一般財団法人 招鶴亭文庫提供

五代 中埜又左衛門	
1864 年	八代目中埜半六の三男として、知多半島、半田村に生まれる
1893 年	中埜又左衛門の養子となる
1898 年	中埜又左衛門を襲名
1900 年	徹底した機械化の新工場、南蔵を建設
1901 年	中埜銀行設立
1902 年	醸造試験所を開設、食酢醸造技術の改良取り組む
1904 年	中埜酢店尼崎工場で米酢生産開始
1905 年	丸三麦酒醸造所社長に就任
1906 年	丸三麦酒を売却、中埜貯蓄銀行設立、頭取に就任
1910 年	知多瓦斯設立
1911 年	中埜酢店本社第一工場の生産工程機械化
1919 年	東京の製酢会社、丸寿合資会社を設立、55 歳没

生い立ち

1864（元治元）年、八代目中埜半六の三男、正助として生まれた。四代目中埜又左衛門の急病に伴い、養子となる。成年養子であったので、すでに、妻帯、二男一女をもうけていた。性格は地味で、自ら先頭に立って華々しい活躍をするという性向の持ち主ではなかった。正助が、四代目中埜又左衛門の養子になるときに、四代目の妻なみ（五代目の実姉）だけは、「正助は、凡庸の人で、三代、四代の経綸を継ぐに値いしない」という評価をして正助の養子になることについて反対した。正助の実姉なみは、養父の三代目、入り婿の四代目の活動的な姿を身近に眺めてきたので、末弟の正助の地味な性格は、中埜家の事業を引き継ぐに値しない人物と映った。

五代目中埜又左衛門を襲名後も、町長等の公職に就くことはなく、対外的な活動から消極的という評価を受ける。1897 年以降、中埜一族と半田財界は、地元の資本の充実を図るように、中埜銀行、中埜貯蓄銀行、知多瓦斯等の新会社を設立した。中埜

旧中埜銀行
1987年
石田正治氏撮影

又左衛門は最大の出資者でありながら、先頭に立って事業を引っ張っていこうとはしなかった。そのために消極的姿勢とみられた。しかしながら、歳月が過ぎるに従い、当初の消極的という評価は覆されていった。

消極主義でなく、堅実主義

事業経営に関して、「進む易く、退くは厳しい」という言葉がある。先代が心血を注いだ新事業であっても、将来性を有するか否かを見極めることは、必要不可欠である。経営者として、事業の内容を見直し、堅実に状況を判断して、あえて火中の栗を拾うが如く、撤退という行為を選んだ。

中埜家にとっては、「カブトビール」（丸三麦酒）は、不採算部門であった。創業以来赤字で、ビール事業に投資した資金は回収できてはいなかったが、この先の経営難を見越して事業を売却した。しかし、ビール事業は、次の時代へ向けた「中埜の製酢」の技術の近代化をもたらすこととなる。そうして、欧州の理論的な醸造技術を得て、機械の導入で安定的な品質管理をおこなうことを学んだ。理論的な醸造技術の導入は、手作業で進められていた本業である製酢の醸造技術の近代化への手助けとなった。

近代的醸造技術の確立

ビール醸造事業への投資は、短期的には赤字だったが、長期的には製酢に関して、発酵技術の近代的な製造法への脱皮に役立ったといえる。

五代目は、最も安定的な収益が期待できる製酢には惜しげもなく資金を投入している。蒸気缶（ボイラ）、汽機、原料輸送用のエレベーター、自社開発の醪圧搾機（もろみあっさくき）、醪搾（もろみしぼり）汁輸送用ポンプ、汲水用のポンプ、自家電燈用発電機の本格導入への投資は惜しまなかった。

1900（明治33）年、当時、最も新しかった南倉（現 第三工場）に1万円を投じて近代的な設備であるコル

機械化のエネルギー源として稼働した原動機室
一般財団法人招鶴亭文庫提供

ニッシュ型蒸気缶および汽機と30トン圧搾機3台を試験導入した。この成果を確かめたうえで、大正期に入ると本社の工場（第一、第二工場）にも汽缶を入れて機械化の第一歩を踏み出している。

事業の全国展開で設立した尼崎支店の工場
一般財団法人招鶴亭文庫提供

1900年代に入ると、五代目は本業の酢屋が好調で収入も増えていった中で、危険な事業への投資をやめて、全国的に安定成長の期待できる一流の交通、運輸株への投資を増やしていった。消極主義ではなく、堅実主義といえる。

現状に満足するのではなく、堅実に次の事業展開を見据えて、同年、技師をドイツ醸造協会へ留学させ、速醸法を研究させた。帰国後、1902年に醸造試験所を設け、さらに酢の瓶詰化をおこない、かつ、販売に特化した中埜商店設立による販路の拡大につなげた。醸造試験場で開発された「米酢」の製法の確立によって、関西方面への進出を果たすことになる。

五代目は堅実守成の人であったが、現状に満足することなく、西と東の生産拠点強化にも奔走した。関西圏は、米酢の食文化圏である。1905年には尼崎工場を設立し、関西での生産基盤を確立した。

中埜が、最も得意な粕酢ではなくて、新技術をもって製造する米酢での進出は、守成、堅実主義とは裏腹な感を呈するが、製造販売の拡大を目論むという点では果敢な行為だったといえる。

進出後は、10年ほどの間に売り上げは伸びて、初代が創業以来の江戸で売り上げた石高を達成してしまうほどであった。さらに、関西に続き、東京においても生産基盤を確立するべく、東京での生産基盤の確立を目論み、食酢工場の共同経営に参画し、1919（大正8）年、丸寿合資会社を設立した。しかし、その年、五代目は他界した。五代目の思いは、六代目へと受け継がれ、数年後に共同経営だった工場は中埜酢店直営の東京分工場となった。（杉山清一郎）

ゆかりの地へのアクセス

【MIM（MIZKAN MUSEUM）】
➡愛知県半田市中村町2-6　JR武豊線半田駅より徒歩3分

中埜又左衛門をもっと知るために

◉ミツカングループ創業200周年記念誌編纂委員会編『MATAZAEMON 七人の又左衛門』新訂版、2004年

越 寿三郎（こし じゅさぶろう） 1864-1932

郷土の繁栄を願い生きた人

製糸、電気、化学の分野で大会社を創立

出典：『須坂の製糸業』

越 寿三郎	
1864 年	信濃国高井郡須坂村の小田切家の三男に生まれる
1884 年	20 歳の時に越家の養子に入る
1885 年	製糸結社「俊明社」を地元の有志で設立
1887 年	山丸組を結成し、1894 年に社長に就任
1903 年	信濃電気を設立
1906 年	カーバイド製造の吉田炭化石灰工場を新設
1918 年	渋沢栄一の仲介で大倉喜八郎とともに大倉製糸所を設立
1926 年	信越窒素肥料の設立に参画。私立須坂商業学校を創立
1930 年	昭和恐慌で「山丸組」倒産
1932 年	68 歳没

生い立ち

越寿三郎は1864（元治元）年、信濃国高井郡須坂（すざか）村（現 長野県須坂市）の豪農小田切家に生まれ、20歳で越家の養子に入った。

越が生まれた須坂は、1875（明治8）年に日本で初めての製糸結社「東行社」、1885年には「俊明社」が設立され一大製糸業の町として発展した。越は1887年、山丸製糸所を創業、山丸組を設立、1894年に俊明社合資会社の社長に就任、製糸業界のリーダーとなった。

1918（大正7）年、当時大日本蚕糸会顧問渋沢栄一の紹介により、大倉喜八郎と大倉製糸所を設立、大倉が社長、越が副社長に就任した。このほか埼玉県の大宮製糸工場、愛知県の安城製糸工場、新潟県に信越製糸村上工場などを建設していったが、1930（昭和5）年から始まった世界金融恐慌の影響により、日本経済も大打撃を受け、山丸組を解散した。

須坂市を中心にした社会貢献

越は、須坂生糸同業組合の組合長

を始め、1895年、製糸業の円滑な資金調達のため上高井銀行を設立（八十二銀行の前身）した。また、1926年に私立須坂商業学校を創立、次男の泰蔵を校主として任せた。その後、同校は校名の改称、学制改革などを経て現在の長野県立須坂商業高校になった。

信濃電気本社跡地に建つ「発祥の地」記念碑
2022年撮影

電気・化学事業へ経営多角化

製糸業近代化のため、蒸気機関による器械製糸から電気を導入するための水力発電所の建設を計画、1903年に信濃電気株式会社を設立、翌年、米子（よなご）発電所（当初出力：60kW）を完工、長野市など1市4郡に供給をしていったが、営業区域が郡部から長野市に広がるにつれ、長野電灯株式会社との間で激しい競争が展開された。1910年、長野県知事の調停により供給区域の協定を締結、長野電灯が長野市へ供給することになった。

一方、越の信濃電気は長野電鉄の信濃吉田駅付近にカーバイド製造工場、引き続き信濃鉄道の黒姫駅付近に柏原工場を建設、生産を拡張するとともに次々に発電所を建設していった。このように越は、①発電所を建設、②カーバイドの生産、③電力を利用した窒素の肥料の製造へと多角経営を展開していった。

1926年、信濃電気と日本窒素株式会社の共同出資で信越窒素肥料株式会社を設立し、新潟県上越市に直江津工場を新設、吉田、柏原工場の生産を移転させた。

1940年に社名を信越化学工業株式会社に改称した。越が創業した信越化学工業は、現在半導体基盤用のシリコンウエハの生産で世界一の企業となっている。（寺沢安正）

ゆかりの地へのアクセス

【旧越寿三郎家住宅（須坂市登録有形文化財・近代化産業遺産）】
➡長野県須坂市須坂町　長野電鉄須坂駅より徒歩10分
【越寿三郎の胸像・顕彰碑】
➡須坂市臥竜町　臥竜公園内　長野電鉄須坂駅より徒歩15分

越 寿三郎をもっと知るために

◉須坂市史編纂委員会 編『須坂市史』1981年
◉信越化学工業社史編纂委員会 編『信越化学工業社史』1992年

田口百三（たぐちひゃくぞう） 1868-1931

稀にみる達見の士

大規模製糸工場経営と優良蚕品種の創出

三龍社提供

田口百三	
1868 年	岐阜県恵那郡中津町に生まれる
1886 年	中津町の製糸業勝野商店の社員
1897 年	合資会社三龍社開業
1898 年	養蚕部（後の蚕業講習所）開設
1900 年	パリ万博で出品生糸金賞牌受賞
1903 年	繭優良新種「黄石丸」創出
1904 年	セントルイス万博で出品生糸金賞受賞
1905 年	繭優良新種「三龍又」創出
1907 年	岡崎商業会議所副会頭
1909 年	愛知県西三生糸同業組合長
1910 年	日英大博覧会で製糸部門金賞牌受賞。皇太子殿下三龍社台臨
1914 年	合資会社三龍社の黄金時代
1915 年	御大典に際し大嘗祭繒服調進
1925 年	紺綬褒章を受章
1927 年	産業功労者として天皇陛下拝謁
1931 年	63 歳没

生い立ち

田口百三は、1868（明治元）年、岐阜県恵那（えな）郡中津（なかつ）町（現 中津川市）に父勝野二朗、母仲子の四男として生まれた。後に田口仙助の養子となる。生家の勝野家は、製糸業の傍ら醸造業、質屋のほか生糸商も営み、美濃、尾張、信濃方面の生糸を買い集め、岐阜、京都方面に販売していた。

勝野家では 1891 年に製糸機械を 200 人繰りに増設し、勝野商店から信勝社に改名する。この時、百三の 3 人の兄のうち、長男は販売担当、次男は事務管理、三男は横浜の生糸輸出商もおこなう茂木惣兵衛（もぎそうべえ）の店に勤務させ、生糸輸出にも力を注いでいた。百三も 1886 年に中学卒業後社員となる。勝野家ではさらに製糸業の拡大を図るため、1895 年に愛知県額田（ぬかた）郡（現 岡崎市）に工場建設の立地を求めた。その際、見込むところがあると生家の父から認められた百三がその任に当たる。後に愛知県下最大規模となる製糸工場三龍社（さんりゅう）の始まりであった。

大正初期の三龍社の
繰糸風景
三龍社提供

1918年頃の三龍社の
工場全景
三龍社提供

三龍社の設立と製糸工場の開設

田口百三が岡崎の地に工場立地を決めた要因は、交通の利便性や原料繭（まゆ）の調達はもとより、製糸では不可欠のボイラー用の燃料の石炭輸送に便利な地を第一にしていた。地元の協力も得て、矢作川支流の乙川（おとがわ）の河畔に約6000坪の敷地を確保し、工場の防火壁に煉瓦を使うなど、防火に細心の注意を払った工場建設をおこなった。繰糸設備も、フランス、ベルトウ社製の繰糸機のほか、日本製の繰糸機150釜を設置し、近代化を図った。

こうした近代的工場の建設では、横浜の茂木惣兵衛（茂木合名）が最大の出資者となり、名古屋の瀧定助（たきさだすけ）（瀧定合名）も2番目の出資者に名を連ねていた。それは当時、蚕糸（さんし）では未開地であった岡崎地域に期待する現れでもあった。それに違わず百三が率いた三龍社は、1901年には横浜でエキストラ格（飛切格）を出荷する

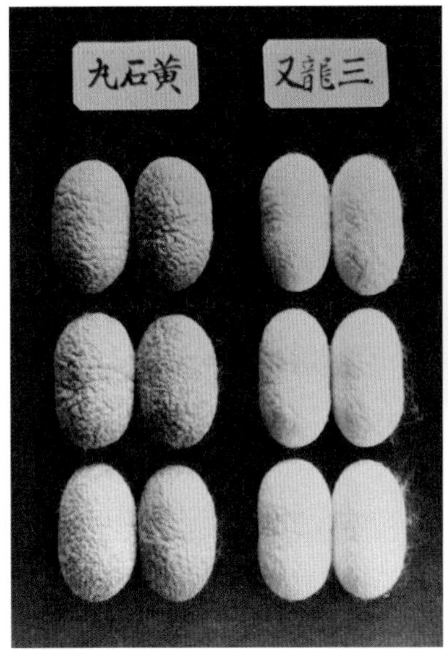

「黄石丸」と「三龍又」　三龍社提供

製糸家群に入り、1917には片倉、郡是（ぐんぜ）と肩を並べる横浜出荷巨大製糸家に成長する。

「黄石丸（こうせきまる）」と「三龍又（さんりゅうまた）」を創出

こうした成長の背景には、設備近代化だけでなく、蚕の品種改良を独自におこなったことを見逃してはならない。開業翌年の1898年に百三は養蚕部（後の蚕業講習所、農蚕研究所、1912年には敷地1680坪、建物701坪、桑園1万2000坪）を併設し、1900年に欧州系の黄繭種の品種改良に手がけ、1903年に新品種「黄石丸」を創出した。続いて1905年には日本在来の白繭種の遺伝学を応用した交雑種研究によって「三龍又」を創出する。経糸（たていと）用優等糸エキストラ格製造が目的であった。この二品

三龍社蚕業講習所と桑園　三龍社提供

種は主要輸出先のアメリカで高評価を受け、国内でも一大革命と評され、大正年間まで全国に普及した。

一方、百三は、蚕業講習所で農家の子弟教育もおこなった。岡崎地域の養蚕技術の向上を図り、大正後期に廃止されるまでに500名余の卒業生を送り出し、養蚕農家の育成に努めた。

三龍社の製品が内外から高い評価を受け、製糸業として大きく飛躍できたのは、地方の一製糸家では異例とも言える独自の蚕品種の開発、養蚕農家の育成など、原料面から安定確保に力を注いだ百三の先見性なくしては、なし得なかったといえよう。

地域の産業振興に貢献

1910年代は三龍社の黄金時代でもあった。この頃までに、高さ30mの八角形の巨大な煉瓦煙突やボイラー室、独特な形態の煙道、選繭（せんけん）場、煮繭（しゃけん）場、繰糸場、乾燥場、糸倉（いとぐら）、ポンプ室、敷地境の煉瓦塀など、いく

煉瓦造のボイラー室と煙突　1991年撮影

煉瓦壁の繰糸場　1985年撮影
これらの煉瓦造建物は1984年8月に製糸部門閉鎖以降も1992年に解体されるまで残っていた。

つもの煉瓦造建物が建ち並んでいた。分工場11カ所を合わせた敷地2万坪、釜数2100釜、職工3500名、生糸製造数5500梱（約186トン/1914年）の全国でも指折りの製糸工場として名を馳(は)せ、製品の90％は米国輸出であった。この前後の頃には、博覧会での受賞や、皇太子の台臨、大嘗祭繒服(だいじょうさいにぎたえ)（絹織物）調進などの栄誉が続き、百三は東奔西走であった。

多忙な身であった百三は、それでも地元貢献に労を惜しまなかった。1907年に岡崎商業会議所の副会頭、1909年には岡崎を含む西三河地方の西三生糸同業組合の組合長として、いずれも20年近くその任に当たった。

田口百三は、常に糸質の向上を目指し、品種改良、養蚕指導、選繭機や煮繭機の特許取得など製糸機械改良も社員におこなわせるなど、一途に日本の近代製糸発展ために尽力した人物であった。経営者として厳しい面を持つ傍ら、温情やユーモア精神もあったという百三も、晩年病に冒され1931年4月に満63歳で逝去となった。（天野武弘）

ゆかりの地へのアクセス

【岡崎市郷土館】（三龍社旧製糸工場の製糸関連遺産を多数保存）
➡愛知県岡崎市朝日町3-36-1　名鉄名古屋本線東岡崎駅より1.1㎞、徒歩15分

田口百三をもっと知るために

◉田口城一 編『三龍社史　明治・大正・昭和　風雪九十年』三龍社、1991年
◉三龍社旧製糸工場調査団「三龍社旧製糸工場に関する産業遺産の調査研究報告」『岡崎市史研究』第31号、2011年

福沢桃介（ふくざわももすけ） 1868-1938

木曽川の激流を止めた男
―河川一会社主義を貫いて「電力王」へ

米国留学中　出典：『福沢桃介翁伝』

福沢桃介	
1868年	武蔵国荒子村で出生
1883年	慶應義塾入塾
1887年	渡米
1889年	帰国　福沢ふさと結婚
1910年	名古屋電燈常務取締役に就任 半年で辞任
1913年	再び名古屋電燈常務取締役に就任
1917年	株式会社電気製鋼所社長就任
1921年	大同電力設立　社長に就任
1924年	外債募集のため渡米。大井発電所完成
1928年	実業界より引退声明
1931年	東邦電力名誉顧問
1938年	70歳没

生い立ち

福沢桃介（以下桃介）は、1868（明治元）年、武蔵国荒子村（現 埼玉県比企（ひき）郡吉見（よしみ）町）で岩崎紀一の二男として生まれた。小学校を終え、漢学塾・川越中学（在学中聡明なことから「川越の麒麟児」と呼ばれた）を経て、16歳で慶應義塾に入塾した。色白で華奢な体格、ひ弱であったが負けん気が強く一目置かれる存在であった。塾内外でよく悶着をおこし福沢諭吉（以下諭吉）に叱られたり、諭されたりした。

当時、二女ふさの養子を探していた福沢家では、諭吉の妻と長女が、目立ちたがり屋の桃介を選び、渋る諭吉もそれに従い、ふさの婿養子に決まった。洋行を希望していた桃介は、渡米を条件にふさとの結婚を受け入れた。アメリカでの2年8カ月は語学研修の後、ペンシルベニア鉄道で働き始めるが、実父母の相次ぐ逝去に落胆し、乱れた生活に堕ちた。

1889年に帰国、ふさと結婚し、北海道炭坑鉄道に入社した。27歳で結核となり、療養のため辞任した。この頃から株の取引で利益を上げ、これを元手に王子製紙、利根川水電、日清紡績、丸三商会（倒産）、博福電気軌道等々に関わり実業界での経験を積んだ。

傲慢で鬼才を発揮

1908年、40歳で豊橋電気取締役となり実績を上げた。1910年5月、名古屋電燈常務取締役に就き、すぐに当時課題だったライバル会社の名古屋電力との合併を、2週間という短期間で纏め上げてしまった。しかし、このことが地元財界や会社内の桃介反対派の警戒心を煽ることとなり、保守派と改革派の抗争となった。名古屋市長の仲立ちで仲直りはしたがしこりは残り、半年後の11月に経営を放棄した。

この頃、水力発電の将来性に刮目していた桃介は中部地方の河川の中で最も有望な木曽川に着目、水利権を獲得していく。豊橋電灯を立て直し、九州の電気事業を軌道に乗せて手腕を発揮していた。

1912年、45歳で千葉県選出の代議士（政友会）に当選、一期3年務めた。同年3月予算本会議の壇上で、政府予算の修正案を演説したが、脱線して郵政会社と当局の腐敗問題を滔々とぶち上げ、大騒動になった。結末は本人が失言を取り消し収まるが、政治に未練はなかった。

一方、桃介が去った後の名古屋電燈は経営悪化に苦しみ、株主から経営の刷新を求める声が上がった。こうした中で、1913（大正2）年名古屋電燈常務取締役、翌年取締役社長となる。当時、経営を圧迫する一因となっていた余剰人員の整理が課題だった。社内では何時馘首となるか、戦々恐々だったという。しかし予想に反して実行されず、徹底した経費節減を進め意欲を掻き立てることで、事業拡大を成し遂げ経営を立て直す。

この当時工場での動力源は石炭による蒸気機関が多かったが、電動力に移行する時期で「桃助の煙突退治」と言われ、急速に電化が進行する。また1917年、設立間もない株式会社電気製鋼所（後の大同特殊鋼）取締役社長となった。

「電力王」へ

50歳代になると、木曽電気製鉄、矢作水力、大阪送電、東海道電気鉄道（後の名鉄豊橋本線）などに関わり、取締役社長・相談役などに就任した。さらに、競争を避けるため日本水力、木曽電気興業、大阪送電を合併させ大同電力を設立し、社長に就任した。

桃介は「一河川一会社主義」を唱え、すでに鉄道が敷かれており豊富な水量の木曽川に早くから注目し、1920年代に大桑・須原・桃山・読書（よみかき）・大井・落合の各発電所を竣工、電源開発に邁進した。とりわけ大井発電所建設中の1923年、関東大震

木曽川の堰き止め始まる（1923年） 関西電力株式会社東海支社提供

大井ダム 竣工当時記録的なハイダム 2019年撮影

災が発生し、東京の銀行が壊滅して資金供給が途絶えた。社運を賭けた一大工事で資金がなければ、倒産につながりかねない。桃介は必死で国内の融資先を探したが見つからず、外資導入に切り替えた。

桃介は秘書一人だけを伴って渡米。当時の日米関係は良くなかったが、米国有数の財閥ジロンリード社と交渉を始めた。大井ダムの建設状況・写真・映画などを見せると、「日本でこんなことが出来るはずがない、フェイクではないか」と疑われたが、粘り強く交渉を続け、遂に総帥ジロンリードに会い1500万ドルの社債発行にこぎ着けた。

こうして震災後の危機を乗り切った桃介の成功は、その後電力各社がおこなう米国資金導入の口火を切り、業界発展にも大きな貢献となった。

1926年木曽川に7つ目の落合発電所を完成すると、自身が目指してきた電源開発に終止符を打った。大同電力、東邦電力、矢作電力など国内電力の4分の1を掌握し、電力王と称されることになった。

桃介は余人のまとめ得なかった難題を短期間でまとめた。木曽川筋の水力開発を巡る地元との軋轢の中、硬軟使い分けて決着させるなど、「策士」、「鬼才」等の異名をもつ。桃介の評価は傲慢と謙虚、冷酷と温厚、山師と篤志家、スキャンダルとロマン等々相反するが、名古屋・中部地方の経済発展に欠くことのできない人物であった。（田口憲一）

桃介橋（重要文化財指定）読書発電所工事用吊り橋
2019年撮影

読書（よみかき）発電所　稼働中の重要文化財指定は珍しい
2019年撮影

ゆかりの地へのアクセス

【大井発電所　記念碑「独立自尊」「普明照世間」他】
➡中津川市蛭川奥戸 木曽川右岸
恵那市大井町 木曽川左岸の恵那峡公園からダムの上を歩くことができる
JR中央本線恵那駅よりバスで20分

【福沢桃介記念館（大洞山荘）・桃介橋】
➡南木曽町読書
JR中央本線南木曽駅より桃介橋を経て0.6km、徒歩15分

福沢桃介をもっと知るために

◉『福沢桃介翁伝』福沢桃介翁伝編纂所、1939年
◉福沢桃介『桃介は斯くの如し』星文館、1913年
◉福沢桃介『桃介夜話』先進社、1931年
◉鈴木静夫『木曽谷の桃介橋』NTT出版、1994年
◉愛知東邦大学地域創造研究所 編『中部における福沢桃介らの事業とその時代』唯学書房、2012年

落合兵之助（おちあいひょうのすけ） 1868-1932

新技術への挑戦と研究への情熱

ドイツ人との友好と鍍金（ときん）技術の導入

出典：『日本金液株式会社　創業 100 周年記念誌』

落合兵之助	
1868 年	尾張国春日井郡上末村で漢方医の家に生まれる
1905 年	安全ピンの実用新案特許を取得
1914 年	第一次世界大戦勃発。ドイツ人の捕虜が名古屋捕虜収容所に収容。ドイツ人捕虜を迎え入れ、金液研究を開始する
1918 年	落合化学（のちの日本金液株式会社）創業
1921 年	待望の金液とラスター液の国内生産に成功
1924 年	工業試験場のテストでアメリカ製品と同等であるとの証明を得る。金液、ラスター液ともに輸出向陶磁器に広く使用されるようになる
1932 年	65 歳没

生い立ち

落合兵之助は、陶磁器やガラス用の金液開発のパイオニア、日本金液株式会社の創立者として活躍した実業家である。兵之助は、1868（明治元）年、尾張国春日井郡上末（かみずえ）で漢方医の家に生を受けた。幼くして祖父母、父親が他界し、寺院などに預けられながら成長する。やがて簪（かんざし）の量産化、安全ピン、金液の国産化などを手掛け、名古屋のみならず、日本の産業界に重要な役割を果たすことになっていく。幕末から昭和までの時代を駆け抜け、常に大志を抱き続けた人物でもあったが、1932（昭和7）年、65 歳の生涯を閉じた。

金液国産化の契機

当時、日本では金液やラスター（陶磁器のうわ薬）は生産しておらず、第一次世界大戦の影響でアメリカなどからの輸入が困難となった。そこで、金地金（きんじがね）をアメリカに送り、金液に加工したものを再び日本に送り返し、陶磁器の上絵つけに使用するという現状であった。安全ピン製造とメッキ工場を経営していた兵之助は、金液とラスターの研究を開始し、次第に国産化を目指したいと考えるようになる。

ドイツ人俘虜（ふりょ）の来名と金液研究の開始

第一次世界大戦時、日本は日英同盟に基づきドイツと戦った。戦場はドイツの租借地、中国青島（チンタオ）であった。ドイツ軍の敗北で俘虜５千名が日本各地に送られ、名古屋でも、俘虜収容所に500名ほどが収容された。新たな技術の吸収には積極的であった兵之助は、特殊技能をもつドイツ人俘虜を雇用することとした。

1918（大正７）年３月、マックスとクーヘンの両技術工と通訳１名を雇用する。さらなる鍍金技術向上を望んでいた兵之助は、化学技術将校エンゲルホンも雇い入れ、共同研究を開始する。1919年、第一次世界大戦終結に伴い、俘虜の大半は帰国したにも関わらず、エンゲルホンは、研究はまだ途中であると考え名古屋に残留し、兵之助とともに研究を続ける。その後、カールメルクが加わり、ドイツからペテルセン技師が交代要員として来日するなど多くの技師が兵之助と金液研究に関わっていき、遂には海外製品と比肩しうるレベルにまでに品質向上した。

ドイツ人俘虜の雇用は、新たな技術向上が契機であったかもしれない。しかし、俘虜の多くが帰国したのちも、数人の技術者は日本に留まり共同研究をし、さらには兵之助の事業に協力するためにドイツから新たな技術者が来日した。落合兵之助が名古屋の産業発達の一翼を担うことができたのは、彼の研究熱心さのみならず、ドイツ人との友好を築き上げた人柄も影響しているのではなかろうか。

（朝井佐智子）

創業時の落合兵之助と俘虜
出典：『日本金液株式会社　創業100周年記念誌』

ゆかりの地へのアクセス

【ドイツ人名古屋俘虜収容所跡「日独友好の碑」】
➡愛知県名古屋市東区出来町3-6-15　JR中央本線大曽根駅南口より徒歩15分

落合兵之助をもっと知るために

◉『日本金液株式会社　創業100周年記念誌』

服部兼三郎（はっとりかねさぶろう） 1870-1920

身に薄く、他に厚い人

人材を育て、企業を遺した

出典：『興和百年史』

服部兼三郎	
1870年	尾張国丹羽郡北野村に堀尾家の堀尾兼三郎として生まれる
1885年	祖父江重兵衛商店に丁稚奉公
1889年	祖父江の娘と結婚
1894年	祖父江重兵衛、服部兼三郎と娘を離縁させ、解雇。名古屋市八百屋町に服部兼三郎商店を設立
1901年	名古屋市宮町一丁目に移転
1912年	株式会社服部商店に改組。初の生産工場、服部サイジング工場を名古屋市中区葛町に新設
1914年	織布工場の桜田工場を新設
1920年	綿糸相場暴落、投機の失敗で自裁、49歳没

生い立ち

1870（明治3）年、服部兼三郎は、尾張国丹羽郡北野村（現 愛知県江南市）の堀尾家に堀尾兼三郎として生まれた。兼三郎は、1885年に叔父の祖父江（そぶえ）重兵衛商店（1920年に株式会社糸重商店となる）に丁稚奉公に上がる。そこでまさに兼三郎は徹底的な商人魂をたたき込まれた。生来利発な兼三郎は、すぐ頭角を現し、手代、番頭へと上っていった。

祖父江重兵衛は、後の初代糸屋重兵衛で、1765年に名古屋に綿織物を扱う呉服店を出し、1878年には綿織物を製造する愛知物産組を設立している。兼三郎は、その当主祖父江重兵衛の眼鏡にかない、1889年に祖父江の娘と結婚し、服部兼三郎となった。だが、兼三郎は仕事ができたが、遊びも激しかった。酒を飲み、芸者遊びも絶えなかった。そこで祖父江重兵衛は、1894年に断腸の思いで道楽して放蕩（ほうとう）が過ぎた兼三郎を離縁、解雇した。

だが、結果として兼三郎は、1894年に自らの名を冠した綿布問屋「服部兼三郎商店」を設立し、独立する

服部商店の従業員　出典：『興和百年史』

ことができた。創業の地は、名古屋市八百屋町（現 名古屋市中区栄）だった。1894年に創業したのは、兼三郎にとり幸運だった。日清戦争後に日本の繊維産業は、外国綿花を安価に仕入れ、大陸に目がけて綿紡を輸出することで飛躍することになるからである。

兼三郎は、1901年に、名古屋市宮町一丁目（現 名古屋市中区錦三丁目）に移転し、商いを拡大した。

佐吉との邂逅と株式会社服部商店設立

豊田佐吉（本書199ページ）と服部兼三郎との出会いが何時だったのか不明だが、1894年に佐吉が名古屋に出てきた頃だったかもしれない。佐吉は1896年に小幅動力織機を完成させたが、兼三郎はその小幅動力織機を大量に購入し、自家工場へ導入した。また、兼三郎は、佐吉に対して開発資金を惜しげもなく融資した。つまり兼三郎の支援なくして、佐吉の動力織機開発も困難であった。兼三郎は佐吉の最大の支援者であった。

1912年、兼三郎は、これまでの個人商店を株式会社服部商店に改組した。兼三郎の経営は、先物の投機的取引であったが、業態変更を目指し、1914（大正3）年に自社工場を設立して、織布事業に進出し、さらに1917（大正6）年に熱田工場などを増設、1919（大正8）年以降は、自社で綿糸紡績から織布までの一貫生産をおこなう紡績業へ拡大し、大紡績会社に育てあげた。当時の服部商店は、愛知、大阪、浜松、和歌山に事業所をもち、推定で従業員2000人を超える大紡績会社となっていた。

第一次世界大戦後の1920年の繊維相場の大暴落がきたとき、綿業関係の暴落で、売掛金の回収ができない事態が起こった。この時、先物の暴落があり、兼三郎は自社が倒産寸

服部商店の桜田工場（名古屋市熱田区）
出典：『興和百年史』

桜田工場全景　出典：『中京名鑑　昭和３年版』

前だと思い込んで気弱になってしまい、遺書を残して自裁してしまった。

暖簾を守った遺書

服部兼三郎の遺書には、自身の保険金の半額で会社の欠損に埋め、残額を遺族に渡してほしいと書いてあった。この遺書は、服部商店の社員を振るい立たせた。主人（服部）の死を無駄にしないために、社員は売掛金を回収するために八面六臂とでもいうべく活動をして、会社を存続させた。危急にあって、社員から掃除夫に至るまで一致団結して「服部商店」を守り抜いた。

皆が一心に働いたことは、社員を如何に大切にして育てていたかということがよくわかる逸話である。これは、「身に薄く、他に厚い人」であった、服部兼三郎の普段の心がけのおかげであった。

人を育てた無私の人

服部兼三郎は、死して会社を残し、稀有の人材を残した。

豊田佐吉とは盟友であり、織機製作の資金援助を惜しまなかった。兼三郎は、佐吉の跡を継いで豊田財閥のかじ取りをした児玉利三郎と豊田愛子の仲人も務めている。また、トヨタ自動車の存亡危急の時に、大番頭といわれて、危急の経営を引き継いだ石田退三は、服部商店で兼三郎の薫陶を受けていた。この困難に打ち勝つという精神は、豊田喜一郎（本書144ページ）からトヨタ自動車工業を引き継いだ石田退三に受け継がれた。石田退三を育てた兼三郎は、トヨタ自動車の育ての親の一人とも言えよう。

服部兼三郎の一番の人材育成は、親戚筋で、支配人の三輪常次郎を愛撫薫育に玉成したことである。三輪常次郎は、兼三郎の亡きあと、会社を、商売で得た資金を工業へ投資をする「商工兼営」を導入して、後に世界的企業となる興和株式会社の礎を築いた。（杉山清一郎・石田正治）

服部兼三郎をもっと知るために

◉興和紡績株式会社／興和株式会社 編『写真集 興和のあゆみ』1988 年
◉興和紡績株式会社／興和株式会社 編『興和百年史』1994 年

大隈栄一（おおくまえいいち） 1870-1950

非凡なる平凡

製麺機製造から工作機械メーカーへ

出典：中谷秀『大隈栄一翁傳』

大隈栄一	
1870年	肥前国神埼郡目達原に生まれる
1877年	大牟田小学校入学
1880年	大隈姓を継ぐ
1882年	小学校を退学し郵便配達に従事
1891年	福岡県の巡査になる
1892年	鶴沢栄吉長女政子と結婚
1896年	岳父鶴沢栄吉に協力して製麺機の特許を取得
1898年	名古屋で大隈麺機商会を設立
1905年	陸軍砲兵工廠の注文で各種兵器製造機械を製作
1916年	名古屋市布池町に工場新築し移転、大隈鐵工所と改称
1918年	株式会社大隈鐵工所創立、旋盤の他、各種工作機械を製造
1945年	大隈興業株式会社と改称
1946年	大隈興業社長を退任、会長に就任、2年後相談役に就任
1950年	80歳没
1951年	大隈興業再び大隈鐵工所に改称

生い立ち

大隈栄一は、1870（明治3）年、肥前国神埼郡目達原（めたばる）村（現在の佐賀県神埼郡吉野ヶ里町）に、小柳与吉を父に、佐賀藩士の娘しなを母として生まれた。四男二女の四男であった。家は、農業と木蝋（もくろう）製造を営む、庄屋の格式をもつ資産家であった。栄一は、家業の衰退で小学校4年の時に退学し、父の郵便局の配達の仕事を手伝うようになった。しかしながら向学心は強く、働きながら近隣の寺々で絵や学問を習っている。特に漢学者満岡允保（みつおかみつやす）に学んだ漢学の素養は高く、折にふれて漢詩を詠んでいる。

1880年、大隈姓を継承し、大隈栄一と名乗るようになった。当時は、家督を相続すべきものは徴兵を免除される定めであったので、次男以下は他家を継いだり、絶家を再興するものが多かった。栄一の父もこの例にならい、絶家の大隈家を栄一により再興させたのである。

1890年には、福岡県巡査の採用試験を受けて合格、翌年警察官となった。

きしめん製造に使われた大隈式製麺機　オークマ株式会社メモリアルギャラリー蔵

1892年、親類の鶴沢栄吉の長女政子と結婚し、これが人生の大きな転機となった。岳父栄吉は大工職で種々の木工機械を考案製作しており、その中で成功していたものにうどんの製麺機があった。大隈は警察官を5年で辞し、岳父の志を継いでその製麺機の製造を手がけるようになった。

1897年、佐賀麺機製造合資会社を設立したが、翌年解散し、名古屋にむかった。1898年、名古屋に大隈麺機商会を設立、製麺機の製造販売を始めた。大隈は、1902年に3種の製麺機を発明、いずれも特許を取得して成功を収めた。この頃から製麺機部品加工のための工作機械も手がけ始めている。

「大隈鐵工所」の基礎を築く

幕末明治期より日本は欧米からさまざまな分野の近代技術を移入し、その国産化、自立化をめざした。その中で機械工業の基礎となる技術、工作機械製造技術は特に大きく立ち後れていた。

1905年、大隈麺機商会は、陸軍砲兵工廠の注文により、工作機械の製造を始めた。1913（大正2）年、大隈式自動歯切盤と麺帯巻取機の特許を取得、事業はしだいに工作機械の製造に重心を移した。

第一次世界大戦が勃発すると大隈

ベストセラーマシンのＯＳ形普通旋盤　オークマ株式会社メモリアルギャラリー蔵

麺機商会は、多種多数の工作機械を製造している。その中でも1918年から製造をはじめたOS形旋盤は約2000台つくられ、ベストセラーマシンとなり、工作機械メーカーとしての地位を確立した。

1916年、名古屋市内の布池町に工場を新築、移転し事業を拡大、大隈鐵工所と改称した。1918年には株式会社に改組し、大隈栄一は代表取締役社長となり、今日のわが国屈指の工作機械メーカー、株式会社大隈鐵工所（現 オークマ株式会社）の基礎を築きあげた。

晩年、大隈は自ら生涯を顧みて、「予はただ平凡なる途を平凡に辿つたまでのことである」と手記しているが、蹉跌なく堅実に事業を発展させたのは非凡なる人生と言えよう。

（石田正治）

ゆかりの地へのアクセス

【オークマ株式会社メモリアルギャラリー】

➡愛知県丹羽郡大口町下小口5-25-1 オークマ株式会社本社工場内
（見学には事前に問い合わせが必要）

大隈栄一をもっと知るために

◉中谷秀『大隈栄一翁傳』大隈興業、1950年

かたおかはるきち

片岡春吉 1872-1924

しせいかったつ　ぎきょう

資性闊達にして義侠に富む

尾西毛織物業界の父

出典：『片岡毛織創業九十年史』

片岡春吉	
1872年	岐阜県石津郡鍛治屋村生まれ
1892年 (1895年)	愛知県海東郡津島町の竹筬製造販売業・片岡孫三郎の婿養子となる
1896年	東京モスリン紡織株式会社に入社
1898年	津島町に毛織物工場を設立
1901年	第五回愛知県五二会品評会で銅牌受賞（受賞者 片岡孫三郎）
1906年	独ハートマン、英ジョージ・ホジソンへ四巾力織機・染色整理機械を発注 (『管内織物解説』には「仏国式及独逸式織機」を購入とある)
1919年	片岡毛織株式会社設立（代表取締役 片岡春吉）
1924年	52歳没

生い立ち

春吉は1872（明治5）年、鈴鹿山脈と養老山地に囲まれた山あいの岐阜県石津郡鍛治屋村（いしづ　かじや）（現 大垣市上石津町上鍛治屋）の農家、三輪定右衛門の次男として生まれた。幼少の頃から利発だったという。1883年、同県本巣郡祖父江村（もとす　そぶえ）（現 瑞穂市祖父江（みずほ））で竹筬（たけおさ）の筬羽（おさば）製造をおこなう栗山方へ奉公に出る。1889年郷里へ戻ると、習得した技術で筬羽製造を始める。竹筬とは、織機（しょっき）に取り付ける用具で、横長の枠内に竹製のごく薄い筬羽を櫛歯のように固定したもの。筬は、製織（せいしょく）時、経糸（たていと）を筬羽間に通すことでその密度を一定に保つとともに、緯糸（よこいと）を打ち寄せ織り目を整える「筬打ち（おさう）」の役割を持つ。

1892年（1895年とも）春吉は、愛知県海東郡津島町（かいとう　つしま）（現 津島市）にて、筬孫（おさまご）の屋号で竹筬の製造販売をおこなう片岡孫三郎（まごさぶろう）（本書46ページ）に望まれ、その長女と婚姻し片岡家の婿養子となる。孫三郎は、受け継いだ家業を発展させた人物で、筬孫の販路は、三重・岐阜の近県は元より、関東（両毛（りょうもう）・東京・埼玉）の機業地（きぎょうち）まで及んだという。

織物業への転換

1894年、春吉は日清戦争に兵士として出征する。春吉は着用した軍絨に可能性を見いだしたのか、戦地で毛織物製造の決心を語ったと伝わる。帰国後は織物業への転業を目指し、1896年春に西陣や関東の機業地を巡歴する。春吉は、既存織物の開拓余地のなさを感じるとともに、欧米文化の影響で需要が高まる毛織物について、国内製造の必要性と将来性を認識したという。

同じ1896年、春吉は同年3月創業の東京モスリン紡織株式会社に無給の見習い職工として入社し、毛織物製造の技術を学ぶ。発端は、女工募集に立ち寄った同社社員からモスリン（細番手の梳毛糸で織った柔らかな薄地織物。白地に織り上げ、捺染等で染色加工された。）製造の有望性を聞いたことにあるという。一方、養父の孫三郎が同社知人の勧誘からモスリン製造を開始したとの話もあり、同社関係者との関わりが、後に春吉らがモスリン生産をおこなう後押しになったのであろう。

1898年帰郷した春吉は養父とともに、津島町の製糸工場跡地を買収し、同年毛織物工場を設立する。工場は、片岡毛織工場と称され（当初は「筬孫毛織工場」とする資料もある）、工場主を孫三郎、工場長を春吉とした。春吉はまず、綿毛交織の

工場内部（大正時代）　出典：『片岡毛織創業九十年史（二）』

片岡式織機　出典：『片岡毛織創業九十年史』

モスリンの試織を始めたという。

セルヂスの生産

モスリンの生産を始めた春吉だったが、染色整理の技術が未熟で、生産した製品は不完全だった。1900年末には、不況で「倒産休業ノ不幸」(管内織物解説)に陥ったともある。そのため春吉らは、生産する製品をモスリンからセルヂス（梳毛糸等を用いた薄地織物。セルともいう）に切り替え、和服用のセル（着尺セル）の生産を目指した。

製織工程では、従来の手織機より巾の広い生地が織れる木製二巾織機（「片岡式」と命名）を自製する一方、整理工程では「毛焼にはアルコールランプを拡大せる瓦斯焼機を独創し、大形アイロンを以て艶出ロール機の代用となす」(『尾西織物史』、ルビは引用者）など工夫を重ねた。こうした努力の結果、1901年11月の第五回愛知県五二会品評会での銅牌受賞（特製小中柄着尺本セル）を皮切りに品評会等での受賞を重ね、片岡毛織の着尺セルの品質は世に認められていった。

1906年には、後に主流となる洋服地の製造に適した四巾力織機や染色整理機械を海外から購入し（据え付け完了は1909年)、先駆的に洋服地の製造をおこなった。

尾西毛織物業の発展

江戸時代より、海東郡（1913〔大正2〕年に海西郡と合併し海部郡となる）では、佐織縞の生産で知られる佐織村などでの綿織物生産が盛んであった。しかし大正期に入ると、津島町を中心に毛織物工場が急増する。また海部郡の北に位置し、古くから機業が盛んな一宮町（1921年市制施行）・起町・奥町等を有す中島郡でも、毛織物工場が集積していく。大正期以降、尾西地方と呼ばれる尾張地方西部は、毛織物業が隆盛し、1935年の一宮市・中島郡・海部郡と県北西部の葉栗郡を合わせた毛織物生産価額は、全国の過半を占めた。着尺セル・洋服用セルの2種に限れば、全国生産価額の大部分が尾西地方で生産された。

現在にもつながるこうした地域の毛織物業の発展は、春吉をはじめとする先覚者の存在なしには考えられない。春吉は「資性闊達ニシテ、義侠ニ富ミ、人ノ急ヲ救ヒ、業ヲ成サシメルモノ尠ナカラズ」（銅像台座銘文、ルビは引用者）と評され、苦労して得た技術も惜しげもなく周囲に広めたという。春吉死後の1936年、津島町の天王川公園に銅像が建てられた。台座銘文には春吉を「毛織物業界之父」と敬する。津島市の工場跡地には今も片岡町の地名が遺されている。（岩井章真）

片岡春吉翁像　2022年撮影
天王川公園に建つ片岡春吉の銅像。最初の像は1936年に建てられるも太平洋戦争中の1943年に金属回収令で供出された。現在の像は1953年の再建。

ゆかりの地へのアクセス

【片岡春吉翁像】

➡愛知県津島市宮川町（天王川公園内）　名古屋鉄道津島線／尾西線津島駅より1.5㎞、徒歩約20分

片岡春吉をもっと知るために

◉名古屋税務監督局 編『管内織物解説』1910年
◉愛知県教育会／愛知一師偉人文庫 編『新編愛知県偉人伝』1934年（愛知県郷土資料刊行会1979年復刻）
◉森徳一郎 編『尾西織物史』1939年
◉津島市教育委員会 編『郷土の偉人』1953年
◉津島市史編さん委員会 編『津島市史』（五）1975年
◉片岡毛織創業九十年史編纂委員会 編『片岡毛織創業九十年史』1988年
◉片岡毛織創業九十年史編纂委員会 編『片岡毛織創業九十年史（二）』1990年

富田重助（とみたじゅうすけ） 1872-1933

地域の発展をリードした鉄道人

名古屋鉄道の創設者

出典：『名古屋鉄道百年史』

富田重助	
1872 年	名古屋城下、鉄砲町（現 名古屋市中区）に生まれる
1889 年	三井銀行東京本店に勤務
1891 年	名古屋に帰り、農地山林経営に携わる
1893 年	神野金之助の神野新田の開拓に携わる
1900 年	名古屋電気鉄道株式会社の監査役に就任する
1908 年	福壽生命保険株式会社の専務に就任する
1919 年	神富殖産株式会社社長に就任する
1921 年	名古屋鉄道株式会社創立、社長に就任する。明治銀行頭取に就任する
1933 年	62 歳没

生い立ち

富田重助（幼名吉太郎）は、1872（明治5）年3月15日に、父富田重政と母ふさの長子として誕生した。父は名古屋で小間物、練油類を商う「紅葉屋（もみじや）」の家業をつぎ、洋反物、唐糸のほか、幕末・明治初期の貿易にも進出し、商才を発揮した。父重政が1876年に死去した。吉太郎は富田家を相続し、重助を襲名した。5歳の重助は、叔父の神野金之助（本書30ページ）が後見人となり、紅葉屋の暖簾（のれん）を総番頭浅野甚七らに譲り、土地・金融方面に進出した。

重助は名古屋商業学校に学び、日本最初の私立銀行である三井銀行東京本店に2年間勤めて名古屋に帰り、叔父神野金之助とともに、農地山林経営、神野（じんの）新田の開発などに携わった。神野新田の開発では、資金の調達を担い、新田内諸般の施設を画策し、事に当たるや精到綿密であり、偉業達成の功、甚大であった。

名古屋電気鉄道監査役に就く

1900年に名古屋電気鉄道株式会

社の監査役に就き33年間在職し、名古屋鉄道が名古屋市内線（名古屋市電の前身）から発して、郡部線中心に発展する時期に手腕をふるい、名古屋鉄道の基礎を築いた。明治後半から大正初期にかけて、明治銀行等を創立し、名古屋倉庫（のち東陽倉庫）に経営参加した。

市内線の開通と名古屋市への譲渡

名古屋鉄道の起源は、今から約120年前の愛知馬車鉄道まで遡ることができる。1894年創立で1896年、社名を名古屋電気鉄道と改称し、1898年に名古屋・笹島—県庁間2.2km、4区間が開通して営業を始めた。この路線は日本における市内線の第2号である（第1号は京都市電）。

富田が名古屋電鉄の経営に参加したとき、営業路線は2.2kmであったものが、23年後（1922〔大正11〕年）に名古屋市へ市内線を譲渡する直前には96.6km（一部郡部線を含む）になっている。

名古屋電鉄の市内線の譲渡には、①電車市営論（1906年）、運賃問題、業績の好調などによる。②市内線焼き打ち事件（1914年）、第一次世界大戦等を背景として。③那古野車庫の火災（1920年）、車庫内5000㎡、車両99両等焼失。などの処理を経ておこなわれた。

市内線の名古屋市への譲渡は、1922年8月1日におこなわれ、市内線の営業キロ数の45%、収入の70%及び社員1218人が名古屋市電気局へ移った。

征清記念碑前の名古屋電鉄（絵はがき） 藤井建氏蔵

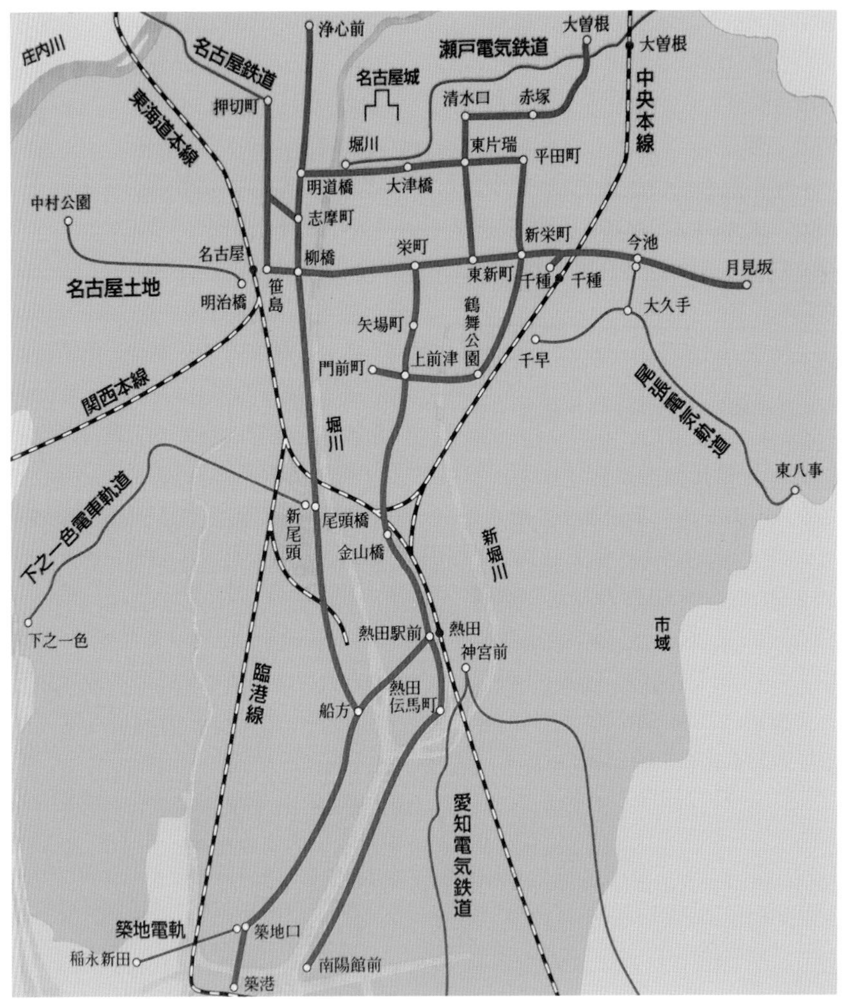

名古屋市へ譲渡した市内線の路線図　出典：『名古屋鉄道百年史』

名古屋鉄道株式会社の発足

1921年、名古屋電気鉄道は解散し、名古屋鉄道株式会社が創立した。社長は富田重助、常務に上遠野富之助（かどのとみのすけ）、取締役に岡本清三（せいぞう）他6名が就任した。名古屋鉄道の営業路線のキロ数は複線33.7㎞、単線21.2㎞、車両は、四輪電動客車37両、ボギー電動客車7両、四輪電動貨車13両、貨車57両の計114両であった。

郡部への進出を目指して、1935（昭和10）年名岐（めいぎ）鉄道と愛知電気鉄道が合併し、名古屋鉄道と改称した。この間他の地方鉄道とも合併し線路の拡張を図り、1935年4月29日、木曽川橋梁の完成により押切町・新岐阜（現 名鉄岐阜）間が全通する。

1937年、省線（現JR）駅の移転に伴い、跡地を譲受、地下式駅の新名古屋駅（現 名鉄名古屋駅）を建設・開業した。

名古屋の茶道と富田重助

富田重助の趣味の世界はすこぶる広く、高尚なもので、茶道、美術、建築、造園、能、詩歌、書の分野で第一人者であった。とりわけ茶道、建築、造園には、大きな足跡を残している。豊臣、徳川両氏に仕えた作事奉行・小堀遠州（こぼりえんしゅう）（宗甫・狐篷庵）になぞらえて、富田重助は「名古屋遠州」「尾張遠州」と呼ばれたほどである。

経済人・幅広い文化人として

紅葉屋で舶来品の販売等で得た利益で金融・土地・山林経営をおこない、神野新田の開発では、資金と新田経営の責任者として入植者等を指導した。銀行・保険会社の設立に参画して名古屋の経済発展に寄与し、名古屋鉄道を率いて、地域の鉄道網を整備した。

また、多彩な文化人として名古屋の茶道をリードした。（井土清司）

富田重助翁頌徳碑　2022年石田正治氏撮影

ゆかりの地へのアクセス

【神野新田資料館】
➡愛知県豊橋市神野新田会所前66
豊鉄バス牟呂循環線「牟呂学校前」より徒歩約10分

【富田重助翁鍠頌徳碑】
➡愛知県豊橋市新田町（新田神社境内）
豊鉄バス牟呂循環線「牟呂学校前」より南約600 m

富田重助をもっと知るために

◉紅葉舎類聚編纂委員会 編『紅葉舎類聚—名古屋富田家の歴史—伝記篇』1977年
◉名鉄120年の軌跡
https://www.meitetsu.co.jp/library/memorial/history/vol01.html

藍川清成（あいかわきよなり） 1872-1948

鉄カブトに巻脚絆で現場に立つ
東西連絡線を完成させ地方鉄道会に君臨

出典：『藍川清成』

藍川清成	
1872 年	岐阜県厚見郡小熊村に生まれる
1895 年	東京帝国大学法科大学法律科卒業
1896 年	名古屋市にて弁護士開業
1904 年	名古屋電燈株式会社監査役
1907 年	名古屋電燈株式会社取締役
1910 年	愛知電気鉄道株式会社監査役
1917 年	愛知電気鉄道株式会社社長
1935 年	名岐鉄道と愛知電気鉄道が合併し名古屋鉄道と改称。名古屋鉄道株式会社初代社長
1944 年	東西連絡線（神宮前ー新名古屋間）開業
1948 年	76 歳没

生い立ち

藍川清成は、1872（明治5）年、岐阜県厚見（あつみ）郡小熊（おぐま）村（現 岐阜県岐阜市）に父・渡辺清通と母・菊栄の長男（一人息子）として生まれた。父の清通は代言人（弁護士の旧称）で、岐阜市大門町にある圓龍寺の次男であったが、分家して借家を建ててその一郭を藍川町と名づけ、居を構えた。清通は渡辺姓を捨てて藍川を姓とした。

1895 年に帝国大学法科大学（現東京大学法学部）を卒業後は名古屋市へ出て、25 歳で弁護士として開業した。官選弁護人や会社、銀行の法律顧問などを勤め、30 歳にして名古屋市弁護士会会長に推挙された。また、政界に進出し名古屋市会議員、愛知県議会議員、衆議院議員などを歴任した。

名古屋電燈株式会社の監査役就任

1904 年、顧問弁護士をしていた名古屋の電力会社名古屋電燈株式会社（後の東邦電力）の監査役に就任し、1907 年 1 月に取締役に就任した。1910年1月に筆頭株主となった福沢桃介（本書80ページ）が同社取締役に選任されると、藍川は取締役を退任したが、引き続き名古屋電燈の顧問弁護士として福沢と親密な関係を結んだ。

愛知電気鉄道設立から鉄道事業に専念

藍川は同志とともに、知多半島西海岸と名古屋を結ぶ鉄道を計画したが進捗せず、実業家や鉄道会の有力者らを発起人に加えて計画を前進させた。1910年11月、愛知電気鉄道株式会社（愛知電鉄）が発足し、監査役に就任した。

1917（大正6）年に藍川が社長に就任した直後の1919年10月11日に新舞子付近で電車が正面衝突し死者を出す大惨事が起きた。現場に駆け付けた藍川は深く責任を感じ、会社の信用を回復するには社長自ら範を示して規律を厳守し、施設を改善し、二度と事故を繰り返さない努力をすること以外にないと考えた。この事故を契機に弁護士を子弟に任せ鉄道事業に専念することを決意、毎日午前8時に出社して、社長自ら第一線に立ち陣頭指揮の采配をとった。

愛知電鉄は鉄道事業・電気事業の他、新舞子や鳴海で土地開発事業をおこなった。藍川は鳴海土地を愛知電鉄に合併させると、甲子園や神宮球場に負けない、収容人員2万5000人の鳴海球場（現 名鉄自動車学校）を1927年（昭和2）年10月に完成させた。鳴海球場では1934年にベーブ・ルースがプレーし、1936年2月9日、プロチーム同士の初試合があった。

名古屋鉄道の初代社長に就任

名岐鉄道と愛知電気鉄道は愛知県の二大鉄道会社に成長したが、両社間に何の連絡線もなかった。最初は乗り気でなかった藍川は、合併は好機とみるや名岐鉄道と協議の末、1935年名岐鉄道を存続会社として合併し、社名を名古屋鉄道株式会社に改称した。藍川は会社の存続よりも両者統合の実をとった。社長に就任予定の名岐鉄道の跡田直一が急逝し、藍川が急遽初代社長に就任した。

名鉄を躍進させた東西連絡線

東西連絡線は合併の目的の一つで、地下で結ぶことを最初に主張したのは藍川であった。工費が巨額と変更を唱える者がいても、藍川は「採算可能」と答えて抑えた。工事は名古屋駅前の広場を開削することから始まり、1941年8月、地下駅の新名古屋駅が開業した。太平洋戦争が激化し輸送力増強のため、残る新名古屋駅—神宮前駅間の完成は一日を急ぐ重要性を帯びてきた。藍川は鉄カブトに巻脚絆、ズックの靴をはいて炎天下で陣頭指揮に立ち重役以下全社

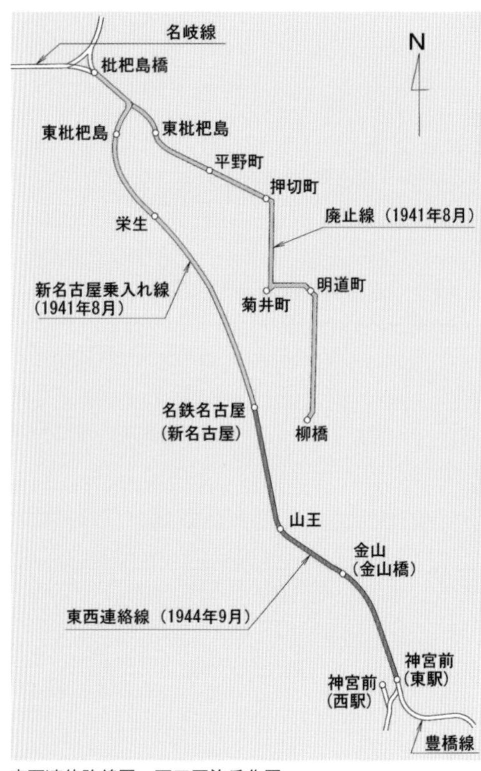

東西連絡路線図　石田正治氏作図

掘削工事中の名古屋駅前
出典：『名古屋鉄道社史』

炎天下の軌道敷設作業をする本社職員（1944 年頃）出典：『名古屋鉄道社史』

員が現場に出動して竣工を急いだ。難工事の末 1944 年 9 月 1 日、新名古屋駅～神宮前駅を結ぶ東西連絡線を完成させた。

戦後は各支線からも新名古屋駅に電車が直通し、名古屋鉄道の要となった。

一大事業をやり遂げた藍川は 1945 年、名古屋鉄道会長に、翌年、同相談役となり第一線を退いた。1948 年、療養中の藍川は新舞子の自邸で永眠した。（山田 貢）

ゆかりの地へのアクセス

【名鉄名古屋本線、名鉄名古屋駅－神宮前駅間（旧東西連絡線区間）】
➡名古屋市中村区、中区、熱田区　名鉄名古屋駅、山王駅、金山駅、神宮前駅

【名鉄自動車学校（旧鳴海球場）】
➡愛知県名古屋市緑区鳴海町文木 90　名古屋鉄道鳴海駅より北へ約 900 m、徒歩 12 分

藍川清成をもっと知るために

◉馬場守次『藍川清成氏頌徳録』私家版、1938 年
◉小林橘川『藍川清成』藍川清成伝刊行会、1953 年
◉名古屋鉄道広報宣伝部 編纂『名古屋鉄道百年史』1994 年

井元為三郎 1874-1945

幸福は我が心にあり

世界に羽ばたいた名古屋輸出陶磁器商

出典：『中京名鑑』昭和 11 年版

井元為三郎	
1874 年	熱田町大字中瀬に生まれる
1890 年	陶磁器貿易商田代商店に入る
1897 年	井元商店を東区飯田町に設立
1903 年	店舗を東区橦木町に移転
1909 年	サンフランシスコに日本貿易商会設立
1917 年	合資会社井元商店設立
1920 年	シンガポールに南洋商行設立
1924 年	名古屋陶磁器貿易商工同業組合長
1929 年	名古屋陶磁器輸出組合理事
1935 年	株式会社井元商店設立
1945 年	71 歳没

生い立ち

戦前、陶磁器はわが国の最大の輸出品であり、名古屋は陶磁器輸出の中心地であった。瀬戸や多治見方面から集められた生地を白壁町界隈で絵付けされ、名古屋港から輸出された。陶磁器輸出の黄金時代に活躍したのが、井元為三郎であった。

井元は、1874（明治 7）年 4 月、熱田町大字中瀬（現 名古屋市熱田区）に生まれた。1891 年、16 歳の時、陶磁器輸出商の田代商店に入社して、精力的に働いて神戸支店長になったが、1897 年、24 歳で市内東区飯田町に井元商店（現 井元産業）として独立した。当初は瀬戸の陶磁器業者から生地を仕入れ、絵付け業者に絵付けを依頼し輸出業者に売り渡していたが、中央線が多治見まで開通（1933 年）した後は生地の仕入れを東濃方面にも拡大し、さらに 1907 年名古屋港が開港すると輸出に一段と力を注ぐようになった。1909 年 9 月にサンフランシスコに日本トレーディング商会を設立した。第一次世界大戦後は陶磁器の輸出が急増し、1920（大正 9）年にシンガポールに

シンガポールに設立された南洋商行
出典：『名古屋陶業の百年』

南洋商行を設立するなど業績を伸ばした。シンガポールでの陶磁器雑貨の売上げは、三井物産、三菱商事を凌いだ。その後もメルボルン、ラングーン、バタビヤ（ジャカルタ）等に販売拠点を拡大する一方、1934（昭和9）年には北区指金町に電気トンネル窯や石炭窯を備えた工場・事務所も建設した。1936年には株式会社組織としている。

文化のみち撞木館　2016年撮影

陶磁器業界で活躍

井元は1909年名古屋陶磁器貿易商工同業組合の設立に関わり、1924年には第四代の組合長となって、業界の第一人者となった。陶工同盟休業問題の解決（1930年）、組合事務所（名古屋陶磁器会館）の建設（1932年）、金液関税の撤廃など業界の取り纏め役として活躍し、1934年12月には、産業功労賞を受賞している。東区に現存する名古屋陶磁器会館は、名古屋陶磁器業の拠点としてだけでなく、全国陶磁器界の中枢機能を発揮した。1941年には、古希を祝って会館内に寿像が設置されている（戦時中の金属供出で失われ、戦後に再建）。

井元は「幸福は我が心にあり」をモットーとし感謝の念をもって生活を送り、事業面では進取の気性に富み、温厚篤実、業界のまとめ役として数々の難題解決に取り組んだ。井元の居宅は、2007年に名古屋市に移り、現在「文化のみち撞木館（しゅもくかん）」として、市民に開放されている。（浅野伸一）

井元為三郎をもっと知るために

◉井元総業株式会社／井元陶業株式会社／井元産業株式会社 編『八十年史』1977年
◉『名古屋陶業の百年―会館の壁は聞いた百五十人の回想』名古屋陶磁器会館、1987年

青木鎌太郎（あおきかまたろう） 1874-1952

私は機関車と言われております
事業経営には、「運、根、勘」が必要

出典：『百人観―青木鎌太郎を語る』

青木鎌太郎	
1874 年	名古屋区富沢町に生まれる
1900 年	名古屋産時計の共同販売店を神戸にて開業
1901 年	愛知時計製造に入社
1904 年	愛知時計製造常務取締役
1912 年	愛知時計電機と改称
1926 年	愛知時計電機社長
1931 年	紺綬褒章受章
1932 年	名古屋商工会議所の副会頭
1936 年	第 11 代名古屋商工会議所会頭
1943 年	第 13 代名古屋商工会議所会頭
1952 年	78 歳没

生い立ち

1874（明治7）年、名古屋区富沢町（現 中区錦）に生まれる。名古屋商業学校卒業後、大志を抱き、神戸のドイツ商館「イリス商会」に入社し貿易に従事した。北清事変（義和団事件）の勃発で、輸出が停滞し、名古屋産時計は神戸港埠頭に山積されて市価は暴落し、荷主である愛知時計を始め、多くの同業者は甚大なる損害を受ける可能性が高くなった。

荷主等の連盟は、輸出先であった上海に共同販売店を開設し、荷主は、青木に主任となり中国へ赴くことを要請した。たちまち滞貨を回収し、販売の回復、更に名古屋時計界のために新たなる販路を開いた。当時、名古屋は時計の一大生産地であったので、その処理は、青木の名を一躍勇躍とした。この手腕を買われて、当時、資本金を減資するほど苦境にあった愛知時計の再建を任され、役員待遇で入社した。

以来、青木は社長の片腕となり、内外に活躍し社運の振興に努力した。青木の役目は、会社の業績の回復であり、入社以降は役員待遇でありな

がら、社員と汗を流して職務に精励した。結果として、時計業は持ちなおし、新たな電気業へと進出することもできた。ここから社運は興隆へむかった。青木は、各種門閥（官員、清州越え以来の旧尾張藩、名古屋周辺地域、他の地域からの移住者の門閥、新興の財閥）とは関係なく、愛知時計電機（当初は愛知時計）の経営者から名古屋商工会議所会頭まで上り詰めた稀有な人物であり、戦前の中京地域の工業化への先導者、牽引者であった。

愛知時計電機工場　絵はがき

機関車のような仕事ぶり

青木鎌太郎は、戦前の中京（名古屋）地域の「一大柱石たる存在」とも称されて、中京財界の中心人物であった。

明治以降、近代化の布石として全国的に、多くの新規事業が設立された。この産業勃興期、中京地域では、伊藤次郎左衛門祐民（本書125ページ）、岡谷惣助（本書37ページ）、神野金之助（本書30ページ）、富田重助（本書96ページ）、瀧定助ら各種門閥の共同出資による新規事業設立が多かった。これは、資金を単独で負担するのではなく、薄く広く出資することで危険負担率を下げるという効果があった。各門閥は、自身の家業ともいえる事業を第一に考えており、新規に設立した事業は、他の人に任せる傾向があった。青木は、そうした中で最も出世した人物であった。

青木は、愛知時計電機株式会社の社長として、その高名を天下に知らしめていた。強力的、かつ、活動的な経営行動から、“爆撃機”とか“機関車”と呼ばれる仕事ぶりであったという。愛知時計の事業について、時計の生産に限定されることなく、水道メーターの生産、新規の事業にも積極的に進出をして当時旺盛だった軍需を取り込み、放送設備、航空機生産にも進出して、愛知時計を愛知時計電機に成長させた。

そうした積み重ねの結果、愛知時計電機の社長、名古屋商工会議所の副会頭、会頭に就任した。会頭は、戦時下の状況もあったが、異例の2回就任をした。

青木は、戦前の中京地区の地位向上に努力し、かつ、名古屋財界の調整役として、新旧の商工業者の融和を図り、東京の財界とのつながりを取り持ち、中京地区に足りない事業、設備、新規事業開拓を推し進める機関車役を務め重工業都市への発展に

大形飛行艇飛行記念　絵はがき

尽力した。戦前は軍需で栄え、戦後は、民需へ転換した工業によって愛知県が、工業生産高第一の地位を占めるに至る躍動の根機の一部を育成した。

事業経営の極意

青木鎌太郎は、経営には、「運」「根」「勘」が必要と感じた。「運」とは、多年の経験から経営とは、事業自体のその事業が盛んになる運気をも必要、「根」とは、運気が来るまでやり抜く忍耐、根気が必要、「勘」とは機敏に正しい判断を下すことが必要といった経営観を持つようになった。現在の経営にも必要な要素である。

電機業界への進出後、程なく1904（明治37）年日露戦争が始まると陸軍砲兵工廠から砲弾の信管部分品の発注を受け、精密兵器製作を命じられた。青木は、社員を激励して全力をその製作に傾倒し、戦局の進展に貢献した。精密部品製造を始めたことで得られた技術を生かして、電気メーター類の生産に主軸を移した。電気関連製品の生産が軌道にのり、時計製造と双璧をなすと、1912年に愛知時計製造は、愛知時計電機と改称するに至った。

また、愛知時計を復活させた手腕から、多くの不採算な事業の再建を要請され、困難と知りながらも、これを引きうけた。会社の事業以外に、名古屋観光ホテル、東邦瓦斯、東陽倉庫、日本放送協会、汎太平洋平和博覧会開催に関与した。

（杉山清一郎）

環太平洋平和博覧会 会場　絵はがき

青木鎌太郎をもっと知るために

◉野村浩志 編『百人観—青木鎌太郎を語る』1941年

大倉和親（おおくらかずちか） 1875-1955

妥協知らずのこだわり屋

世界一のセラミックス産業の礎を築く

出典：『日本陶器七十年史』

大倉和親	
1875年	東京日本橋に生まれる
1885年	慶應義塾幼稚舎に入舎
1890年	慶應義塾附属商業学校入学
1894年	慶應義塾正則本科を卒業。森村組に入社
1895年	渡米、イーストマン商業学校で学んだ後、森村組ニューヨーク店モリムラブラザースに勤務
1904年	日本陶器合名会社設立、社長
1912年	渡欧、オーストリアの陶磁器メーカーを視察
1914年	ディナーセット「SEDAN」完成
1917年	日本陶器株式会社に改組
	東洋陶器株式会社設立、社長
1919年	日本碍子株式会社設立、社長
	大倉陶園設立
1924年	伊奈製陶株式会社設立に参画
1936年	日本特殊陶業株式会社設立
1955年	79歳没

生い立ち

大倉和親は、1875（明治8）年、大倉孫兵衛（本書20ページ）の長男として東京日本橋（現 東京都中央区）に生まれた。1885年に慶應義塾幼稚舎に入学、幼稚舎卒業後に1890年に慶應義塾附属商業学校に進学した。商業学校卒業後、慶應義塾に進み、1894年に慶應義塾正則本科を卒業した。同年、慶應義塾卒業後、若手の幹部として森村組に入り、1895年に渡米、ニューヨークのイーストマン商業学校に入学した。同校卒業後、森村組ニューヨーク支店のモリムラブラザースに8年間勤めた。1903年、東京工業学校（現 東京工業大学）卒の飛鳥井孝太郎（後に名古屋製陶所の初代社長）とともに渡欧し、オー

ニューヨークのモリムラブラザース
出典：『日本陶器七十年史』

日本陶器を創立した森村組の幹部たち
出典：『日本陶器七十年史』1974年
前列左から大倉孫兵衛、森村市左衛門、広瀬実栄、
後列左から森村開作、村井保固、大倉和親

ストリアのローゼンフェルト社の製陶工場を視察、衛生陶器製造の示唆を得た。

米国で一番売れたディナーセット

1904年、森村組は、洋食器製造専門の日本陶器合名会社を創立し、大倉和親は初代社長に就任した。ドイツのワグネルが開発した石炭窯で初めてコーヒカップ等の小形の磁器の製造に成功し、アメリカに輸出した。磁器の製造に石炭窯を使用したのは日本初であった。大倉和親は、

1914年に完成したディナーセット「SEDAN（セダン）」
出典：『日本陶器七十年史』1974年

あらゆる場面において妥協を許さない人であった。白色陶磁器製造については、原料や設備、製造方法の細部にいたるまで徹底して吟味し、最高品質のものをつくることにこだわり、そのためにトロンメル（陶土回転粉砕選別機）など最新の製陶用機械をドイツから輸入した。

1912年、本命の直径25cmの大形のディナー皿を作るために、東京高等工業学校（現東京工業大学）卒の江副孫右衛門（えぞえまごえもん）（後に日本碍子の第2代社長、本書226ページ）を引率して、ドイツの粘土工業化学研究所を再訪した。白色硬質陶磁器の製造には、適切な原料組成からなる生地の調整、およびディナー皿用生地の中心部を厚くすることが不可欠である、とのアドバイスを研究所からもらい帰国した。1913（大正2）年、白色陶磁器25cm大型ディナー皿の製造に成功し、翌1914年、ディナーセット「SEDAN（セダン）」が完成した。同年に、衛生陶器の試験販売を開始している。

アメリカへのディナーセットの輸出は1916年が1万セット、1918年には4万セットと年々増加した。米国への輸出品の主力となり、イギリス製品を上回って一番売れた。名古屋港からの外国向け陶磁器の出荷量は1919年から1966（昭和41）年までトップを占めている。

日本陶器合名会社は、1917年に改

組して日本陶器株式会社（現ノリタケカンパニーリミテド、以下日本陶器と略）となり、大倉和親は初代社長に就任した。

日本陶器株式会社時代の本社工場
出典：『名古屋製産品案内』1931 年

ファインセラミックス産業生みの親

ディナーセット製造で獲得した白質硬質陶磁器の製造技術は、衛生陶器や碍子、自動車用点火プラグの開発へと波及した。

大倉和親は、1905 年、芝浦製作所（現 株式会社東芝）の岸敬二郎技師の助言を得て高圧碍子（がいし）の国産化を目指し、1919 年に日本碍子株式会社（現 ガイシ株式会社）を設立、初代社長に就任し、国産碍子の開発を後に第二代社長となる江副孫右衛門に担当させた。江副は、1920 年に米国の碍子産業を視察した際、チャンピオン社で自動車用点火プラグが大量生産されていることに驚き、日本でも将来の有望製品となることを確信し、帰国後、大倉和親に進言して点火プラグの研究開発に着手した。

1936 年には自動車用点火プラグの製造をおこなう日本特殊陶業株式会社を設立し、初代社長は江副孫右衛門が務めた。近年、これらの製品はファインセラミックスの分野で世界のトップシェアを占めてきた。

大倉和親は、1907 年に陶磁器底摺（そこす）り用の自社用砥石の製造を開始させていたが、この研削砥石の製造技術を受け継ぎ、1939 年には日本陶器第三代社長の飯野逸平が、太平洋戦争に備えて航空機エンジン用ボールベアリングの軌道輪研削用の精密研削砥石の開発に成功している。大戦中は米国への高級磁器の輸出が停止される中、日本陶器は、わが国第 1 位の研削砥石メーカーへと成長した。

大倉和親は、陶磁器産業からファインセラミックス産業まで、絶え間ない技術革新を通して、多くのリーディング企業を育て、戦後日本の経済発展を先導し、工業技術立国日本の礎を築いた。

（亀山哲也・石田正治）

ゆかりの地へのアクセス

【ノリタケの森】➡名古屋市西区則武新町 3-1-36　JR 名古屋駅より徒歩 15 分

大倉和親をもっと知るために

◉『大倉和親翁』大倉和親翁伝編集委員会、1959 年
◉砂川幸雄『製陶王国をきずいた父と子　大倉孫兵衛と大倉和親』晶文社、2000 年
◉日本陶器 70 年史編集委員会 編『日本陶器七十年史』日本陶器株式会社、1974 年

松永安左ヱ門（まつながやすざえもん） 1875-1971

電力の鬼といわれた経営手腕

電力民営9電力体制の実現

出典：『名古屋火力発電所写真帖』

松永安左ヱ門	
1875年	長崎県壱岐郡石田村に生まれる
1889年	慶應義塾に入学
1899年	日本銀行に就職、1年で退職
1901年	ゼネラルブローカー福松商会設立
1909年	福博電気軌道株式会社設立
1914年	西部合同ガス株式会社設立
1917年	博多商工会議所会頭。福岡市選出衆議院議員に当選
1924年	社団法人日本電気協会会長
1928年	東邦電力株式会社社長
1948年	電気事業再編成審議会委員長
1953年	財団法人電力中央研究所理事長
1956年	産業計画会議を主宰し委員長に就任
1968年	慶應義塾大学より名誉博士号を授与
1971年	96歳没

生い立ち

松永安左ヱ門は1875（明治8）年、壱岐島（いきしま）（現 長崎県壱岐市石田町）で二代目松永安左ヱ門の長男として生まれた。幼名を亀之助といい、生家は京阪神地方との交易など多くの事業を営み、田地を所有する大事業家であった。祖父の初代安左ヱ門が、裸一貫から一代で多くの事業を興し、資産を築き上げていた。

松永は「学問のすすめ」を読んで感激奮起し、慶應義塾に進むことを独りで決めていた。そして、両親・親戚などの反対を押切り、1889年、15歳で上京し、慶應義塾に入学したが、在学中の1893年に父が38歳で亡くなり三代目安左ヱ門を襲名し、壱岐で家業を継いだ。しかし、松永は、学校が中途で、このまま壱岐で終始することを恐れ、土地だけを継承し、家業を譲渡して復学した。松永は、24歳を迎えた1898年、福沢諭吉の記念帳に“わが人生は闘争なり”と書き記し、慶應義塾を卒業した。

“わが人生は闘争なり”の実業界へ

初めて就職した日本銀行は1年で退職した。次に福沢桃介（本書80ページ）の経営する丸三商会に入社したが破産、そして「ゼネラルブローカー福松商会」を設立したがこれも倒産、そのうえ自宅も火事で全焼し無一文になった。心機一転、今後は国家社会に奉仕することが必要であると悟った。

その後、松永は、1909年に福博電気軌道株式会社を設立、社長に福沢桃介、専務取締役に松永が就任した。また、地元の電気事業を合併して創立された九州電灯鉄道の専務取締役に就任するとともに、九州のガス会社10社を合併して西部合同ガス会社を設立、社長に就任した。さらに、松永は1917（大正6）年に博多商工会議所会頭、同年、福岡市選出の衆議院議員に当選、代議士として1期務めた。

火力発電の時代を拓く

東邦電力株式会社は、1922年に関西電気、名古屋電燈、九州電灯鉄道が吸収合併し、社名を公募し、東邦電力株式会社と商号を変更し創立された。松永安左エ門は副社長に就任した（その後、松永は1928年に社長、1940年に会長に就任）。翌1923年、名古屋市電力施設10年計画を策定、現在の電力供給体制を築いた。同資料を名古屋市に提出、また需要家に配布した。

1924年に社団法人日本電気協会の会長に選任された。そして、水・火併用方式の電源開発方針を促進した。この発電方式は当時の水力発電が需要の減退する夏期が豊水期で、需要が増大する冬期が渇水期であるという欠点を火力発電所が補い効率よく運転できるものである。

さらに、①国内の超高圧幹線、送電網の共有化、②周波数50・60Hzの統一、③地下配電方式を提言した。これらは関東大震災直後のことでもあり実現されなかった。

松永は、水力発電で電力王と呼ばれた福沢桃介と異なり、火力発電が主となる時代が来ることを見据えて

名古屋火力発電所全景
出典：『名古屋火力発電所写真帖』

名古屋火力発電所のタービン据え付け工事
出典：『名古屋火力発電所写真帖』

東洋一と言われた名港火力発電所全景
中部電力株式会社提供

名港火力発電所のタービン発電機
中部電力株式会社提供

いた。1922年、東邦電力は、名古屋市港区大江町に名古屋火力発電所を建設した。最終的に1926年に2号機を設置、総出力7万kW（常時電力3万5000kW、予備電力3万5000kW）になった。

1939（昭和14）年、名港火力発電所は、中部地方の主要電気事業者であった7社の共同出資で設立された中部共同火力発電株式会社によって建設された。

当初、1号機5万3000kWで運転を始め、翌年に増設され総出力13万8000kWに達した。名港火力発電所は建設当時、東洋一の火力発電所を誇った。名古屋市は、名港火力発電所の完成を祝い、社長松永安左エ門の号「一州」をとって発電所一帯を一州町と命名した。

1938年に電力管理施行令が公布、電力国営化時代に入り、東邦電力は1942年に電気事業設備を日本発送電、各配電会社に出資し解散した。

電力国家管理に強く反対していた松永は電力界から引退し、伊豆堂ヶ島に一日庵、埼玉県の武蔵野の柳瀬山荘に松月軒と自在軒を建て、耳庵（じあん）の雅号で茶道三昧の日々を過ごした。

電力民営9電力体制の実現

1945年、第二次世界大戦の終戦と共に連合国総司令部（GHQ）は経済の民主化、電力再編成を要求した。1949年、当時の吉田茂首相は電気事業再編成審議会を発足、審議会会長に松永安左エ門を選出した。その後、紆余曲折（うよきょくせつ）を繰り返し、最終的に総司令部マッカーサー元帥より、「電力再編成の促進に関する書簡」、いわゆるポツダム政令が出された。これは松永案を趣旨とするもので、「電力再編成令」、「公益事業令」が公布され、1951年、民営の北海道電力、東北電力、東京電力、中部電力、北陸電力、関西電力、中国電力、四国電力、九州電力の9電力会社が発足した。

生涯在野の松永哲学

松永安左エ門は、電気事業の9電力体制を固めた後も、電力中央研究所の設立、産業計画会議を主宰し、燃えるような闘士をもって日本の復興再建の構想を実現していった。

電気事業の健全なる進歩発展のため、電力経済ならびに電力技術の研究開発を効率的に実施するため電力中央研究所を1951年11月に設立、1953年4月から1971年6月まで2代目理事長に就任した。

産業計画会議は、松永が主宰し1956年3月に戦後日本の再建を目的に発足した私設シンクタンクである。1956年から1968年まで、「エネルギー対策」「国鉄の民営化」など16のレコメンデーション（勧告）を提言した。

松永安左エ門は、さらに学術文化についても情熱を注ぎ、サミュエル・ウルマン『青春』の翻訳や、英国の歴史学者アーノルド・トインビー著『歴史の研究』全巻の翻訳を手がけた。

松永耳庵の素顔に迫る

松永安左エ門は、60歳で始めた茶の湯で耳庵の号を持ち、鈍翁の益田孝、三渓の原富太郎と共に近代数奇(すき)の「三大茶人」と呼ばれた。松永耳庵の茶室は、白雲洞茶苑、老欅荘(ろうきょそう)、時雨庵社月亭、久木庵、春草櫨、睡足軒などがある。

松永は、戦時中、埼玉県志木市柳瀬に山荘を営み、茶の湯三昧の生活を送っていた。1946年、小田原市に居を移した時に柳瀬山荘の家、土地、美術品を東京国立博物館に寄贈した。

また、京都市東山区にある京都国立博物館に国宝「釈迦金棺出現図」、さらに　現在は福岡市中央区大濠公園内にある福岡市美術館「松永記念館室」にコレクションを寄贈した。

1962年に米寿を迎え、祝賀会の席上、世間から鬼扱いされていることを承知しているが「生きているうちに鬼と言われても　死んで仏となりて返さん」と述べた。（寺沢安正）

松永安左エ門
米寿祝賀会
出典：『電力の鬼
松永安左エ門展』

ゆかりの地へのアクセス

【壱岐 松永記念館】➡長崎県壱岐市石田印通寺寺浦 360-3
【小田原 松永記念館】➡神奈川県小田原市板橋 941-1
【平林寺】➡埼玉県新座市野火止 3-1-1

松永安左ェ門をもっと知るために

◉松永安左エ門『松永安左エ門著作集』全6巻、五月書房、1982年
◉橘川武郎『日本電力業の発展と松永安左ヱ門』名古屋大学出版会、1995年

蟹江一太郎（かにえいちたろう） 1875-1971

共存共栄 斬新主義

近代野菜加工業を創始したトマト王

出典：福田兼治『蟹江一太郎』

蟹江一太郎	
1875 年	愛知県知多郡名和村に生まれる
1895 年	第 3 師団歩兵第 6 連隊に入営
1898 年	第 6 連隊を除隊し、帰郷
1899 年	西洋野菜の栽培を始める
1903 年	トマトソースの製造を試みる
1904 年	日露戦争に従軍、翌年除隊
1906 年	自宅敷地内にトマト加工工場設置
1908 年	トマトケチャップ、ウスターソースの製造開始
1914 年	愛知トマトソース製造（合）設立
1919 年	新工場建設、自動化機械導入
1923 年	愛知トマト製造株式会社に改組
1963 年	社名をカゴメ株式会社に改名
1971 年	96 歳没

生い立ち

蟹江一太郎は1875（明治8）年、愛知県知多郡名和（なわ）村（現 東海市名和町）に、父佐野武八、母やすの長男市太郎として生まれた。

1882 年、7 歳の時、名和学校に入学、勉学に励むが夏に母と死に別れた。そのため 9 歳で学校を退き、家を助け、新しい母を迎えた。

1893 年、蟹江甚之助・きよの長女さくと結婚して蟹江家に入籍し蟹江市太郎としたが、後に近隣に同姓同名のものがいたため、名を一太郎とあらためた。1894 年、荒尾村（現 東海市荒尾町）の岩屋塾に学んだ。

1895 年、20 歳の時、名古屋第 3 師団歩兵第 6 連隊に入営し、3 年後の 1898 年に除隊し、帰郷した。

近代野菜加工業の創始

蟹江一太郎は、第 6 連隊を除隊になる頃、上官の西山中尉より、これからの農業は米や麦だけではいけない、あまり誰も手がけていない西洋野菜の栽培が有望との教示を受け、うまく導入できれば村民の現金収入

創業の頃　出典：『カゴメ100年史』本編

の道にもなると考えた。

名古屋勧業課吏員、佐藤杉右衛門を訪ね、キャベツ、レタス、パセリ、白菜、ダルマニンジン、タマネギなどの種を取り寄せる約束をして、その栽培の指導を受けた。翌年の春、それらの西洋野菜の種をまき、栽培した。もちろんその中にトマトがあった。栽培した西洋野菜の中で臭いが強いトマトだけがほとんど売れなかった。

1900年、蟹江は清洲の農事試験場の柘植権六技師を訪ね、トマトの栽培技術を学んだ。ここで柘植技師がふと漏らした、「アメリカでは、トマトは生で食べるだけでなく、加工して食べているようです」と示唆を受けた。

蟹江は、懇意にしていた西洋料理店の平野仲三郎からトマトソースというものが西洋料理に頻繁に使われていることを知る。名古屋ホテル(現在の同名ホテルとは別）からもらった舶来品のトマトソースを参考に家族と共にトマトソース（トマトピューレ）を作り、名古屋市内へ売りに行く。だが、思うように捌けなかった。それでも食品問屋の梅沢岩吉商店（現 梅沢）が一手に引き受けてくれることになり、取引が続いた。

1904年に日露戦争の勃発にともない、歩兵第6連隊に再び応召。

1905年、日露戦争から帰り、翌1906年に自宅東の敷地内に工場を建て、戦争で中断していたトマト加工への本格的な進出に着手した。また、原料トマトの栽培の一部を同族で始め、後に土地の農家に委託し、豊作の時もできたトマトはすべて買取り、安心して栽培できる価格を決め、委託契約栽培とした。同年、トマトソースの将来性に着目した梅沢岩吉商店より一手販売の打診があり、全面的に販売を委託する契約をしている。蟹江はトマトを作る農家も、加工メーカー(その従業員）も、販売する問屋並びに小売店も、そして消費者も、共に喜んでもらえることを信条としていた。

トマトの加工と缶詰とソース

1906年、完成した新工場でトマトソースの本格的な製造が開始された。しかし、工場が稼働するのはトマトの収穫後の7月中旬から10月の初めまでであった。

蟹江は、トマトソースを作る期間以外の工場の利用を考えた。荒尾村、横須賀村、太田村でたくさん栽培されている豌豆でグリーンピース缶詰を作り始めたのである。それに加えて蔬菜缶詰、ジャム、農産加工品、水産缶詰、調理品缶詰等などを次々と作り、年間を通じて稼働できるようにした。

蟹江が次に取り組んだのが、トマトケチャップとウスターソースの製造である。当時、トマトケチャップは家庭用調味料として普及しておらず、需要は見込めず手控えていたが、ウスターソースはかなりの量が輸入されていた。また、ヤマサ醤油のミカドソースなど国産品も出回っていたので、ウスターソースの製造のため、家族と味の研究をし、1908年、トマトケチャップとウスターソースの試作品づくりが蟹江の工場ではじまった。同年の蟹江家の総売上高の6割がトマトソースとウスターソースの売り上げであり、5年後の1912年には、ソースの売上高は約7.2倍もの伸びを示すに至った。この頃、わが国の食生活も洋風化が進み、蟹江のウスターソース製造は市場拡大の流れに棹さす事業展開となった。また、蟹江のトマト加工業の成功により蟹江の工場で仕事を覚えた近所の農家が追随する競争者となった。

愛知トマトソース製造の設立と展開

1912年、不況とトマト加工品業界も競争者続出で生産過剰となり、価格が落ち込み、初めて銀行から融資を受け、なんとかしのぐが、同業者に倒産が出た。1914（大正3）年、経営面でのこれからを見通し、同族二名と愛知トマトソース製造合資会社（現 カゴメ）を設立、個人経営か

愛知トマト製造株式会社全景　出典：『カゴメ100年史』本編

上野工場に設置された自動裏ごし機
出典：『カゴメ 100 年史』本編

「カゴメ印」の商標
カゴメ株式会社提供

ら法人組織にした。

1917年、籠目（かごめ）印の商標が登録された。商標は、トマトとの出会いが軍隊の上官に奨められたことに始まるので、丸に星を考えたが、星は陸軍の徽章であり、許可されず似た形の籠目にした。翌1918年、農務省技官関虎雄を技術顧問に招聘し、新工場の上野工場（東海市荒尾町）を建て、林鉄工所製の動力式トマト裏ごし機ほかを設置した。原料トマトの動力破砕機や蒸煮装置、トマトソースの濃縮装置などを設置、近代的製造業に発展させていった。

1923年、合資会社組織を改め、愛知トマト製造株式会社とした。蟹江は、研究と精進を重ね、機を見て増産増資をし、1933（昭和8）年、主力商品となるトマトジュースを発売した。需要に即応し、野菜生産地の各地に工場を建て、各種産業を興した。

第二次世界大戦後、愛知トマト製造は各地に関連会社や工場を増設し、発展を続けた。蟹江は、社長を務めながら上野村村会議員、愛知県会議員などの公職に就き、実直にそれらの職責を果たした。1953年に愛知県産業功労者として愛知県知事より表彰された。1964年には、トマト加工業発展の多年の功績により勲五等双光旭日章藍綬褒章を授与された。1971年、東海市名誉市民に推挙されたが、同年96歳の生涯を閉じた。（野村千春）

ゆかりの地へのアクセス

【カゴメ記念館】

➡愛知県東海市荒尾町東屋敷108　上野工場内（見学については事前に予約が必要）

蟹江一太郎をもっと知るために

◉福田兼治『蟹江一太郎』時事通信社、1974年

◉カゴメ株式会社社会対応室100周年企画グループ 編『カゴメ100年史』本編、1999年

岡本松造（おかもとしょうぞう） 1876-1942

研究熱心で先端技術を学んだ人

自転車産業の先駆者

出典：『ノーリツ万歳ノーリツ 88 年の歩み』

岡本松造	
1876 年	奈良県磯城郡上之郷村に生まれる
1899 年	合資会社岡本自転車製作所を名古屋市古渡町に開業する
1909 年	ドイツ、イギリスへ渡航。現地の自転車工場を視察
1910 年	岡本兄弟合資会社を設立。エンパイア号などを生産
1919 年	岡本自転車自動車製作所に改称。敷地2万7千坪
1923 年	製造台数年産５万台以上になる
1924 年	車種を「ノーリツ号」一本に集中して大量生産体制を確立する
1932 年	日本車輛製造はじめ４社で日本初の乗用自動車「アツタ」号完成
1935 年	岡本工業株式会社と改称し、オートバイ、飛行機車輪などを生産
1942 年	67 歳没

生い立ち

岡本松造は、1876（明治 9）年、岡本半四郎の長男として奈良県磯城（しき）郡上之郷（かみのごう）村（現 奈良県桜井市）の農家に生まれた。尋常小学校を卒業後、同郷の先輩を頼って名古屋に出て鍛冶（かじ）職の技術を身につけた。

渡欧で自転車産業の先端技術を学ぶ

明治 20 年代、自転車が徐々にではあるが普及し始め、名古屋の自転車保有台数は 900 台ほどになっていた。自転車の大半は米国、英国など外国製の自転車で、岡本は自転車の修理を手掛けるようになった。

岡本は、1899 年、23 歳の時に名古屋市七本松（しちほんまつ）町（現 名古屋市中区）に合資会社岡本鉄工所を設立して、自転車の修理と自転車のフレーム、部品の製造を開始した。1890 年、東京では鉄砲製造をしていた宮田栄助が自転車の生産を始め、関西では堺市を中心に自転車工業が広まり、自転車の生産は当時の成長産業、先端産業だった。

1909 年、岡本はドイツ、イギリ

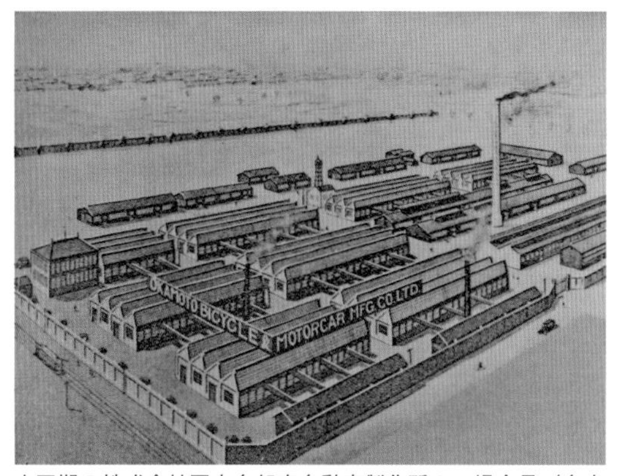

大正期の株式会社岡本自転車自動車製作所の工場全景（名古屋御器所町）

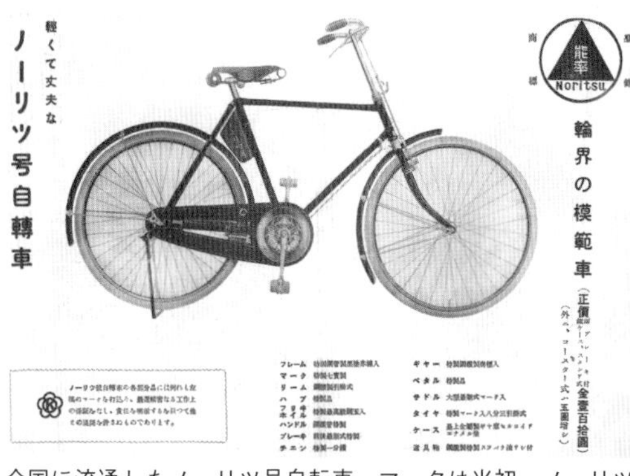

全国に流通したノーリツ号自転車。マークは当初、ノーリツの旗を振って自転車に乗る人だったが、類似や模造マークが多数出回ったで、1928年に三角形の「能率」マークに改められた。

スへ渡航、現地の自転車工場を視察、自転車産業の先端技術を学び、奈良から弟の徳松と直次郎を呼び寄せ、会社を岡本兄弟合資会社と改名し、自転車完成車メーカーとしてスタートした。最初のブランド名は「エンパイア号」などである。

「ノーリツイズム」の事業精神

岡本が経営規模を広げたのは、第一次世界大戦後による日本の好況である。大戦で外国製自転車の輸入が途絶えて、国産自転車の生産が本格化した。

1919年の日本の自転車保有台数は約160万台になっていた。同年に岡本は名古屋市御器所（ごきそ）町（現 名古屋市昭和区）に敷地2万3000坪の工場を建設、会社を株式会社岡本自転車自動車製作所とした。岡本は、「ムリ」をせぬこと、「ムラ」のないよう、「ムダ」をせぬようにという、三ム主義で「ノーリツイズム」の事業精神から「ノーリツ号」自転車と名づけ、多数あった車種を廃止し、ノーリツ号一本に集中して大量生産体制を確立した。1924年には単一ブランドによる月産1万台を生産した。岡本は「能率」という言葉、つまり能率向上、能率増進を念頭においた生産性向上を会社経営の根本理念としていた。また自動二輪車（オートバイ）、側車付き自動二輪車（サイドカー）や航空機部品の車輪の製造にも着手した。

国産乗用車「あつた号」を共同で製作

大正時代、アメリカは第一期モータリゼーションを迎えていた。日本の市場の将来性に着目したフォード社は1925年、ゼネラルモータース

（GM）は1927年に日本に進出を始めていた。こうした中で、名古屋市長大岩勇夫（本書318ページ）は1930年に名古屋地区の自動車工業化を推進。後に「中京デトロイト計画」と呼ばれる振興政策であった。

大岩の振興政策に呼応したのが、岡本松造はじめ、日本車輛製造の秋山正八、大隈鐵工所の大隈栄一（本書89ページ）であった。岡本はかねてから、自動車製造を願っていて1919年に社名を「岡本自転車自動車製作所」に変更している。基本仕様は米国ナッシュ社の車をモデルに、排気量3963cc、7人乗りで、岡本自転車は車体と車輪など足回りを担当した。1930年に着手、各社協力のもとに1932年に試作車が完成。熱田神宮にちなんで「あつた号」（アツタ号とも表記）と命名された。あつた号は1台あたりの製作費が高価なものとなり、50台余りの製作で終わっている。

全国に販売されたノーリツ号自転車

1934年になるとわが国の自転車生産台数は年間60万台（1933年）から66万台となり、ノーリツ号は

あつた号セダン　出典：『大隈製品沿革写真集』

年産20万台になっていた。販売店は全国にノーリツ自転車特約店が約6000軒あり、全国津々浦々まで販売された。その後、軍需部品生産の増強の要請もあり、最盛期には名古屋市笠寺、一宮市、岐阜県樽井町、大垣市、新潟県新潟市、九州熊本県の人吉市、犬山に工場を建設した。1935年に岡本工業株式会社と社名を変更、従業員3万人余を抱えるまでになっていた。

岡本松造は、時代を先取りし、将来自転車から自動車に時代が変わることを予想し、順調に事業を拡大してきた矢先、戦時中であった1942年に67歳で急死した。

戦後、1946年に岡本直次郎が二代目社長となり、社名を岡本自転車株式会社と改称して再出発したが、1983年に廃業している。（冨成一也）

ゆかりの地へのアクセス

【名古屋郷土二輪館】

➡愛知県知多郡阿久比町大字草木字栄38　名鉄河和線阿久比駅下車、タクシーで5分

岡本松造をもっと知るために

◉岡戸武平『自転車万歳―ノーリツ88年の歩み』中部経済新聞社、1974年
◉ノーリツ自転車株式会社「茫々百年」編纂委員会 編『茫々百年―ノーリツの足跡』1983年

岡本(おかもと) 櫻(さくら) 1878-1935

公共奉仕の理念を掲げて
名古屋瓦斯(がす)・東邦瓦斯を率いた「瓦斯博士」

出典：『社史　東邦瓦斯株式会社』

岡本 櫻	
1878 年	兵庫県に生まれる
1903 年	東京帝国大学工科大学応用化学科卒業
1904 年	大阪瓦斯入社
1906 年	名古屋瓦斯入社、技師長
1921 年	名古屋瓦斯社長に就任
1922 年	東邦瓦斯設立、社長に就任
1923 年	四日市・一宮等の周辺ガス事業譲受け
1927 年	東邦電力取締役に就任（1928 年専務取締役）
1930 年	東京瓦斯副社長就任
1932 年	名古屋市との報償契約改定
1935 年	56 歳没

生い立ち

岡本櫻は、1878（明治 11）年 4 月、兵庫県大書記官、岡本貞の次男として神戸に生まれた。幼少より英明で、同志社普通部を経て、第一高等学校、東京帝国大学工科大学へ進み、1903 年、応用化学科を優等の成績で卒業した。卒業論文「セルロイドに就て」は『工業化学雑誌』に連載された。恩師高松豊吉博士（後に東京瓦斯社長）の紹介で、1904 年 5 月、大阪瓦斯の創業に関わり、外国人技師ミラーの下でガス技術の腕を磨いた。1906 年には名古屋瓦斯（社長：奥田正香〔本書 304 ページ〕）に移り、以降 29 年間、技術者、経営者として名古屋瓦斯・東邦瓦斯の経営に携わり、また、ガス事業の権威として全国的に活躍した。

名古屋瓦斯の経営

1906 年に名古屋瓦斯に入った岡本は、技師長としてガス製造設備の建設責任者となり、1907 年 10 月の開業にこぎつけた。1912（大正元）年には取締役に、1921 年 6 月には社長

南大津町営業所および瓦斯応用実験場

東山植物園　名古屋市鶴舞中央図書館蔵

に就任した。技術者として「岡本式コークス炉」の開発、高圧供給方式の採用、ガス漏洩（ろうえい）防止策の徹底など設備の効率化・近代化を進めるとともに、経営者として創業時の多難な課題に取り組んだ。一つは、ガス灯・電気灯の争覇戦である。当初ガス灯は電灯に比して価格が割安だったが、金属線電球の発明・普及により経済的優位を失い、1914年11月に名古屋電燈と和親協定を結び、熱用需要中心へと方向転換を進めた。もう一つは、第一次世界大戦期に石炭価格が高騰したとき、岡本は帝国瓦斯協会の理事として、計数的根拠に基づき全国一斉のガス料金引き上げへの世論喚起をはかった。このときの活躍によって本邦随一の「瓦斯博士岡本」と称された。

東邦瓦斯の経営

1921年8月、周辺16カ町村の合併で名古屋市域が拡張するなか、名古屋瓦斯は設備投資を進めるため、関西電気との資本的な統一を決断し、一旦関西電気と合併した上、1922年6月に同社の有するガス事業を分離して新たに東邦瓦斯が誕生した。岡本は全国に先駆けて1931（昭和6）年2月、熱量制販売（知多営業区）を導入し、1933年4月には名古屋区域へと拡大した。また1932年5月に、名古屋市と結んでいた報償契約が満期となり、ガス事業市営化の動きも見られたなか、名古屋市との報償契約の改定（1932年8月）をはたし、これを機会に岡本の発案により名古屋市が計画していた東山植物園建設に25万円の寄付をおこなった。植物園は1937年3月に完成した。

1923年4月、東邦電力の有する地方ガス事業を引き継ぎ、四日市、一宮、半田、津島地区（津島地区は1927年供給廃止）へと事業を拡大した。また、東邦電力が九州地方に有していたガス事業の経営も引き受け、1923年5月北九州瓦斯を設立して岡本が社長に就任、さらに1926年6月に西部瓦斯の社長にも就任した。同年10月に東邦瓦斯と合併した後、1926年12月、再び西部瓦斯として独立した。中部地方の瓦斯業界においても岡本は、1930年8月に東邦瓦斯の四日市地区と合同電気のガス事業を分離して、合同瓦斯を設立している。

東邦瓦斯時代の名古屋製造所　出典：CITY OF NAGOYA AND ITS ENVIRONS

東京瓦斯と東邦電力の経営

岡本は創設期の大阪瓦斯の設備建設に関わり、東京の千代田瓦斯創設時に主任技術者を務め、京都瓦斯はじめ四国・山陰から九州地区のガス事業の経営に関与するなど、その活躍は全国に及び「ガス王」と呼ばれた。1927年7月、請われて東京瓦斯取締役に、1930年4月には副社長となった。同社の岩崎清七社長を補佐し、増資をおこなって資金の道を開き、ガス料金を値下げして市民の期待に応え、さらに熱量販売制を実施し、会社百年の計を樹立した。

また、松永安左エ門（本書111ページ）に請われて1927年5月から6年間、東邦電力の取締役・専務取締役にも就任。東邦電力系の東京電力と東京電灯との東京市場を巡る争覇戦の処理にあたったほか、四日市地区の分離による合同電力の設立、豊橋地区の分離による中部電力（岡崎）の設立を推進するなど、中部地方の電気事業の再編整備を進めた。

岡本精神

岡本の事業活動を通じた生き方、考え方は、社内で「岡本精神」として伝えられている。事業にあたっては、進歩的な精神と科学的合理主義を重んじ、経営理念の面では、顧客・株主・従業員を三位一体を掲げ、公共奉仕と消費者への感謝とを推進した。敬虔なクリスチャンであった岡本は、事業活動の傍ら、婦人教育、幼児教育にも意欲を注ぎ、1925年に桜菊幼稚園、1926年には桜菊女子学園（戦時中に廃校）を名古屋市東区大曽根町に創設している。岡本は、1935年2月、多くの人に惜しまれながら、56歳の生涯を終えた。

（浅野伸一）

岡本先生頌徳之碑　2010年撮影

ゆかりの地へのアクセス

【岡本先生頌徳之碑】➡東京都府中市多磨町　多磨霊園内

岡本 櫻をもっと知るために

◉野依秀市 編『岡本櫻伝』実業之世界社、1938年
◉服部直吉『岡本櫻先生を憶ふ』私家版、1935年
◉東邦瓦斯 編『社史 東邦瓦斯株式会社』1957年

伊藤次郎左衛門祐民（いとうじろうざえもんすけたみ） 1878-1940

誠実を旨とし万事華客の便宜を図り

呉服店からデパートメントストアへ

出典：『松坂屋創立30周年記念写真帳』

伊藤次郎左衛門祐民	
1878年	名古屋茶屋町に生まれる
1909年	渡米実業団に参加
1910年	栄町角にいとう呉服店新店舗開店
1913年	名古屋商業会議所副会頭に就任
1918年	別荘揚輝荘建設
1925年	家督相続、第十五代伊藤次郎左衛門襲名。南大津通に新店舗移転、商号を「松坂屋」に統一
1927年	名古屋商業会議所会頭に就任
1933年	松坂屋社長、名古屋商工会議所会頭辞任
1940年	63歳没

生い立ち

第十五代伊藤次郎左衛門祐民は、先代伊藤次郎左衛門祐昌の四男（幼名守松）として、1878（明治11）年5月、名古屋茶屋町に生まれた。明倫小学校を卒業後は、旧家の慣習に従い、漢学、謡曲、雅楽、茶道、和歌、弓道など、日本の文化について個人指導を受けた。1924（大正13）年11月、47歳のときに家督を継ぎ、伊藤次郎左衛門を襲名（祐民は諱（いみな）、本稿では祐民と呼ぶ）した。新しい時代への洞察力と卓越した商才に恵まれ、1910年3月に名古屋初のデパートメントストアとして、いとう呉服店を開店する。また、名古屋商工会議所会頭として、近代都市名古屋の街づくりに大きな足跡を残した。

近代文化の発信基地、百貨店の経営

1909年8月、伊藤祐民は渋沢栄一を団長とする渡米実業団40名の1員として、約3カ月間、米国商工業の実情、特に百貨店事情を視察した。このときの経験や、伯爵金子堅太郎の勧めを受け、1910年3月、栄町西

いとう呉服店（栄町角）
出典：『揚輝荘主人遺構』

松坂屋本店（南大津通）絵はがき

南角の旧名古屋市庁舎の跡地（1907年火災）に名古屋初のデパートメントストア「いとう呉服店」を開店した。古くからの店員の反対が強い中、番頭鬼頭幸七の補佐を得ながら、信念を貫いてやり遂げた。ルネッサンス様式の地上3階建ての店舗を設け、屋上には大小4個の優雅なドームが設置され、「行灯より電灯に変りしより以上の進歩」といわれて、新しい名古屋の象徴となった。

1925年5月には、南大津町に新築移転し、商号をいとう呉服店から松坂屋へと変更した。新店舗は鉄筋コンクリート造地上6階建て、総面積2万㎡で、名古屋では「お城と肩をならべる存在」であった。来客用、事務用併せてエレベーター10台を設置するなど、最先端の設備を備えた。百貨店は、各種催事を通じて先端文化の発信基地となり、市民の娯楽場ともなった。宣伝誌「モーラ」（百貨を網羅するという意味）は、新しい流行の発信誌であった。

松坂屋は、古くから東京出店していた上野店のほか、大阪店、銀座店など次々と店舗を拡大した。1923年の関東大震災の折には、上野店は大きな被害を蒙ったが、祐民は陣頭指揮をとって生活必需品の供給に務め、被災した人々から感謝された。

名古屋商工会議所会頭として

伊藤祐民は1913年に名古屋商業会議所副会頭となり、1927（昭和2）年11月からは第四代会頭に就任した（1928年商工会議所に名称変更）。祐民は民間のリーダーとして市行政と連携しながら、名古屋駅の改築と駅前の再開発、国際飛行場の開設（1934年、10号地に仮飛行場）、外国人観光客が宿泊できる洋式ホテルの名古屋観光ホテルの建設（1936年）、和合ゴルフ場の設立などに尽力し、近代的な産業都市づくりの中心となって活躍した。1929年には都市計画愛知委員会の委員に就任して都市計画づくりにも関わり、公会堂の建設に際しては私財20万円の寄附を申し出た。

伊藤家の所在する本町通りの整備にも力を注いだ。洋画専門の八重垣劇場（1930年）や、伊藤銀行および

八重垣劇場　出典：『揚輝荘主人遺構』

揚輝荘聴松閣　2014年撮影

その4階に昭和ホール、サカエヤ本町支店等を建設し、一大文化商業地化を目指した。八重垣劇場の名前は、茶屋町に隣接する那古野（なごや）神社の祭神素戔嗚尊（すさのおのみこと）の古歌「八雲立つ出雲八重垣…」に因んで名づけられた。

国際交流活動の展開

1933年5月、家憲として定めた満55歳の定年に従って、松坂屋社長、商工会議所会頭などを退き、以後は「衆善会（しゅぜんかい）」を中心とする社会活動と、名古屋財界の顔として来名した内外要人との交流をおこなった。

伊藤祐民の国際交流はアジアへの思い入れが強かった。いとう呉服店の開店の日、店内でたまたまビルマ（現ミャンマー）の高僧で独立運動家であったオッタマ師と知り合い、これが機縁となって、1913年にビルマから男女6名の留学生を受け入れた。その後もオッタマ師との交流は続き、隠退後の1934年8月から4カ月間、祐民はビルマを訪れて旧交を温めたほか、多年の念願だったインドの仏蹟巡拝の旅に出、詩聖タゴールとの歓談のひとときも持った。祐民はすでに1918年に覚王山地区に別荘揚輝荘を建てており、回遊式庭園や山荘風の聴松閣（ちょうしょうかく）、インドの建築様式を取り入れた地階ホールを備え、園遊会、観菊会、茶会を催し、内外の要人をもてなす社交の舞台となった。揚輝荘は、2007年から広く市民に開放されている。

戦前名古屋の近代化や都市文化の発展、国際化の推進には、伊藤祐民の活動や個性が大きく反映していた。伊藤次郎左衛門祐民は、1938年に隠居生活に入り（治助と改名）、1940年1月、63歳で没した。（浅野伸一）

ゆかりの地へのアクセス

【揚輝荘】➡名古屋市千種区法王町2-5-1　覚王山日泰寺東隣

伊藤次郎左衛門祐民をもっと知るために

◉松坂屋伊藤祐民伝刊行会 編『伊藤祐民傳』1952年
◉ NPO法人揚輝荘の会『揚輝荘と祐民』風媒社、2008年

伊原五郎兵衛（いはらごろうべえ） 1880-1952

卓越せる識見と手腕

伊那谷の電源開発と電気鉄道の創始

出典：『信州人物風土記・近代を拓く 19』

伊原五郎兵衛	
1880 年	長野県下伊那郡飯田町番匠町で生まれる
1906 年	東京帝国大学法科大学法科卒業
1907 年	伊那電車軌道株式会社創立
1909 年	辰野駅ー伊奈松島駅間開通
1913 年	砥川発電所、松島変電所竣工
1923 年	辰野駅ー飯田駅全通。社名を伊那電気鉄道株式会社に変更
1927 年	辰野駅ー天竜峡駅全通
1928 年	松本電気鉄道株式会社社長を兼任
1943 年	伊那電は国鉄に移管、飯田線となる。
1952 年	72 歳没

生い立ち

伊原五郎兵衛は、1880（明治 13）年、長野県下伊那（いな）郡飯田町番匠町（現 飯田市通り一丁目）漆器店近江屋の父伊原五郎兵衛と母志のの三男恒次として生まれた。長野県尋常中学校飯田支校（現 飯田高等学校）、松本中学校（現 松本深志高校）、第一高等学校を経て、1906 年に東京帝国大学法科大学法律学科を卒業した。

1892 年、政府は中央線敷設を計画したが、その西線を巡って木曽谷経由か伊那谷経由かが問題となるも、様々な理由で木曽谷経由に決定した。そのため伊那谷の人たちは、辰野－飯田間の私設鉄道を計画した。父伊原五郎兵衛は、その発起人の一人として奔走するが 1906 年に急逝した。家督相続人だった二男廣司も日露戦争で戦死していたため、恒次が家業を継ぎ五郎兵衛を襲名、父の電気鉄道建設の意思も引き継ぎ、1907 年、伊那電車軌道株式会社創立の発起人の一人となった。

松川第三発電所　2022 年撮影

伊那電気鉄道株式会社の経営

伊那電車軌道株式会社は、1907 年9 月に創立（社長：辻新次）した。伊原は先頭に立って用地買収と軌道工事、動力源の発電所建設に取り掛かった。松川第三、第四発電所、諏訪に砥川発電所の建設、長野電灯伊那支社（1915 年）、飯田電灯（1918年）を買収し、伊那地方での一般への配電もおこなった。

電車の運転区間を、最初は辰野－飯田間 66㎞（後に天竜峡まで延伸）とし、当初は辻新次が社長を務める諏訪電気株式会社から電気の供給を受けた。1909 年 12 月、辰野－伊那松島が開通し、長野県初の電車となった。1923（大正 12）年 8 月に飯田まで開通し、会社名を伊那電気鉄道株式会社に変更、1927 年 12 月に天竜峡までの全線が開通した。1942 年、豊川鉄道、鳳来寺鉄道、三信鉄道とともに国鉄への移管が決定され、1943 年に国鉄飯田線となった。

伊原五郎兵衛頌徳碑　2022 年撮影

伊原は、太平洋側まで延伸させることを目標に掲げ、1928 年、第 16 回衆議院選挙で政友会代議士として当選したが、政界は水に合わず 1 回で引退した。

また、経営難に陥った鉄道、電灯会社の建て直しに協力を惜しまず、伊原が関わった会社は、筑摩電気鉄道をはじめ、三河鉄道、笠原鉄道、武州鉄道、天竜川電力、諏訪電気など 47 社に及んだ。

1952 年、飯田線の功労者として、「伊原五郎兵衛頌徳碑」が飯田駅前に建立された。「辰野天竜峡八十粁に亘る電気鉄道を完成せり、更に三信鉄道敷設の難工事に尽力し、かくて表裏日本短絡通路を見るに至りたるすへてこれ氏の卓越せる識見と手腕による」と、その功績が刻まれている。頌徳碑の建立から 3 カ月後の 1952 年 4 月に伊原は 72 歳の生涯を閉じた。（市野清志）

伊原五郎兵衛をもっと知るために

◉宮坂勝彦 編『気骨の明治人 伊原五郎兵衛』（信州人物風土記・近代を拓く 19 ）銀河書房、1989 年

十七代 早川久右ヱ門（はやかわきゅうえもん） 1882-1941

伝統の味を守り続けて

味噌づくりに近代ボイラの導入

カクキュー八丁味噌提供

早川久右ヱ門	
1882 年	額田郡八帖村（旧八丁村）に生まれる
1901 年	八丁味噌、宮内省御用達となる
1911 年	ドイツ、万国衛生博覧会で保存性の高さが評価される
1916 年	家督相続 家業味噌製造に従事
1920 年	岡崎市議会議長に就任
1924 年	大豆買入量五千石を突破、「五千石祝い」を開催
1925 年	岡崎商業会議所の副会頭に就任
1927 年	本社事務所完成
1937 年	日中戦争勃発、統制令で八丁味噌醸造が苦境になる
1940 年	伝統の味と製法を守るために休業宣言
1941 年	58 歳没

生い立ち

額田郡八丁村（現 愛知県岡崎市八丁町）で造られたことからその名がついた「八丁味噌」は、この地域の気候風土、立地等の条件が重なって江戸時代初期に誕生した。合資会社八丁味噌（屋号：カクキュー）の当主早川家の先祖早川新六郎勝久は今川義元の家臣で武士だったが、1560（永禄 3）年の桶狭間の戦いで今川が敗れた後、岡崎の寺へと逃れた。その後、武士をやめ、名を久右衛門と改め、寺で味噌造りを学んだ。その数代の後、東海道と矢作川の水運が交わる水陸交通の要所である八丁村へと移り、川に囲まれた高温多湿なこの土地の気候風土にも耐えられる安定した品質の製法を確立し、1645（正保 2）年に創業した。当主は代々「早川久右衛門（久右ヱ門）」を襲名しており現当主で十九代目になる。17 代久右ヱ門は 1882（明治 15）年に先代（十六代）の長男として生まれた。

味一筋の伝統守りつつ醸造の近代化

先代の時代、1901 年にカクキュー

の八丁味噌は正式な許可を得て宮内省御用達となった。また、1911年にはドイツの万国衛生博覧会で保存性の高さが評価され三等賞になるなど注目され、明治末期から大正期にかけて急激に販売量を伸ばしていった。しかし、その後、1937（昭和12）年に始まった日中戦争が拡大し、自由な企業経営は極めて困難となった。統制令によって定められた味噌の上限価格は八丁味噌の生産原価を下回り、造って売れば売るほど赤字が増えるという状況となった。

石積み風景（昭和時代）
カクキュー八丁味噌提供

しかし、当時の当主十七代久右エ門は八丁味噌の品質を下げて安く売ることは考えず、1940年に休業宣言、八丁味噌の伝統製法と品質を守る決断をした。中小商工業の整理統合が味噌業界にも国家要請される直前の時代にあったが、1942年の企業整備令施行前に新工場を完成させ、革新的な石炭ボイラー、ストーカーなどの導入により、生産能力をアップさせ、整理統合に巻き込まれるという会社の危機を回避させた。

1950年4月、ようやく味噌の統制が解除され、八丁味噌の仕込みが再開された。十七代久右エ門は1941年に亡くなっていたが、その後も十八代、十九代と伝統的な味噌造りが引き継がれている。

2017年、地域に根差した産品を保護するという趣旨の農林水産省による「地理的表示保護制度」で、伝統製法で造るカクキューとまるや（岡崎市八丁町）の2社のものと製法や品質の異なる味噌が「八丁味噌」として認定された。現当主は理不尽な苦難に直面しているが、顧客の信頼を第一に伝統の製法を守っている。（藤田秀紀）

ゆかりの地へのアクセス

【カクキュー八丁味噌（八丁味噌の郷）】

➡愛知県岡崎市八丁町69、名鉄「岡崎公園前」駅より徒歩約5分。または愛知環状鉄道「中岡崎」駅より徒歩約5分

早川久右エ門をもっと知るために

◉早川久右衛門『カクキュー八丁味噌の今昔～味一筋に十九代～』中部経済新聞社、2021年
◉合資会社八丁味噌史料室『山越え谷越え350年』2000年

貝塚栄之助 1882-1947

桑名の名望家の責務を担って
初代桑名市長になった電気技術者

出典：『高岳製作所 60 年史』

貝塚栄之助	
1882 年	桑名郡船場町に生まれる
1910 年	東京高等工業学校卒業
1914 年	桑名瓦斯設立
1915 年	父卯兵衛逝去、家督相続
1918 年	高岳製作所設立（社長就任）
1934 年	桑名町長就任
1937 年	桑名市長就任
1947 年	65 歳没

生い立ち

高岳製作所初代社長で初代桑名市長を務めた貝塚栄之助は、桑名の素封家、貝塚卯兵衛の三男として、1882（明治 15）年 8 月、桑名郡船馬町（現 三重県桑名市）に生まれた。津中学校を経て、1910 年に東京高等工業学校（現 東京工業大学）電気化学科を卒業した。卒業後は、父の友人で、当時名古屋電燈常務であった下出民義（本書 64 ページ）の紹介で、名古屋電燈の技師として入社し、西春日井郡萩野村（現名古屋市西区）にあった萩野変電所の所長を務めた。この変電所は、木曽川八百津発電所の電力を受電し、名古屋市中心部の南武平町変電所まで地下線で結ぶ電力の供給拠点であった。その後、名

萩野変電所（現況） 2008 年撮影

高岳製作所
出典：『高岳製作所60年史』

古屋電燈を辞し、先輩の懇請で1年余り三重県立松阪工業学校電気科で教鞭をとったが、1915（大正4）年3月、父卯兵衛の逝去で家督を継ぎ、貝塚家の当主となった。

父貝塚卯兵衛、桑名紡績を創業

父卯兵衛は、桑名の米穀取引所仲買人として活躍し、1881年ころ米相場で財をなしたが、その後は相場を離れ、1896年4月には洋式紡績機を導入した桑名紡績を創立して社長に就いた。このほか桑名商業会議所の会頭、郡会議員、北海道炭鉱鉄道監査役など実業家として幅広く活躍した。桑名紡績は、尾張・伊勢地区の中小紡績業合同の流れのなかで、1907年8月に三重紡績（のちの東洋紡績）に合併している。卯兵衛は1910年8月から、死去する1915年3月までの間、名古屋電燈取締役も務めている。

高岳製作所の初代社長

貝塚家には父から譲り受けた100町歩以上の田地があり、300人の小作をかかえて事業をおこなったほか、1914年設立の桑名瓦斯（がす）をはじめ、桑名電気軌道、山中清賞堂（現 桑名精工）など地元会社の社長を務めた。さらに、中部地方の電力機器製造の草分けである高岳製作所の社長を23年間務め、同社の発展に尽くした。同社は、1918年3月、第一次世界大戦ブームのなかで、電気機器の国産化を目指して設立された会社であり、東京高等工業時代の友人で、名古屋電燈の同僚でもあった佐々木綱雄との共同事業としてスタートした。貝塚は社長として主に資金関係を担い、佐々木は専務取締役として技術、製造を担当した。工場用地は、名古屋市高岳町（現 名古屋市東区）にあった愛知物産組（織物会社）の工場跡で、桑名紡績の関係で父卯兵衛が所有していた土地であった。しかし、都市計画で、用地の大部分が道路に指定されたため、1942（昭和17）年、西春日井郡枇杷島町（現名古屋市西区）に工場を移転した。旧高岳町工場の一部は、現在、関西電力東海支社となっている。

高岳製作所は、当初、柱上変圧器を製作して名古屋電燈に納入していたが、その後、断路器、遮断器、配電盤などの重電機器類を手がけるようになり、静止電気機器の総合メーカーとして発展した。貝塚は創業社長として、事業基盤の確立に経営手腕を発揮したが、1940年、所有する株式の大部分を王子電気軌道に譲り、同社の経営から手を引いた。王子電気軌道は、その後、関東配電に統合され、現在は東京電力系の重電機メーカーとなっている。

桑名市役所前の「貝塚栄之助胸像」
2014年撮影

初代桑名市長

貝塚は、1930年に桑名町助役、1934年には桑名町長に推され、1937年、市制施行とともに初代桑名市長に就任し、1945年6月までの8年間務め、戦時下の桑名市行政を担った。1945年の終戦とともに市長を辞し、1947年暮、敗戦のなか惜しまれながら65歳で急死した。貝塚は、実業界と郷土桑名の行政との両面で活躍した。清高の気風を持ち、市民からも敬愛された。桑名市役所の玄関前には、初代市長として貝塚栄之助の胸像が建っている。写真、謡曲、骨董が趣味で、特に硯石の蒐集では第一人者であった。

歴史学者（東洋史）で京都大学教授を務めた貝塚茂樹（旧姓小川、湯川秀樹の兄）は、貝塚栄之助の長女美代と結婚していたが、養父栄之助のたっての要請で1945年に貝塚家の養子となっている。（浅野伸一）

ゆかりの地へのアクセス

【元市長貝塚栄之助氏頌徳碑と銅像】➡三重県桑名市　桑名市役所正面西北隅
【貝塚公園（貝塚不忘園）】➡桑名市内堀 九華公園南　元貝塚家の別邸の場所

貝塚栄之助をもっと知るために

◉高岳製作所『重電機器ひと筋に60年　高岳製作所60年史』1978年
◉田中宗太郎 編『大桑名に輝く人々』大桑名に輝く人々編纂協会、1938年

遠藤斉治朗（えんどうさいじろう） 1888-1958

仕事熱心で旺盛な研究心
替刃剃刀（かえばかみそり）の新時代を開く

出典：『剃刀一代』

遠藤斉治朗	
1888年	岐阜県加茂郡田原村に生まれる
1901年	長兄のナイフ製造業に従事
1908年	兼松ひろと結婚、独立してポケットナイフ工場を始める
1920年	遠藤刃物製作所を設立、510番ナイフを製造・販売
1932年	関安全剃刀製造合資会社設立
1935年	関打刃物同業組合組合長に就任
1936年	関安全剃刀製造合資会社を解散、日本セーフティレザー株式会社設立
1940年	日本セーフティレザー、日本安全剃刀株式会社に商号変更
1943年	日本安全剃刀工業株式会社設立
1953年	日本安全剃刀と日本安全剃刀工業、合併しフェザー安全剃刀株式会社と商号変更
1956年	フェザー安全剃刀株式会社社長
1958年	黄綬褒章受章。69歳没

生い立ち

遠藤斉治朗（初代）は、1888（明治21）年、岐阜県加茂郡田原（たわら）村（現関市西田原）で五男として生まれた。遠藤は、小学校を卒業すると兄が独立して始めていた関のポケットナイフ工場で徒弟として働き始めた。

8年間の修行を経て20歳で独立し、兼松ひろと結婚した。1908（明治41）年、田原の実家に戻って、小さなポケットナイフ工場を始めた。当時のナイフ製造はすべて手作業であったが、遠藤はアイデアを活かして作業工程を工夫し、ナイフの品質向上と量産に努めた。

創業から10年後の1918年、遠藤は、父親の多額の借金はきれいに返済し、1万円を蓄えた。その年に京城（けいじょう）（現 ソウル）の兄から有望事業の話があり、蓄えた預金を持参して京城に渡ったが、兄と始めた事業は失敗に終わり、同年帰国した。最初の大きな挫折であった。

510番ナイフで再起

京城から戻った遠藤は、関市富本

当時の安全かみそり替刃工場　出典：『剃刀一代』

町でポケットナイフの工場を再開、1920年に合資会社遠藤刃物製作所を設立した。遠藤はこれまでの単純なナイフには満足せず、生産工程を機械化し、品質向上と量産化に努めた。量産化のために焼玉式エンジンや手回しプレス機などを考案し、遠藤刃物製作所を業界屈指のポケットナイフメーカーに育て上げた。

製品の中でも黒一色の素朴なナイフ「510番ナイフ」（ごひゃくとうばん）は、世界的な銘柄となった。「遠藤のナイフは売れる」と数多くの模造品が出回った。1931（昭和6）年、満州事変が勃発、不景気の嵐が吹き荒れ、ナイフの売れ行きは右肩下がりとなった。

安全かみそり替刃（かえば）の国産化

ナイフの需要が激減する中、遠藤は、ポケットナイフに代わる次の商品を探していた時、東京で安全かみそりの替刃がよく売れるとの話を耳にした。昭和のはじめ、安全かみそりの替刃は、ほとんどが欧米からの輸入品であった。

遠藤は、関打刃物同業組合の面々にかみそり替刃の開発を提案したが誰も同意しなかった。遠藤は、「これを国産化しなければ国の大きな損失」であると、独自にかみそり替刃の国産化に着手した。上京して商工省の役人に国産替え刃の必要性を訴え、替刃工場の見学を紹介されて、そこで替刃生産の技術や問題点を学

フェザー安全剃刀工場の替刃生産ライン
出典：『剃刀一代』

んだ。その頃、尼崎でドイツ人経営の替刃工場が倒産したことを知り、大阪で刃物問屋を営んでいた小坂利雄（関市出身）と提携して、その設備を購入し、1932年、関安全剃刀製造（後のフェザー安全剃刀）を創立した。

戦後、本格的な製造が再開されると、遠藤の信念が実を結び、かみそり替刃の生産は、飛躍的に発展した。プレス打ち抜き、刃付け、焼き入れなどを一貫作業とし、自動包装などの工程の自動化を図った。輸入品の半値で売り出された新製品は、瞬く間に市場を席巻し、全国生産の85%を占めるに至った。

遠藤は、本業の刃物生産以外にも、

空からみた昭和40年代のフェザー安全剃刀工場　出典：『剃刀一代』

関市の商工会議所会頭、市議会議長などを務め、精力的に関市の産業育成に取り組み、1958年には、国産替刃の発展に尽くした功により、黄綬褒章を受賞している。（石田正治）

遠藤斉治朗をもっと知るために

◉松田喜一郎 編『剃刀一代』1968年
◉高瀬信雄 編『貝印グループ70年のあゆみ』1977年

伊奈長三郎（いなちょうざぶろう） 1890-1980

企業は社会の公器だ

常滑（とこなめ）の近代窯業開発と発展に尽力

出典：『伊奈長三郎』

伊奈長三郎	
1890 年	愛知県知多郡の常滑に生まれる
1900 年	常滑尋常高等小学校尋常科卒業
1904 年	常滑陶器学校を卒業する
1906 年	東京中学校第 3 学年に編入・入学
1909 年	東京高等工業学校窯業科に入学
1912 年	東京高等工業学校窯業科を卒業
1917 年	初之烝・長三郎が大倉和親対面
1918 年	帝国ホテル煉瓦製作所技術顧問
1921 年	匿名組合・伊奈製陶所を設立
1926 年	伊奈長三郎を襲名する
1936 年	愛知陶管工業組合理事長に就任
1939 年	伊奈製陶㈱代表取締役社長就任
1951 年	常滑町町長に当選、就任する
1954 年	常滑市長（初代）に就任する
1961 年	全国タイル工業協会委員長就任
1963 年	伊奈製陶㈱代表取締役会長就任
1972 年	常滑市名誉市民の第 1 号に推挙
1980 年	90 歳没

生い立ち

伊奈長三郎は、愛知県知多郡常滑村（現 愛知県常滑市）で第五代窯元の伊奈初之丞（はつのじょう）の長男として生まれた。長三郎は、1912（明治 45）年に東京高等工業学校（現 東京工業大学、東京科学大学に改称予定）窯業科を卒業し、さらに近代的ビルディングの最新情報を学ぶため米国へも赴いた。

長三郎の生家伊奈家の祖として窯業関係の分野でその作品が知られる最も古い人物は、長三郎の五代前の初代長三郎（号：長三（ちょうざ）、1744 ～ 1822）である。彼は、それまで農家の副業として続けられていた甕（かめ）づくりから進めて、1766（明和 3）年に茶器の製造を始める。二代から四代目までは急須や花入れ等の生活用陶器の製造を代々つづけていた。

しかし父親である五代目、初之丞（1861 ～ 1926）が従来の小品とは別に、便器などへの関心と土管製造にのりだす。また初之烝は常滑だけでなく、東京での商いをも会得した。彼は伊奈家で初めて、工場を建設する。そして伊奈製陶という企業を生み、その起業のための資金を大倉和親（本書108ページ）から受けた。

建築陶器の国産化

伊奈初之丞・長三郎親子は、窯元として身につけたやきものの技術を買われ、フランク・ロイド・ライトが設計した帝国ホテル旧本館の外装タイルを製作するためだけにつくられた「帝国ホテル煉瓦製作所」の技術顧問に招かれた。1918（大正7）年、父初之烝が帝国ホテル煉瓦製作所の技術顧問に就任すると、長三郎は父が務める技術顧問の代理となった。

二人はその力量を発揮し、1918年から1921年の間に250万個のスクラッチタイル（当時の呼称は、すだれ煉瓦、写真参照）、150万個の穴抜け煉瓦（特製テラコッタ）、そして数万個の装飾タイルを生産した。帝国ホ

帝国ホテルのすだれ煉瓦は沢田平吉の土管工場で焼かれた
出典：『技と巧みの協奏　INAXと常滑焼きのあゆみ』

帝国ホテルのすだれ煉瓦　1999年撮影

博物館明治村に保存されているフランク・ロイド・ライト設計の帝国ホテル玄関　2004年撮影

テル旧本館は無事完成し、ライトが残した名建築として知られる。伊奈長三郎・初之烝は、ライトが望んだ色あいや表情のままの魅力あるデザインを、建築部材として求められる高い品質で、限られた期間に大量生産することに成功した。

伊奈家が歴史上の有名建築と本格的に関わり合うスタートであった。世界一のタイル会社INAXの淵源である。

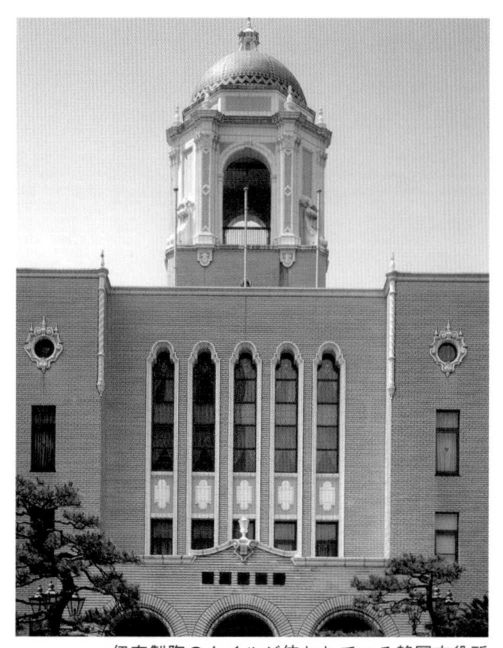

伊奈製陶のタイルが使われている静岡市役所静岡庁舎本館　2001年撮影

地元から世界一の企業へ

建築用窯業材料には建築物に使われる陶器、炻器（せっき）、磁器、ガラス、セメントなどが含まれる。具体的には屋根瓦、内外装用タイル、テラコッタ、大型陶板、洗面器、浴槽、便器などの衛生陶器、そして窓の板ガラス他に用いられる。これらの建築材料は、清潔で健康な現代建築には欠かすことができない。

伊奈長三郎と伊奈製陶およびINAX、現在のLIXILグループをみつめると、その歴史から強く感じる事柄がある。それは一人の技術者にのみ光をあてて史実を見ても果たして当該人物の全容を映し出したことになるのか、という疑念である。人が生涯をかけて成し遂げた仕事の多くは、親や祖父母ないし、もっと前からの先達が何代もかけて営んできた歩みに支えられているという背景を痛感するのだ。伊奈長三郎という技術者の場合にも、筆者は同じような思いを強く感じる。（水野信太郎）

ゆかりの地へのアクセス

【INAX窯のある広場・資料館】
➡愛知県常滑市奥栄町1-130　名鉄常滑駅より徒歩20分

伊奈長三郎をもっと知るために

◉小林昭一『伊奈長三郎』伊奈製陶、1983年
◉石田高子『巧と業の協奏― INAXと常滑焼のあゆみ』INAX、1986年

川越庸一（かわごえよういち） 1893-1983

温かく飾らない謙虚な人柄
自動車用エンジン軸受製造のパイオニア

出典：『大同メタル 50 年のあゆみ』

川越庸一	
1893 年	福岡県福岡市に生まれる
1915 年	熊本高等工業学校卒業、日本自動車入社
1922 年	同社退社し、単身渡米
1924 年	キリスト教の受洗を受ける
1926 年	アメリカより帰国
1929 年	日本ゼネラルモーターース名古屋販売サービス部長就任
1931 年	アツタ号開発に関わる。豊田式織機株式会社で自動車部に関与
1933 年	川越工業所設立
1935 年	キソコーチ号自動車製造に参加
1937 年	岡本号設計に従事
1939 年	大同メタル工業株式会社設立
1947 年	同社取締役社長に就任
1965 年	名古屋 YMCA 理事長就任
1967 年	勲四等旭日小綬章を授章
1983 年	90 歳没

生い立ち

川越庸一は、1893（明治 26）年、福岡県福岡市に生まれた。幼いころ教員として奉職していた父を亡くしたので、家族の生活を支え、病弱な兄を筆頭とした兄弟姉妹らに教育を受けさせることに腐心した。

福岡県立中学修猷館（しゅうゆう）を経て、1912 年、熊本高等工業学校機械工学科（現 熊本大学工学部）に入学した。川越は、日本国内では自動車製造の端緒もない時期に、熊本高等工業学校に在学中、自動車に大きな関心を寄せ、実物の自動車を分解しているところを観察し、構造等に対する知識を得て、自身で自動車の設計図を作成し、これを卒論として提出した。

1915（大正 4）年、熊本高等工業学校を苦労して卒業し、東京の自動車輸入販売会社であった日本自動車株式会社へこの卒論の図面を提出して技師として就職した。しかし、会社では自動車の構造を学ぶことはできたが、製造には結びつかなかった。

1922 年、同社を退社し、アメリカの自動車の量産システムと技術を学び取ることを目的にして渡米した。

職工として働き、1926年には所期の目的を果たして帰国した。

自動車への情熱

川越は、アメリカから帰国後、外資系の自動車販売会社へ就職した。その頃、中京地区では、兵器産業を中心とした精密機械工業が勃興しつつあった。そこで、広い裾野を持つ機械工業の基礎ができつつあった中京地方がやがて日本のデトロイトとなると考え、1929（昭和4）年日本ゼネラルモータース株式会社名古屋販売サービス部長に就任して名古屋へ赴任した。

名古屋へ転居し、大岩勇夫（本書318ページ）市長の知己を得る。大岩市長は、名古屋の財界人に対して自動車産業への啓蒙をおこなった。時の大岩勇夫名古屋市長へ、いわゆる「名古屋の自動車工業都市化を、目指す中京デトロイト化」の構想を伝え、「アツタ号」、「キソコーチ号」の製造の端緒をつくった。

当時世の中は不況で、各社は新規事業を求めていた。川越の「名古屋を米国のデトロイトのような自動車産業地域に育てたい」という願望は、名古屋市長、愛知時計電機、豊田式織機、岡本自転車自動車製作所を巻き込んで中京地方総動員の自動車製造会社を創立することになり、実際の車づくりに参加した。しかし、量産化を進めることができなかった。

当アツタ号は、アメリカ製のナッシュの複製車輛である。これを日本車輛、岡本自転車自動車製作所、大隈鐵工所の三社で共同生産をした。川越は、「中京デトロイト化」の中心的役割を担っていた。しかし、会社設立に手間取っている間に、共同生産は瓦解した。

その後、豊田式織機は、単独で自動車部を設立して、自動車の生産を目論んだ。1934年から自動車製造に取り掛かり、バスの設計をおこなった。これは「キソコーチ号」と名づけられ、合計12両製作し、名古屋市交通局に納入した。しかし、豊田式織機は、この12台を製造、納品後は、自動車生産から撤退した。

同時期に、中京地域は、戦時体制に組み込まれ、関係各社はそれぞれ軍需生産に向かったために、この自動車工業は中止のやむなきに終わった。国家的見地から、自動車工業の確立は必要であり、その基礎である部分品工業の進歩に尽くすべきという川越の使命感は揺らがなかった。川越は、1937年に、岡本自転車工業の「岡本号」（陸軍の要請により試作した小型四輪駆動車）の設計も手掛けた。

大同メタル工業株式会社の設立

1933年、川越は自動車部品製作コンサルタントの川越工業所を設立した。1935年、SAE OF NAGOYA（名

あつた号　個人蔵

出典：『中京自動車夜話』

古屋自動車技術会）の設置に参加。1938年、名古屋市中川区の工作機械工場を入手し、翌1939年、川越工業所を発展させた自動車用軸受メーカーの大同メタル工業株式会社を設立した。戦前から戦中、戦後と軸受メタルの製造、販売に辣腕を振るった。

戦中は、他の業者のように軍需への転換を図らず、ひたすら、自動車用のプレーンメタルの製造をおこなった。戦後は、自動車のエンジンメタルの業界の技術の向上と、規模の拡大をけん引していたので、後年、部品業界の元老という異名をとった。

キリスト教的奉仕の精神

川越がアメリカへ単独渡航した当時、アメリカでは黄禍論が盛んで日本人を敵視する風潮が甚だ多かった。しかし、関東大震災が起こり、日本国民の危急を知ると、多くの人が援助を惜しまなかった。その精神の根源をキリスト教の教えだと感じ、1924年、アメリカにて受洗する。名古屋へ来た時も、名古屋YMCAに入会した。また、農村に工場をつくって、農村の発展のためにぜひ実現したいと考えて、岐阜県郡上郡美並村（現 郡上市）に工場を設立し、農村経済の安定にも努めた。毎年、工場のある農村部を訪れて、気さくに外見を飾ることなく、村民と交流していた。キリスト教的な奉仕の精神から、企業というものは、社会に奉仕をするべきという考えを持っていた。熱心なキリスト教徒であり、人材育成、教育にも力を入れ、教職員向けの冊子に寄稿していた。名古屋YMCA理事長を長年務めた。（杉山清一郎）

川越庸一をもっと知るために

◉川越庸一「論説随筆：自動車部品工業に想う」、自動車技術会会誌『自動車技術』Vol.31、No.1（1977年1月）

豊田喜一郎（とよだきいちろう） 1894-1952

準備はできた トヨタは邁進します

日本人の頭と腕で自動車工業を確立

トヨタ自動車株式会社提供

豊田喜一郎	
1894 年	静岡県敷知郡吉津村に生まれる
1917 年	仙台、第二高等学校卒業
1920 年	東京帝国大学工学部卒業
1921 年	豊田紡織㈱入社、欧米視察出発
1926 年	㈱豊田自動織機製作所設立、常務取締役就任
1929 年	特許権譲渡交渉のため欧米出張
1930 年	帰国し小型エンジンの研究開始
1933 年	同社内に自動車部設置
1935 年	A 1 型乗用車試作第 1 号車完成 G 1 型トラック試作 1 号車完成
1936 年	AA 型乗用車生産開始
1937 年	トヨタ自動車工業㈱設立、副社長就任
1938 年	挙母工場竣工
1941 年	トヨタ自動車工業㈱社長就任
1950 年	トヨタ自動車工業㈱社長辞任
1952 年	57 歳没

生い立ち

豊田喜一郎は、1894（明治 27）年、豊田佐吉（本書 199 ページ）の長男として静岡県敷知（ふち）郡吉津（よしづ）村山口（現 静岡県湖西市）で生まれた。父佐吉の工場でものづくりを見ながら成長したが、この経験が彼の「現地現物主義」につながっている。1908 年、私立明倫中学校（現 愛知県立明和高等学校）に入学、後年に特許権や自動車製造事業法で助言した坂薫（ばんかおる）も同学年に在籍した。1914（大正 3）年、仙台の第二高等学校甲組工科（現 東北大学）に進み、工科系を勉学し、1917 年、抜山（ぬきやま）四郎らと東京帝国大学工科大学（1918 年より工学部）機械工学科に進学した。そこで、隈部（くまべ）一雄らと知己を得る。高校からの抜山四郎や大学時代の隈部一雄らは、後に自動車づくりに大きく貢献することなる。1920 年、同工学部を卒業したが、父佐吉の勧めで、同年 9 月に東京帝国大学法学部に入学し、翌 1921 年 3 月まで、経営者の基礎としての法律や経済などを学んだ。この時すでに、豊田家の事業を発展させる覚悟を固めていた。

刈谷の試作工場で完成した乗用車AI型　出典：『トヨタ自動車20年史』

ゼロから始めた国産車づくり

豊田喜一郎は、大学卒業後の1921年、父の会社である豊田紡織株式会社に入社し、同年豊田利三郎とともに欧米の紡織機業視察にでて、自動車普及に目を奪われる。帰国後、佐吉の自動織機開発にも関わりながら、自動車事業参入への準備を始めた。

1926年、株式会社豊田自動織機製作所（現 豊田自動織機）を刈谷に設立した際、すでに自動車製造も念頭に置いていたと思われ、G型自動織機の生産に最新型設備を次々と導入した。1929（昭和4）年、喜一郎は、自動織機に関する特許権の譲渡交渉のために渡米したが、喜一郎の興味関心は自動車であり、フォードの自動車工場や多くの機械工場を見て回った。12月には英国プラット社と、10万ポンドでG型自動織機の特許権を譲渡する契約を締結。これが自動車事業進出の強い後押しになったと言われる。1930年、自動車に取り組む決意を固めて帰国した喜一郎は、工場の一角に研究室を設け、技術者を集めて小型ガソリンエンジンの研究を開始した。

その一方、会社の経営基盤の拡充のため紡織一貫の多角化にも取り組み、1931年ハイドラフト、1937年スーパーハイドラフトの精紡機を完成させている。

1933年、喜一郎は、社長豊田利三郎を説得し、自動車の製造を社業に加えることを決議し、自動車部を設置させた。その2年後の1935年、喜一郎念願の大衆乗用車第1号試作車A1型が完成した。米国シボレーをモデルとして研究したため、A1型のシャシー系などは輸入品だった。しかし政府からの要請で急遽トラックの開発を優先、G1型トラック試作第1号車を完成させた。しかし短期間の開発・製造が災いし次々と故障が発生、品質改善の重要性を痛感する。翌1936年、A1型の量産型となるAA型乗用車の生産を、また品質を改善したGA型トラックも生産開始。同年「自動車製造事業法」の許可会社に指定された。

ジャスト・イン・タイムの挙母(ころも)工場建設

1937年、株式会社豊田自動織機製作所は、同社自動車部を独立し、トヨタ自動車工業株式会社（現トヨタ自動車株式会社）を設立、喜一郎は副社長に就任した。同年、「我々のトヨタ丸は『廉価で優秀な車の製造』という旗印を立てて、嵐の海に出帆するのであります」と宣言した。喜一郎はただちに組織づくりに着手し、事務部、販売部、作業部、技術部、設計部、監査改良部、研究部の7部体制として、作業部と技術部は大島理三郎(りざぶろう)と菅隆俊(かんたかとし)（本書228ページ）を任命、研究部は特に重きをおき、喜一郎自ら部長を兼ねた。

一方、1935年には挙母町に58万坪の用地買収が完了、喜一郎は挙母工場の建設に着手した。喜一郎は、菅隆俊らに画期的な新工場をつくれ、また、「倉庫が必要であるという常識をなくしてみろ」と指示した。これは「ジャスト・イン・タイム」の本格的な実施を意味していた。1938年、月産2000台規模の挙母工場（現トヨタ自動車株式会社本社工場）が完成した。アメリカ製最新鋭の機械がぎっしりと立ち並び、大量生産システムを確立した一貫生産の新鋭大工場であった。その後、戦時体制へと進み苦難の時代となるが、喜一

完成したばかりの挙母工場　出典：『トヨタ自動車20年史』

挙母工場完成時役員たち
前列右から2人目が豊田喜一郎　出典：『トヨタ自動車20年史』

郎の乗用車をつくる夢は失われず、戦時中も研究開発は継続しておこなっていた。

自動車工業確立に賭けた熱意

1945年、敗戦で大多数の国民は、生活の目標を失っていたが、会社は終戦の翌日8月16日に早くも生産を再開した。1946年、復興が進み活気に満ちた挙母工場で、喜一郎は全国の販売店の代表者を集め、「自動車工場の現状とトヨタ自動車の進路」と題する、喜一郎の自動車工業確立に賭ける熱意溢れる講演をおこなっている。販売店網も再編成された。その後、1950年戦後不況による経営危機の責任を取り、喜一郎は退任した。

しかし同年朝鮮動乱の特需により、トヨタは息を吹き返した。喜一郎の社長復帰は内定していたが、その矢先の1952年3月、57歳の若さで急逝した。その後、喜一郎の蒔いた種は大輪の花を咲かせることになった。
（八田健一郎、成田年秀）

ゆかりの地へのアクセス

【旧豊田喜一郎邸／トヨタ鞍ヶ池記念館】
➡豊田市池田町南250　豊田市駅より名鉄バス25分、鞍ヶ池公園前下車、徒歩3分
【トヨタ産業技術記念館】
➡名古屋市西区則武新町4-1-35　名鉄名古屋本線栄生駅より徒歩3分

豊田喜一郎をもっと知るために

◉『豊田喜一郎』トヨタ自動車株式会社、2021年
◉和田一夫／由井常彦『豊田喜一郎伝』トヨタ自動車株式会社、2001年
◉和田一夫 編『豊田喜一郎文書集成』名古屋大学出版会、1999年
◉前田清志 編『日本の機械工学を創った人々』オーム社、1994年

やまざきさだきち

山崎定吉 1894-1962

機械に憑（つ）かれた創業者
ヤマザキマザックの礎を築く

出典：「還暦迎えた若きマザックのきのうとあす」

山崎定吉	
1894 年	石川県大聖寺町に生まれる
1907 年	京都府舞鶴市の飯野商会を経て日本製鋼所の室蘭製作所に入社
1919 年	名古屋市中区裏門前町で起業、山崎式製畳機の製造を開始
1923 年	名古屋市熱田区沢下町に工場を移し、山崎鉄工所を設立
1926 年	木工機械の製造を開始
1927 年	旋盤など工作機械を製作
1928 年	安井ミシン兄弟商会に 4 尺旋盤を納入（外販 1 号機）
1931 年	工作機械を本格的に生産
1939 年	山崎鉄工所商事部を設立
1949 年	株式会社山崎鉄工所を設立
1959 年	LD800（6 尺）、LDG800（6 尺）、LB1500（9 尺）の旋盤を開発
1961 年	大口工場の第 I 期工事が竣工
1962 年	67 歳没

生い立ち

山崎定吉は、1894（明治 27）年 11 月 5 日、石川県大聖寺町（だいしょうじまち）（現 加賀市）の農家に生まれる。地元の小学校を卒業後、13 歳のときに兄の勤めていた京都府舞鶴市の飯野商会（現 飯野海運株式会社）に就職した。

その後、北海道に渡って旧株式会社日本製鋼所の室蘭製鋼所に入社、ここで初めて工作機械に触れる。砲身を旋削する百尺旋盤（せんばん）という超大型旋盤を扱い、旋盤工としての腕を磨いた。このことは後に定吉の自慢の一つとなった。

機械工一筋、名古屋で町工場を開業

定吉は 20 代半ばに起業を決意するころ、名古屋市の愛知時計電機株式会社で腕利きの旋盤工として職を得ていた。1919（大正 8）年、25 歳のときに旋盤工で終わるより自分の力で機械を創りたいと一念発起し、名古屋市中区で鍛冶屋（鉄工場）を開業する。半製品の旋盤 3 台を買って組み立て、たった一人の従業員とともに鉄鍋の加工をはじめた。

山崎定吉と名古屋山崎式製畳機
出典：『Mother Machine 工作機械で世界に挑み続けたマザックの100年』

そして間もなく、30坪の工場を間借りして「名古屋山崎式製畳機」の看板を掲げ、その製造にのりだす。この成功をもとに、1923年に名古屋市熱田区に工場を移転し、「山崎鉄工所」を立ち上げる。製畳機の他に木工機械の製造も手掛け、事業を拡大する。この時、定吉は寝食を忘れて働き、従業員は住み込みの職工が十数人となっていた。

後に、「とにかく機械を買うことが好きな人で、儲けはたちまち設備機械に化けてしまった」と職工に言わしめたほど、定吉は設備拡充に意欲を示す生粋の機械工、機械好きであった。その一方で、「仕事には人一倍厳しく、同じ失敗を繰り返すとげんこつが飛んできたこともあったが、自分が率先して大八車を引き、徹夜で作業するので、我々従業員もついて行かざるをえなかった」とも語っている。

ベルト掛け山崎旋盤1号機の誕生

山崎鉄工所が工作機械の製造を始めたのは1927（昭和2）年であった。木工機械メーカーとして急成長するなか、増産するには、設備機械である金属加工用の工作機械を増やさねばならなかった。この時代、カネを出せばどんな工作機械でも買える時代ではなく、国産の工作機械は性能もまだまだで生産量も少なかった。したがって中古機械を足で探すか、高額な輸入機械を求めねばならなかった。

旋盤工であった定吉には機械へのこだわりがあり、気に入った機械を設備したかったが、資金はともかく定吉の目にかなう出物が見当たらなかった。こうした状況ではあったが、1926年当時すでに、4尺旋盤2台、8尺旋盤2台、20インチボール盤、

1927（昭和2）年ごろ製造のベルト掛け山崎旋盤（ヤマザキマザック株式会社提供）
外販初期に製造されたベルト掛け旋盤で、ヤマザキマザック工作機械博物館に展示されている。2021年に産業遺産学会推薦産業遺産第114号に認定された。

1934 年に完成したモータ直結式ロール旋盤と山崎定吉（中央）や社員たち
出典：「匠育ちのハイテク集団　古希を迎えたマザックのきのうとあす」
20 世紀になると、それまでベルト掛けであった工作機械も電気モータが普及するにつれてモータ直結式になっていった。その頃に登場した新しい工具材料すなわち高速度鋼（通称ハイス）を上手く使うために高速高馬力化が図られたが、これにも増して、工場内の機械レイアウトやその変更が容易になったことで、モータ直結型の工作機械を導入すれば、工場全体の生産性を飛躍的に高めることがでるようになった。

1935 年頃の山崎鉄工所の工場
出典：「匠育ちのハイテク集団　古希を迎えたマザックのきのうとあす」
右から３人目が山崎定吉、中央の少年はのちに二代目となる長男の照幸である。

20インチ形削盤（かたけずりばん）、10尺平削盤（ひらけずりばん）など、木工機械をつくるための設備機として金属加工用の工作機械を内製していた。定吉は、単なる機械好きではなかったのである。

ひととおりの設備機械を自給自足できるようになると、それを近所の人が見に来て、「山崎鉄工所はなかなか良さそうな工作機械をつくっている」というのが口コミで広がっていった。そしてついに外販第1号として、安井ミシン兄弟商会（現ブラザー工業）から旋盤1台を受注したのであった。この注文を受けた同年中にまずは社内用の「ベルト掛け山崎旋盤」第1号機を製作し、翌1928年には同型機を納入した。

山崎鉄工所の工作機械製造のうわさはさらに広まり、1931年には名古屋市中川区に新工場を取得して需要に応えた。1934年には当時の最先端をいくモータ直結型ロール旋盤を開発している。その頃の工場の様子がわかる写真も残っている。

1937年には海軍工廠（こうしょう）指定工場になった。しかし1938年公布の「工作機械製造許可会社」の指定外となり、やむなく工作機械製造を断念した。さらに戦災によって故郷に工場を疎開せざるをえなかった。

戦後の復活と躍進

1947年に名古屋に戻った定吉は、中古機械の再整備事業をはじめた。戦後すぐの機械に飢えていた時代とも重なってこれが当たり、1949年に息子照幸（てるゆき）（後の二代目社長）とともに株式会社山崎鉄工所を設立した。1959年に自社製品として旋盤2機種を完成させ、その後のヤマザキマザックへと発展する礎を築いた。

職人とともに働き、同じ釜の飯を食い、銭湯に通った定吉は、常に機械を愛し、機械とともに生きた人物であった。晩年は、経営を息子たちに任せ、若いころからの趣味であった筑前琵琶を奏でて「山崎旭成」を名乗り、弟子もとっていた。趣味も一所懸命する男であった。

（髙田芳治）

ゆかりの地へのアクセス

山崎定吉関連の博物館【ヤマザキマザック工作機械博物館】

➡岐阜県美濃加茂市前平町3-1-2　電話：0574-28-2727
開館時間　10：00～16：30（最終入場は16：00まで）　休館日：月曜日（祝日の場合は翌平日）および年末年始　https://machine-tools-museum.mazak.com/
アクセス：JR東海「美濃太田」経由、あい愛バス「ヤマザキマザック工作機械博物館」下車、または長良川鉄道「前平公園」下車徒歩10分

山崎定吉をもっと知るために

◉神館和典『Mother Machine 工作機械で世界に挑み続けたマザックの100年』幻冬舎、2020年

後藤十次郎（ごとうじゅうじろう） 1897-1978

おいあくまという五つのことばで「世界のマキタ」の基礎を築く

株式会社マキタ提供

後藤十次郎	
1897年	三重県桑名郡桑名町に生まれる
1912年	明治電気名古屋分工場に入社
1915年	牧田電気製作所入社
1916年	東亜電気製作所社長
1953年	牧田電機製作所取締役
1955年	牧田電機製作所社長
1958年	電気カンナの発売
1962年	マキタ電機製作所へ社名変更
1973年	マキタ電機製作所会長、後任に社長を引き継ぐ
1978年	81歳没

生い立ち

後藤十次郎は、1897（明治30）年に三重県桑名郡桑名町の農家の三男として生まれた。幼い頃からのんきで楽天家だったが、決めたことはやり遂げる辛抱強さを持ち合わせていた。1912年、尋常小学校高等科を卒業と同時に、明治電気の名古屋分工場に入り、見習工として働く。1915（大正4）年、この名古屋分工場は閉鎖され、牧田茂三郎が買取り、個人経営の「牧田電機製作所」を起こした。工場主牧田茂三郎（23歳）と、十次郎（18歳）と、小学校を出たばかりの小僧と40年配の職工の4人だけでの出発であった。

牧田モートルのカタログ　株式会社マキタ提供

モーター修理工から営業職、経営者に

十次郎は独学で電気技術を身につけ、モーター、変圧器、開閉器などの修理にあたった。開所1カ月後には明治電気の職人仲間が次々と入所し、事業も発展の一途をたどった。1927（昭和2）年、営業分野に職種が変わり、岡崎支店の開設、割振販売制度の考案など成果をあげた。岡崎支店は、その後、東亜電機として独立した。十次郎は、44歳の時、この東亜電機の社長となり、牧田電機との縁がいったん切れた。一方、出身元の牧田電機は大戦前後、軍事産業への傾斜、空襲による工場焼失、経営不振、目まぐるしく社長の交代する困難な時代を経験することになる。

後藤十次郎は、1953年に牧田電気製作所の取締役として復帰し、1955年に社長に就任、経営者としての力量を発揮する。1963年には完全無借金会社とし、以後、名古屋、東京、大阪各証券取引所市場第一部に上場する大企業となった。この間、創業以来、得意としてきたモートルから撤退し、電動工具専門メーカーを目指すという変革、マキタ電機製作所へと社名変更がおこなわれた。国内初の電気カンナ（1958年）、電気ミゾキリ（1958年）などの電動新機種販売はマキタならではの特徴である。1973年、75歳にて社長を婿養子の後藤修宏（のぶひろ）に引継ぎ、1978年81歳で亡くなる。1991年岡崎市名誉市民として顕彰された。

後藤十次郎翁の「おいあくま」の威力

経営者は、従業員に対して納得のいくように諭し、いい聞かせればよい。従業員がお互いにおこったり、いばったりしていては、仕事はうまく運ばない。「おこるな　いばるな　あせるな　くさるな　まけるな」は堅実経営と節約の徹底を意図した社訓であるとともに十次郎自身の人生訓でもある。十次郎翁の胸像とこの遺徳は現在、本社正門から終日従業員を見守っている。（藤田秀紀）

初代電気カンナ　株式会社マキタ提供

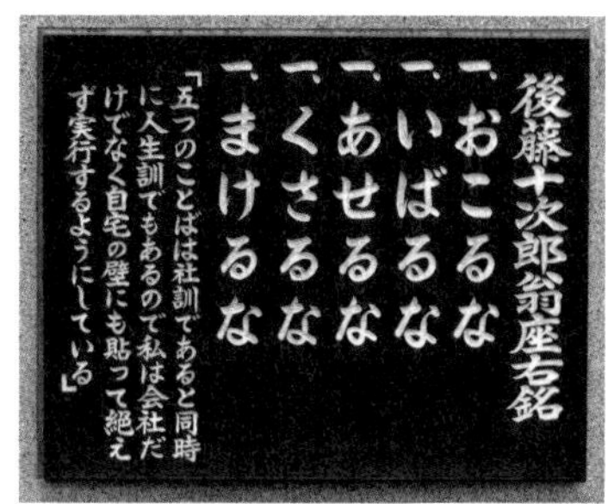

後藤十次郎の座右銘　株式会社マキタ提供

後藤十次郎をもっと知るために

◉マキタ電機製作所 編『カンナが拓いた途―世界へ伸びるマキタ』1990年

井上五郎（いのうえごろう） 1899-1981

モノをつくるより人を創る
エネルギー確保に生きた中部電力初代社長

中部電力提供

井上五郎	
1899年	東京市芝区に生まれる
1923年	東京帝国大学卒業。東邦電力株式会社入社、本社技術部勤務
1951年	中部電力株式会社社長就任
1957年	中空重力式コンクリートダムの井川ダム竣工
1961年	中部電力株式会社会長就任
1962年	中部経済連合会会長就任
1964年	電気学会会長
1965年	日本電気協会会長
1978年	原子力委員会委員長代理
1981年	82歳没

生い立ち

井上五郎は、1899（明治32）年、父・角五郎、母・和歌子の五男として東京で生まれた。井上は、旧制一高を経て、東京帝国大学工学部電気工学科に進学した。なんとなく将来性に魅力を感じたから「電気」を選んだという。

道一筋の人生

大学を卒業した1923（大正12）年、設立したばかりの東邦電力に第1期生として入社し、ここで松永安左エ門（本書111ページ）と出会い、その薫陶を受けることとなった。1942（昭和17）年、中部配電設立とともに理事、工務部長に就任、1946年には副社長に就任した。1951年には51歳の若さで電力再編成により設立された、中部電力の初代社長に就任した。

当時の日本は、戦後復興と朝鮮戦争による特需景気で産業界は活況にわいていた。中部地方においても電力需要が大幅に伸び、深刻な電力不足を招き、電源開発に多額な資金を必要とするなど、会社の存続にかかわる幾多の困難に直面していた。井上五郎は電源開発に精力的に取り組み、新鋭水力、火力発電所を次々と建設していった。なかでも三重火力発電所の建設では、世界銀行の借款に成功し、戦後初めて外資導入による建設を実現した。

60歳で社長を退いてからは、中部経済連合会会長、外務省の顧問など各種公職にかかわるようになり、また、新しく設立された動力炉・核燃料開発事業団の初代理事長、原子力委員会の委員長代理委員を務めるなど、地域への貢献、日本のエネルギー業界の国際的活動への貢献、原子力発電所の事実上の生みの親になるなど、極めてスケールの大きな人だった。晩年、『私の履歴書』で「モノをつくるより人を創る」ことが経営者の最大の責務と語っている。1981年、満82歳で死去した。

井川五郎ダム

1957年に完成した井川ダム（静岡市葵区井川）は、国内で初めて採用の中空重力式コンクリートダム（ホロー・グラビティ・ダム）である。この井川ダムは、戦後イタリアで発達した方式であり、重力式のダムではあるが中に空洞部分があって、それだけコンクリートの総量が節約になる。日本のような地震国でこれを採用するには重大な決意を要するが、井上五郎が技術者として採用に断を下した。また、用地交渉に難航したが、従来の金銭補償方式に頼らず田畑、水道、宅地をつくるなどの代替補償方式による新しい村づくりをおこない解決した。このダムは井上五郎に因んで「井川五郎ダム」の愛称で呼ばれている。（藤田秀紀）

井川ダム（井川五郎ダム）　中部電力提供

井上五郎をもっと知るために

◉日本経済新聞社 編『私の履歴書　経済人9』1980年
◉中部電力株式会社 編『時の遺産—中部地方電気事業資料目録集』2001年

山崎久夫（やまざきひさお） 1904-1963

諏訪を東洋のスイスに
諏訪精工舎で世界一の腕時計をつくる

セイコーエプソン株式会社提供

山崎久夫	
1904年	山崎常次郎・たけの次男として上諏訪で生まれる
1919年	尋常小学校卒業し、東京の服部時計店に奉公
1923年	関東大震災で被災し、帰郷
1924年	山崎屋時計店店主
1942年	有限会社大和工業を設立
1959年	株式会社諏訪精工舎創立、代表取締役社長に就任
1963年	58歳没

生い立ち、東京で奉公、帰郷

山崎久夫は1904（明治37）年6月15日に長野県上諏訪町で山崎屋時計店を営んでいた父常次郎、母たけの四人きょうだいの次男として生まれ、長男は夭逝したのでただ一人の男の子として育てられた。1919（大正8）年、尋常高等小学校を卒業する際に黒板に「時計王、服部金太郎」と大書きして、将来の夢を披歴している。服部金太郎は服部時計店を開業し、業務拡大に伴い店舗を銀座表通りに移転させ、製造工場「精工舎」を設立していた。親類縁者の口ききもあり、久夫は服部時計店に奉公することになったが、4年を経た1923（大正12）年9月に関東大震災が起こって帰郷した。

翌1924年に若干20歳で山崎屋時計店の店主となり、卓越した商才で店を発展させ、1936（昭和11）年に当時諏訪地方で一番の商店街だった本町に進出を果たした。しかし、この頃から戦時経済統制が厳しくなり、時計業も影響を受け、店の経営も危うくなってきた。そんな折、奉公先であった服部時計店に仕事を請うと、設立して間もない第二精工舎から腕時計の組み立ての依頼があった。1940年に店舗の二階を改造して作業場をつくり、わずかな従業員と近所の女性だけで時計部品の組み立てを開始した。

大和工業の操業—味噌蔵からの出発

1941年に上諏訪町と周囲の村が合併し、諏訪市が誕生したが、基幹産業の製糸業が衰退しており、それに代わる新しい産業が求められていた。山崎は初代市長の宮坂伊兵衛を巻き込んで、東京の亀戸にあった第二精工舎に共に足繁く通い、出資を取り付けた。製糸業に代わる付加価値の高い産業として諏訪に時計工業を立上げ「東洋のスイス」を実現したいという熱い思いがあった。1942年5月に第二精工舎協力工場「有限会社大和（だいわ）工業」が資本金3万円で設立され、味噌蔵を改造した工場で総勢22人による時計部品製造の下請け仕事が始まった。

戦局が激しくなり、1944年に第二精工舎は諏訪にも約180名の従業員とともに疎開してきた。敗戦後、大和工業と第二精工舎諏訪工場はいち早く生産を再開し、1946年1月に婦人用腕時計“女持五型”を生み出している。諏訪の地で初めてつくられた腕時計であった。半年後には男性用を完成させた。この時期、工場長の山崎は疎開していた従業員の食

大和工業第一工場。味噌蔵を改造してつくられた
セイコーエプソン株式会社提供

時計工場の内部
セイコーエプソン株式会社提供

料確保そして住宅確保に奔走した。そうした山崎の若い技術者やベテラン技能者に諏訪に残ってほしいという熱意にほだされて30数名が残り、諏訪に時計産業を根づかせるきっかけとなった。1947年には500人を超える従業員となり、1956年には53万個の生産規模となり、諏訪の地に時計産業が根づいた。

男性用機械式腕時計「マーベル」
セイコーエプソン株式会社提供

諏訪を東洋のスイスに

1956年6月には機械式腕時計の集大成といえる高精度の男子用腕時計“マーベル”が完成し、大ヒット商品となっていった。日本での精度コンクールでは敵なしで、1957年米国時計学会（日本支部）のコンクールでもスイス品を抜いて第1位にランクされた。1959年5月に大和工業が第二精工舎から第二精工舎諏訪工場の事業を譲受して、「諏訪精工舎」が誕生した。従業員は1100人を超えた。代表取締役社長に就いた山崎を、誰も「社長」ではなく、親しみをこめて「場長」と呼んだ。

新会社設立の1年後、1960年秋にアメリカの時計会社ブローバ社がトランジスタを使った電子腕時計を売り出した。音叉の振動周期が一定であることを利用した交流電気時計で音叉時計と呼ばれた。水銀電池で約1年間動き続け、日差2秒という精度を誇った。諏訪精工舎では音叉時計に精度で勝てるクオーツ（水晶）腕時計の開発を目指すことになった。当時、放送局向け報時用時計として精工舎がクオーツ時計を作っていた。この時計は真空管式電気時計で、高さ2m、幅1mもあり、腕時計にするには体積を30万分の1にしなくてはならなかった。

電子式クオーツ腕時計の開発には、電子工学の専門知識を持った技術者が不可欠となった。山崎は自ら全国の大学行脚をして、熱心な説得を続けて電子工学専攻の学生を獲得していった。電子式クオーツ腕時計の開発は何度も暗礁に乗り上げたが、山崎は若い技術者を気遣い励ましていった。しかしながら、山崎は1962年秋に胃がんで倒れ、1963年4月8日に58歳で逝った。若い技術者たちは幾多の困難を克服して商品化に成功し、1969年12月25日に世界初のクオーツ腕時計“セイコークオーツアストロン35SQ”が発表され、山崎の悲願は達成された。諏訪はスイスを超えた。

1985年に株式会社諏訪精工舎は

子会社エプソン株式会社と合併し、セイコーエプソン株式会社に社名を変更している。2022年セイコーエプソンは創業80周年を機に、エプソンミュージアム諏訪を開設した。1945年10月に竣工した当時の社屋である歴史的建造物を「創業記念館」として改修し、一般公開している。（黒田光太郎）

世界初のクオーツ腕時計「セイコークオーツアストロン 35SQ」
セイコーエプソン株式会社提供

セイコーエプソン本社内の「誠実努力の碑」
諏訪精工舎会長の服部正次は山崎を「誠実努力のひと」と称えた。「誠実努力」の精神は今に受け継がれている。
セイコーエプソン株式会社提供

ゆかりの地へのアクセス

【エプソンミュージアム諏訪】

➡長野県諏訪市大和3-3-5　セイコーエプソン本社事業所
https://corporate.epson/ja/about/experience-facilities/epson-museum/

2022年5月18日にオープンし、創業記念館とものづくり歴史館の二つで構成されている。創業記念館では、創業時代の建物に足を踏み入れ、当時の史実・製品とそれにまつわるストーリーに触れることができる。webサイトから事前予約が必要。

山崎久夫をもっと知るために

- ◉伊藤岩廣『セイコーエプソン物語―内陸工業史研究ノート』郷土出版社、2005年
- ◉NHKプロジェクトX制作班編「逆転 田舎工場 世界を制す～クオーツ・革命の腕時計」『プロジェクトX挑戦者たち11 新たなる伝説、世界へ』2002年、pp11-55
- ◉株式会社ヤマザキの歴史のwebサイト https://kkyamazaki.co.jp/history/
- ◉セイコーエプソン80th Anniversaryのwebサイト https://80th.epson.com/

豊田英二（とよだえいじ） 1913-2013

夢に向け実行に移すことが大切だ

「世界のトヨタ」その礎を築く

出典：特定非営利活動法人「日本自動車殿堂」

豊田英二	
1913 年	愛知県西春日井郡金城村に生まれる
1926 年	愛知県立第一中学校入学
1930 年	第八高等学校入学
1936 年	東京帝国大学工学部機械工学科卒業。株式会社豊田自動織機製作所入社、東京都芝浦の自動車研究所に赴任
1937 年	トヨタ自動車工業株式会社設立に伴い転籍
1945 年	トヨタ自動車工業、取締役
1957 年	トヨタ・モーター・セールス・USA 社設立
1958 年	社団法人自動車技術会会長
1967 年	トヨタ自動車株式会社社長
1972 年	社団法人日本自動車工業会会長
1982 年	トヨタ自動車株式会社会長
1984 年	社団法人経済団体連合会副会長
1992 年	トヨタ自動車株式会社名誉会長
1999 年	トヨタ自動車株式会社最高顧問
2013 年	100 歳没

生い立ち

豊田英二は、1913（大正 2）年、愛知県西春日井郡金城（きんじょう）村（現 名古屋市西区堀端町）に豊田佐吉（本書 199 ページ）の弟豊田平吉の二男として生まれた。英二は、愛知県立第一中学校、第八高等学校（現 名古屋大学）を経て、1936（昭和 11）年に東京帝国大学工学部機械工学科を卒業した。同年、豊田自動織機製作所に入り、同自動車部芝浦研究所に勤務するため、東京市本郷区（現 東京都文京区）の豊田喜一郎（本書 144 ページ）宅に下宿した。

豊田喜一郎と共に

1937 年、トヨタ自動車工業株式会社が創立、同年、豊田英二は芝浦研究所から呼び戻された。監査改良部で伊藤省吾と二人で、車両開発改良の他、組織や規定の改善から構内路整備の問題まで対応した。英二の回想『決断 私の履歴書』からは、欧米を追い何でも吸収しつつ、日本人の頭と腕で自動車をものにする意気込みが感じられる。

1938年、英二は挙母工場竣工（現トヨタ自動車本社工場）に合せ、度量衡をメートル法に変更し、自動車用ねじ規格を作り、品質確保を図った。1939年、第二次世界大戦が勃発、戦時の統制が強まる中、トラック生産に注力しつつも喜一郎の下で乗用車研究を継続した。

戦後は、会社は混乱と不景気で労働争議が発生、1950年人員整理の上、喜一郎が社長を退任し、終結した。英二は、この時に常務取締役に昇格し、7月から3カ月間渡米し、自動車産業の見通しと米自動車メーカーとの提携を探った。帰国後は、斎藤尚一と共に1955年度までに月産3000台に倍増する「生産設備近代化五か年計画」を作成した。また、1951年、「創意くふう制度」として、生産性と品質を改善する従業員提案制度を始めた。この時になると朝鮮戦争特需により会社の業績は回復しつつあった。

1952年、喜一郎は志半ばで他界し、それを継ぐ英二は、1953年に専務取締役に昇格した。1955年1月、初代トヨペット・クラウンを発売し好評を得、同年12月には自家用車層の要望に応え、内外装をより豪華にしたトヨペット・クラウン・デラックスを発売した。1956年には、前記「五か年計画」で目標に掲げた月産3000台を達成した。

「世界のトヨタ」の礎

1959年、英二が進言した元町工場が日本初の乗用車専門工場としてクラウン量産を開始した。1960年、英二は副社長に昇格、翌1961年、初代パブリカを発売、乗用車の大衆化を目指した。英二と梅原半二（本書273ページ）は、新車開発から量産までの品質改善を推進し、1965年にデミング賞を会社は受賞した。「品質は自工程で造り込む」など、Toyota Quality Controlと呼んだ。

1967年、英二は社長となり、オイルショック、世界一厳しい日本の排気ガス規制、対米貿易摩擦の問題など陣頭指揮した。1982年、トヨタ自動車工業とトヨタ自動車販売の統合を機に社長を豊田章一郎に引継ぎ、英二は取締役会長となる。会長職ながらセンチュリーで乗り付け、現場を一人で歩く姿があった。英二は、その後も名誉会長や最高顧問を歴任し、終生人を惹きつけ頼りにされた。

（八田健一郎）

1972年国内生産累計1000万台達成
出典：『故豊田英二最高顧問を偲んで』

豊田英二をもっと知るために

◉豊田英二『決断　私の履歴書』日本経済新聞社、1985年

内藤明人（ないとうあきと） 1926-2017

ロマンチックリアリズムを実践
国内最大手の総合熱機器メーカーをつくる

出典：『リンナイ百年史』

内藤明人	
1926年	名古屋市で誕生、父親は内藤秀次郎
1945年	東京帝国大学第二工学部入学
1948年	林内製作所入社
1950年	同社取締役副社長就任
1957年	シュバンク社と技術提携、ガス赤外線ストーブ発売
1966年	同社代表取締役社長就任 社名をリンナイ株式会社に変更
1972年	日本ガス石油機器工業会会長就任
1974年	中部経済同友会代表幹事就任
1981年	名古屋商工会議所副会頭就任
1990年	在名古屋ニュージーランド名誉領事就任
2001年	リンナイ株式会社代表取締役会長就任
2017年	90歳没

生い立ち、家業を継ぐ

内藤明人（本名：進）は1926（大正15）年に名古屋市に生まれた。父は林兼吉とともに林内（りんない）商会（後に林内製作所を経てリンナイ）を創業した内藤秀次郎で、その三男四女の末っ子であった。明倫中学（現 愛知県立明和高校）、第八高等学校から東京帝国大学第二工学部に進み、機械工学を学んだ。家業を継ぐはずであった兄が戦死して、父に懇願され迷いに迷ったが、「世界のトップのガス器具屋になる」との目標をもって、1948（昭和23）年春に卒業して直ちに林内製作所に入社した。

半年後に父が他界し、林兼吉社長と経営のかじ取りをおこなうようになり、技術全般を任された。1950年に林内製作所は資本金百万円で株式会社に改組され、明人は副社長に就任した。

シュバンク社から技術導入

1955年春に名古屋商工会議所による欧州視察団に一番若い団員として加わり、ドイツで運命的な出会いがあった。飛び入りで参加した「欧州ガス会議」で、シュバンク博士が赤外線燃焼の新技術を発表していた。内藤がガス会社と共同で3年間取り組んでうまくいかなかった課題を新しい触媒によって解決していた。演壇を降りる博士に駆け寄り、ドイツ語で「提携してほしい」と頼み込んだ。その翌日からのシュバンク社との交渉で、要求された特許使用料は2億円で、当時の年商の3分の1に相当する規模であり、社運を賭ける大英断が求められた。

「シュバンク式ガス赤外線システム謹告」記事　出典：『リンナイ百年史』

最終的には、林社長の「内藤君を信じるよ」の言葉で提携することになったが、政府から外貨取引の許可を得るのに手間取り、シュバンク社との正式調印は1957年12月になった。輸入したセラミックプレートを取り込んだガス赤外線ストーブは大ヒットし、年商は倍々で増えていき、10年間の分割支払い契約であった特許料は3年で払い終えた。「ガスの熱を赤外線に変えたい」という技術者のロマンがこの成功を導いた。

シュバンク社と技術提携した世界各国のガス器具会社十数社を集めた「シュバンク会議」と呼ばれる国際会議が1957年から毎年開かれるようになった。内藤はこの会議に出席し、各国のトップメーカーの首脳と親しくなるとともに、お互いに情報を交換し合うことで世界的視野での見識を深めていった。技術提携を結ぶことや販路を増やすことにもつながり、1964年にはイギリスに本社のあるパーキンソン社と包括的な相互協定を結んでいる。1970年代にパーキンソン社からオーストラリアとニュージーランドの会社を買収し、海外展開を拡げることにつながった。

セラミックプレートの国産化は1959年には成し遂げられた。ストーブ用には800℃を生みだせればよかったが、魚焼き用にはより高温が必要であった。うなぎを焼く備長炭は1000℃まで上がっていることに着目して、セラミックプレートの材料や触媒材の改良を繰り返し、赤外線魚焼きバーナーの開発にも成功した。

品質こそ我らが命

1960年代には、グリル付コンロ、ガス高速レンジなど厨房機器の新製品開発を推し進め、1970年代にはガス小型給湯器の本格生産を始めた。それまでにない機能を持った製品は消費者に広く受け入れられ、リンナイをガス機器の国内最大手に成長させる原動力になった。

1963年には大ヒットとなるコンロ兼用グリル付ガステーブルコンロ（R-2G）を発売している。公団やアパートのキッチン事情から、コンロのコンパクト化を図るため、コンロバーナーとグリルバーナーの一体化に成功し、幅56㎝を実現した画期的なものであった。グリルバーナーを上に向けると2口コンロとしても使える。キャッチフレーズは「煮る・焼く・温めるが同時にできて1台3役！煙を出さずに魚が焼ける」だった。

ガス高速レンジ「コンベック」（RCK-10）
出典：『リンナイ百年史』

大阪ガスとの共同研究開発によって、世界で初めて直火型の強制対流式オーブンの商品化を進め、1971年4月にガス高速レンジ「コンベック」（RCK-10）の発売を開始している。燃焼室から燃焼熱気をファンで吸い込み、オーブン庫内へ直接吹き込む方式を採用して、それまでの自然対流式のオーブンより食品への熱伝導が10倍以上良くなり、高速加熱が可能になった。

こうした時期に内藤が唱えてきた「和・氣・眞」と「品質こそ我らが命」はリンナイの経営理念と

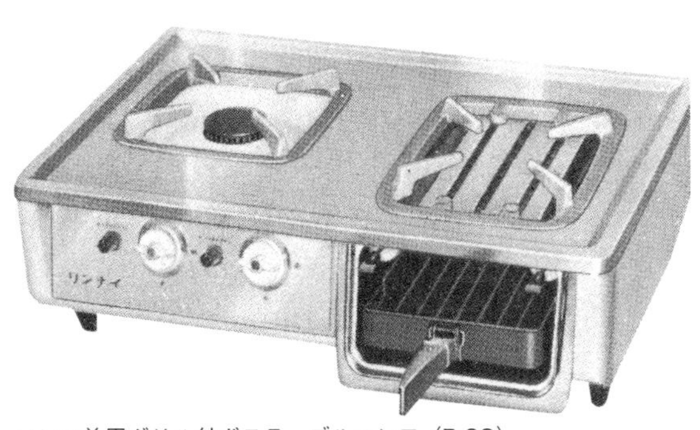

コンロ兼用グリル付ガステーブルコンロ（R-2G）
出典：『リンナイ百年史』

原点思想「品質こそ我らが命」
出典：『リンナイの技術が拓くより快適で幸せなくらしを　真心の経営80年』

して引き継がれている。また、会社経営ではリアリズムが6割、ロマンチシズムが4割だと「ロマンチックリアリズム」を実践してきた。ガス機器工業会会長、中部産業連盟会長、中部経済同友会代表幹事、名古屋商工会議所副会頭などを歴任し、中部財界を代表する論客として知られた。

1970年代初頭からオーストラリア、ニュージーランドに進出していたことから、1987年に名古屋日豪ニュージーランド協会会長を務め、それらの功績から1990年にニュージーランド名誉領事に就任している。在名古屋ニュージーランド名誉領事館は事務所をリンナイ本社内においている。

1988年には私財を提供して内藤科学技術振興財団を設立し、愛知県の研究者に助成事業が続けられている。2009年には、山中湖畔に、大学の寮を「内藤セミナーハウス」として東京大学に寄贈し、多様なコミュニティー形成の主要な場として、研修、合宿、保養の場を提供している。

1984年から2016年まで32年間、名古屋産業人クラブ会長を務め、異業種交流と中小企業支援にも尽力した。2017年3月に90歳で亡くなった。（黒田光太郎）

ゆかりの地へのアクセス

【リンナイ本社】➡名古屋市中川区福住町2-26
ショールームは一般公開されていないが、事前に連絡して平日の定時内に限って見学できる。社内状況によっては対応が難しい場合もある。

内藤明人をもっと知るために

◉日本経済新聞社 編『中部企業家列伝』「ロマンチックリアリズム リンナイ会長内藤明人」日本経済新聞社、2003年
◉佐野桂次『21世紀を彩る名古屋人物風土記』「町工場から世界のガス機器メーカーへ リンナイ会長内藤明人」中日出版社、2004年
◉読売新聞中部支社 編『グローカル最前線3』「人類の幸せに貢献できる会社に」リンナイ会長内藤明人、読売新聞社、2005年
◉内藤明人『品質こそ我らが命』中部経済新聞社、2011年
◉リンナイ百年史社史編纂委員会 編『リンナイ百年史』2021年

端山 孝（はしやま たかし） 1930-2007

人のやらないことをやろう
アンテナのマスプロ電工創設

マスプロ電工提供

端山 孝	
1930年	名古屋市瑞穂区に生まれる
1953年	マスプロ技研工業設立
1955年	昭和電機工業設立
1961年	マスプロ電工に社名変更
1966年	本社を日進町に移転
1975年	マスプロ美術館開館（2002年新マスプロ美術館）
2007年	77歳没

生い立ち

無線通信機の製造から始まり、テレビ電波受信用アンテナで国内トップクラスのシェアを持つマスプロ電工を一代で築いたのは端山孝である。

端山は1930（昭和5）年7月、名古屋市瑞穂区に生まれた。ラジオや機械いじりが好きで、山北藤一郎『少年技師の電気学』（1936年）に影響を受けて、将来は「電気で食っていこう」と考えていた。明倫中学を経て、名古屋工業大学金属工学科に進んだが、無線通信の仕事がしたくて、2年で中退し、1953年8月アマチュア用通信機や通信用ラジオの製作をおこなうマスプロ技研工業を、名古屋市守山区に創設した。

アンテナ製造のトップメーカーへ

「テレビの時代が来る」と直感した端山は、テレビ受信機器の専門メーカーに業種を変更し、1954年1月にテレビアンテナの製造販売に乗り出した。昭和区円上町に工場を建設して、翌55年には昭和電機工業株式会社を設立、1957年には熱田区沢下町に本社工場を設けたが、1959年の伊勢湾台風で甚大な被害を受け、約2カ月間操業できず、業界での地位も後退してしまった。1960年になると東京と大阪でカラーテレビの本放送が始まり、テレビ産業はカラーの時代に入った。1961年に社名をマスプロ電工と改称した。マスプロという社名にはMaster of Production、「生産の覇者」という大きな志が込められていた。またこの年に、新天地を求めて水害の心配のない日進町（現 日進市）に工場を建設し稼働させている。1964年10月の東京オリンピックを前に、カラーテレビの急速な普及に対応して、同年2月にカラー塗装したアンテナを世界で初めて発売し大ヒットした。1966年には本社を日進町に移転し、本社と工場を一体化させている。

企業キャラクターに、頭にアンテナ風のツノがある雷神の少年マス坊と女性プロ子、少女テナ子からなるマスプロサンダーズを採用し、1969年に初めてテレビコマーシャルに登場させた。「見え過ぎちゃって困るのオ」と歌うテレビコマーシャルを1970年に開始し、全国的に話題になった。また、中日球場をはじめとする多くの球場に広告も出稿しており、テレビコマーシャルと相まってマスプロアンテナの知名度も飛躍的にあがった。1972年にはアンテナ業界1位となった。

CMマスプロサンダー　マスプロ電工提供

青江三奈によるカラーアンテナCM
マスプロ電工提供

人のやらないことをやろう

端山は「人のやらないことをやろう」を経営方針に掲げ、積極経営を展開した。端山はこの方針について次のように述べている。

「人のやらないことというのは、正当でないものをガムシャラにやると言うことではなく、人のマネをしないで独創的な発想を大切に、性能や耐久性の向上、デザインの改良などをすることが大切。得意先が認めてくれるのは技術。大手メーカーよりただ安いものを作っていてはダメ。やりかけたら超一流を狙い、決して人まねのコピーを作らない。よい発想を製品作りに結びつける。発想の転換をする」

この考えからマスプロ電工は、時代に合わせた製品を次々に開発し、業績を伸ばした。すなわち、世界初のコニカル型多エレメントのアンテナ、世界初のカラー塗装したカラーアンテナ、UHFコンバーター、世界最小のBSチューナーなどである。創業以来社長を務めた端山は、2005年会長（代表取締役）となり、2年後2007年4月、76歳で逝去した。

マスプロ美術館内　マスプロ電工提供

良い物を作る極意

「美しさが分からなければ良い物は作れない」と語る端山は、自らもカメラ、洋ランづくり、浮世絵のコレクション、色絵陶磁器の収集など多彩な趣味を持っていた。特に、開化時代の浮世絵や錦絵のコレクションでは世界一の収蔵量を誇り、1974年に自ら著書『浮世絵で見る幕末・明治文明開化』を著し、1975年には本社構内にマスプロ美術館を設け一般公開している。

（浅野伸一・黒田光太郎）

【マスプロ美術館】

マスプロ電工創業者の端山孝が収集した美術品を展示する美術館で、1975年3月に開館、2002年11月、マスプロ電工の新社屋の竣工に伴い本社に新マスプロ美術館として整備された。館内は陶磁器コーナーと浮世絵コーナーに分かれ陶磁器コーナーには瀬戸や美濃の古陶磁、有田の古磁器など約80点が所蔵・展示され、浮世絵コーナーには、文明開化・江戸期の浮世絵約2000点が収蔵され、常時約600点を展示している。広重（三代）の「東京名所寿留賀町三ツ井店両側富嶽眺望之図」、竹葉の「上州富岡製糸場之図」など、当時の社会を生き生きと描いた浮世絵は、近代史を直接目にすることができる貴重な資料となっている。

ゆかりの地へのアクセス

【マスプロ美術館】➡日進市浅田町上納80　マスプロ電工本社内

端山 孝をもっと知るために

◉読売新聞中部支社 編『グローカル最前線』2005年
◉中部経済新聞『素顔のけいざいじん4』2006年
◉端山孝『浮世絵で見る幕末・明治文明開化』講談社、1974年

第2章

技術の革新者

こいえ ほうじゅ

鯉江方寿 1821-1901

技術者と美術家の両輪をもつ実業家
常滑窯業近代化の礎を築く

1913 年に製作された鯉江方寿翁陶象
2019 年撮影

鯉江方寿	
1821 年	尾張国知多郡常滑村に生まれる
天保年間、連房式登窯を完成させる	
1873 年	木型を使った土管製造をおこなう
1878 年	金士恒を常滑に招く
1883 年	美術研究所を開設
1901 年	79 歳没
1914 年	鯉江方寿翁陶像が建立される

生い立ち

鯉江方寿（通称名は伊三郎）は土管をはじめとする常滑（とこなめ）の近代窯業の技術や工芸・意匠の基礎を築いたことで知られる。

方寿は1821（文政4）年に尾張国知多郡常滑村（現 愛知県常滑市）に生まれた。生家の鯉江家は窯業を家業とする素封家であり、方寿が経営した窯は御用窯として尾張藩との関わりも深く、「御小納戸御用（おこなんとごよう）」の高札を掲げていたという。窯業だけでなく、天保年間からは新田開発も手がけた。この新田は「鯉江新開」と呼ばれ、現在では鯉江本町や新開町として常滑市の中心部を形成している。

連房式登窯の開発と土管製造の技術

方寿の窯業技術への取り組みについては大きく二つあり、その一つは父親の方救が手がけていた瀬戸の技術を応用した「連房式登窯」の開発であり、その時期は大きく天保年間とされる。それまでの常滑においては「鉄砲窯」と呼ばれた大窯による

連房式登窯「陶栄窯」（国指定有形民俗文化財）の煙突　2019年撮影

窯全体に高温が行き届かない焼成であったため、窯内の製品は焚口には堅い真焼（まやけ）、奥にはやわらかい素焼（赤物）製品が混在していた。この連房式登窯によって窯内の製品全てが堅質に焼成することが可能となったが、赤物への需要には引き続き大窯が用いられた。

もう一つは、明治に入ってからの鉄道敷設（排水用）や上下水道などのインフラ整備に呼応した真焼にして木型を用いての均一性をもつ土管の製造であった。堅質で均質の土管の需要は高まり、「真焼土管」、「常滑陶管」と呼ばれる出発点となった。

美術教育への取り組み

方寿自身も工芸家としても優れた作品を残していることから美術工芸への関心も高かったものと思われ、常滑における工芸・意匠を中心とした美術教育への取り組みも大きく二つ挙げることができる。

その一つは1878（明治11）年の清国文人の金士恒（きんしこう）の招聘を契機とする朱泥焼（しゅでいやき）の隆盛であった。当時は文人趣味の煎茶が流行したため、後に常滑の名産品となる急須の需要が高まっていった。この金士恒が方寿の窯があった付近の眺望を「金島山（きんとうざん）」と呼び、これが方寿の窯「金島山窯」の名の由来になったという。

土管の木型（常滑西小学校蔵）
1988 年石田正治氏撮影

もう一つは、この金島山窯に美術研究所を 1883 年に開設したことであり、陶彫などの技術向上などを図った。方寿は 1901 年に 79 歳で没したが、方寿の顕彰として没後 10 年余の 1913（大正 2）年に高さ 2.6 m ほどの陶像が常滑に根付いた陶彫の技法によって製作され、翌年に建立された。陶像は現在、常滑西小学校西側の高台にあり、1968（昭和 43）年には常滑市有形文化財に指定されている。

常滑窯業の礎として

方寿が改良した諸技術そのものは現役ではない。

土管製造については方寿没後の明治 30 年代後半から大正時代にかけて土管形成機が開発・普及していった。

連房式登窯についても、より効率の良い石炭焚きの両面焚倒焔式角窯が普及していくことになった。登窯は次第に姿を消していき、現在では 1887 年築窯の「陶栄窯」を残すのみとなった。この窯は 1974 年に操業を終え、1982 年に国の重要有形民俗文化財に指定された。

ちなみに石炭焚きの両面焚倒焔式角窯が常滑ではじめて築かれたのは、方寿が没した 1901 年のことであった。まさに鯉江方寿の生涯は常滑の窯業発展とともにあり、その礎となったといっても過言ではないだろう。（天野卓哉）

ゆかりの地へのアクセス

【鯉江方寿翁陶像】➡愛知県常滑市瀬木町天神山　名鉄常滑駅より 1km、徒歩 15 分
【とこなめ陶の森】➡愛知県常滑市瀬木町 4-203　名鉄常滑駅より 2km、徒歩 30 分

鯉江方寿をもっと知るために

◉吉田弘『常滑焼の開拓者　鯉江方寿の生涯』愛知県郷土資料刊行会、1987 年
◉常滑市誌編さん委員会『常滑窯業誌』1974 年
◉常滑市誌編さん委員会『常滑市誌』1976 年
◉常滑市誌編さん委員会『常滑市誌』文化財編、1983 年

石坂周造（いしざかしゅうぞう） 1832-1903

少壮世を憂い、晩節国を富ます

太平洋岸唯一の油田・相良（さがら）油田を開発

相良油田資料館蔵

石坂周造	
1832年	信濃国水内郡桑名川村に生まれる
1852年	石坂宗哲家の養子となる
1871年	長野石炭油会社を創設
1873年	相良油田で石油の機械掘に成功。実子石坂宗太郎を製油技術取得のため渡米させる
1874年	周造も渡米
1884年	相良油田の最盛期
1899年	西山油田（新潟県）3号井で出油
1903年	71歳没

生い立ち、尊攘派志士から石油事業へ

新しい事業の創設には苦難を伴う。わが国石油業を開き、静岡県榛原（はいばら）郡相良町で初の石油の機械掘りを成功した石坂周造の場合も、債務に追われ、技師に騙（だま）されるなど、創業の苦しみの連続であった。近代的な事業家ではなかったが、その使命感と不屈の闘志の中で先駆者としての役割を貫いた。

石坂周造は、1832（天保3）年1月、信濃国水内（みのち）郡桑名川村（現 長野県飯山市）に生まれた。17歳で江戸に出て、1852年、深川の医師石坂宗哲の養子となった。幕末動乱の時代、血気盛んな石坂は尊皇攘夷派の浪士となり、山岡鉄舟、清川八郎らと交わり、前後3回、およそ8年間、獄舎の人となった。1870（明治3）年、許されて山岡鉄舟の許で蟄居（ちっきょ）の生活を送った。石坂の妻と鉄舟の妻は姉妹であり、二人は義兄弟の間柄であった。

長野石炭油会社の創設

石坂は、山岡鉄舟邸で暮らすなか、

最盛期の相良油田　相良油田資料館蔵

たまたま長野県人島田龍齊が、地元で産出したとして石油壜を持参した。これを見た宣教師から事業化するよう強く勧められて、石油事業へと身を投じる決意を固めた。1871年8月、長野石炭油会社を設立、長野県茂菅村の地を選び、かつて函館領事をしていた米国人技師アンブロース・C・ダンに委嘱（給料年1万円）し、米国製の掘削機械で作業を開始した。同社は、1872年8月には東京石油会社（資本15万円）へと改称されたが、これ以降、従来の「石炭油」に代えて「石油」という言葉が広く使われるようになった。1873年、長野で掘削を始めたものの出油せず、事業は失敗に終わった。技師に不審を抱いた石坂はダン技師を解雇したが、この措置に対してダン技師は、3年間の雇用という契約に違反するとして裁判を起こし、石坂は実質敗訴となった。1873年から1876年までの間、実子宗之助（後に山岡鉄舟養子）を渡米させて製油技術を学ばせ、1874年には自らも渡米している。

相良油田の開発

この間、1872年5月に静岡県榛原郡相良で、旧徳川家家臣村上正局によって石油が出油したとの報を聞いて、石坂は早速現地に赴いて、国家のための事業として共同採掘を申し入れた。東京石油会社に相良支社が設置され、1873年10月には米国製の掘削機を用いて、出油を見る。わが国機械掘りの成功第1号であった。

その後、石坂が米国に出張している間に、東京石油会社は資金的に行き詰まり、相良での事業は一時債権者の手に移ったが、帰国後、取り戻しに成功し、1881年5月に相良石油会社として再興した。1898年に日本石油が新潟県の西山油田（長嶺）で成功したと聞くと、石坂も新潟県に移って掘削を開始し、1899年9月になって西山油田の蒲田3号井で待望の出油を見た。出油成功の4年後、1903年5月にわが国石油開発の先駆者、石坂周造は、波瀾万丈の生涯を閉じた。71歳であった。

相良油田は太平洋岸唯一の油田として、最盛期の1884年には240坑の井戸が掘られ、約600人が作業にあたり、年間721キロリットル（ドラム缶3600本）が採油された。出油量は少ないものの、精製せずに自動車用燃料となる世界的に希な軽質油で、1950年代まで80年近く生産が続いた。

相良油田の中心地、菅ヶ谷には「油田の里公園」が整備され、園内には相良油田資料館や井戸掘り小屋が復元されている。附近一帯には油田関係の遺蹟が多く残っており、1980年に県の文化財に指定されている。1950年に開坑した機械掘りの櫓は相良油田最後の石油坑である。最初の機械掘り成功の場所には記念碑「わが国機械掘り発祥の地」が建てられている。また隣接する菅ヶ谷の丘の上には「三枚碑」と呼ばれる関係者3人の碑がある。中央に石坂周造、右側に長男山岡宗之助、左側に村上正局の碑が並び、石坂の碑には「少壮世を憂い、晩節国を富ます」と記されている。（浅野伸一）

石油機械掘り発祥の地
2020年撮影

県指定文化財の石油櫓　相良油田資料館蔵

三枚碑　2020年撮影

ゆかりの地へのアクセス

【油田の里公園・相良油田資料館】

➡静岡県牧之原市菅ヶ谷2525-1　東名相良牧之原ICより車で20分

石坂周造をもっと知るために

◉日本石油史編集室 編『日本石油史』1958年
◉相良町 編『相良町史』下、1996年
◉川原崎次郎「日本近代石油産業発達史論」、『地域史研究』1996年

うつのみやさぶろう

宇都宮三郎 1834-1902

和魂洋才の快男児

最初期の化学技術の発展に貢献

出典：『舎密から化学技術へ』

宇都宮三郎	
1834 年	名古屋に尾張藩士の子として出生
1858 年	脱藩
1861 年	幕府の蕃書調所へ出役
1869 年	「解剖願い」提出。開成学校出仕 化学専門の私塾開設
1872 年	工部省へ異動。岩倉使節団の一員に加わる
1875 年	湿式製造法によりセメント焼成成功
1878 年	造幣局において炭酸ソーダ製造装置を設計
1881 年	生命保険加入（加入者第１号）
1882 年	工部大技長に任命
1883 年	「築竃論」発表
1884 年	工部省を依願退職
1893 年	『醸酒新法』刊行
1902 年	東京の自宅において結核のため死去

宇都宮三郎は、1834（天保 5）年、尾張藩士神谷半衛門義重の三男として名古屋車道（くるまみち）（現在の名古屋市中区新栄）に生まれた。当初の名前は神谷銀次郎重行だったが、兄が神谷家の家督を継いだ際、藩へ届け出て姓を宇都宮、名を小金次に改めた。三郎の名は、1870（明治 3）年頃から称した。（何度か改名しているが、以下名を三郎で統一）

少年時代の三郎は、藩校の明倫堂に入ったものの読書が嫌いで四書五経の学問が合わず、武芸修行を理由に 3 年で退学した。学問の代わりに打ち込んだのは転心流組打と甲州流軍法、砲術だった。尾張藩士上田帯刀（たてわき）の下で西洋流砲術を学び、西洋の知識に触れる機会を得た三郎は、『海上砲術全書』を読むうちに離合学に興味を持ち、それまで特に熱心に修業していた組打もやめてしまい、昼夜の区別なく砲術と離合学の勉強に熱中した。

最後の武士・蘭学者

1853（嘉永 6）年に三郎は、尾張藩の命令でペリーの再来航に備える

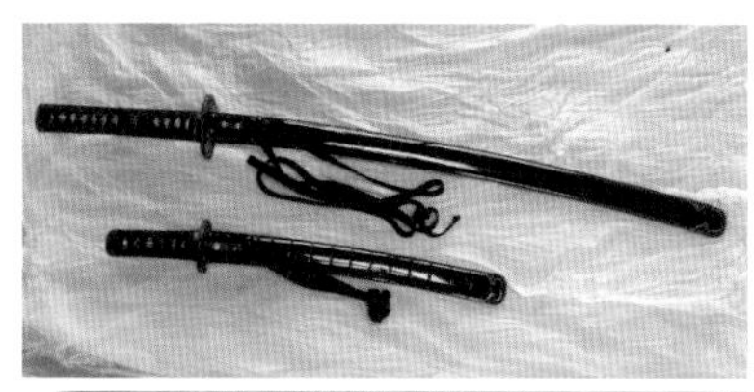

宇都宮三郎佩刀拵え　幸福寺蔵（非公開）
2022 年撮影
拵えには宇都宮家の紋（丸に十字の轡紋、三巴紋）とともに、三葉葵紋が付けられており、徳川家からの拝領品と考えられる。

ため、江戸へ派遣された。江戸での三郎は、砲台を築くなど藩士としての務めのかたわら、砲術家や蘭学者と広く交わった。またこの頃、着発弾の開発に成功し、砲術家としての名声を高めた。

そして 1857（安政 4）年、三郎は尾張藩からの帰国命令に従わず脱藩した。翌年再び江戸にもどり、桜の馬場でおこなわれていた幕府の大砲鋳造を指導した。この際、三郎は試薬などを自製して砲金の定量分析を正確におこない、これが公式におこなわれた初めての化学分析とされている。

その後三郎は、摩擦管の精巧な複製や、紀州新宮藩が造った洋式帆船・丹鶴（たんかく）丸の修理と江戸への回航などもおこない、懇意になった勝海舟に勧められて 1861（文久元）年に幕府の蕃書調所（ばんしょしらべしょ）（のちの洋書調所）へ出役するようになった。1863 年に洋書調所が開成所と改称される際には、精錬方を化学方に、製錬所を化学所に改めるよう三郎が提案・主張し、それまでの舎密学や離合学に代わり、公式に化学の名称を採用させた。

1866（慶応 2）年、第二次長州征伐従軍中に重い病になった三郎は、以後の幕府の瓦解を病床から眺めることになった。一時危篤状態になった三郎は、1868（明治元）年に大学東校（現在の東京大学医学部）へ「解剖願」を提出し、日本初の献体希望者となった。

近代化学技術の開拓

奇跡的に病が癒えた三郎は、1869 年に明治政府から開成学校（現在の東京大学）への出仕を命じられた。そして 1872 年には工部省へ異動となり、1884 年まで、技術官僚として化学技術分野から日本の近代化を推進した。1882 年には、叩き上げの技官として最高位と言える工部大技長に任じられた。明治政府の下でおこなった数多くの事業の代表例として、セメントの国産化と炭酸ソーダ製造設備・工場の設計が挙げられる。

セメントの国産化は、三郎が 1873 年から研究に取り組み始め、1875 年に三郎の指導により完成した湿式製造法による工場で、国内の

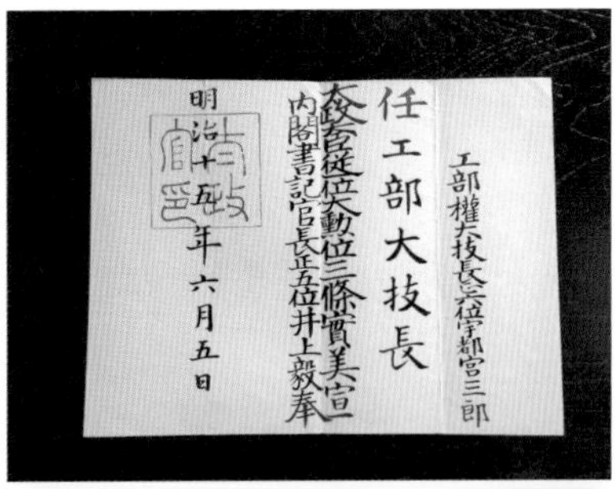

工部權大技長正五位宇都宮三郎
任工部大技長
奉 太政官 從一位大勲位三條實美宣
内閣書記官長正五位井上毅奉
明治十七年六月五日

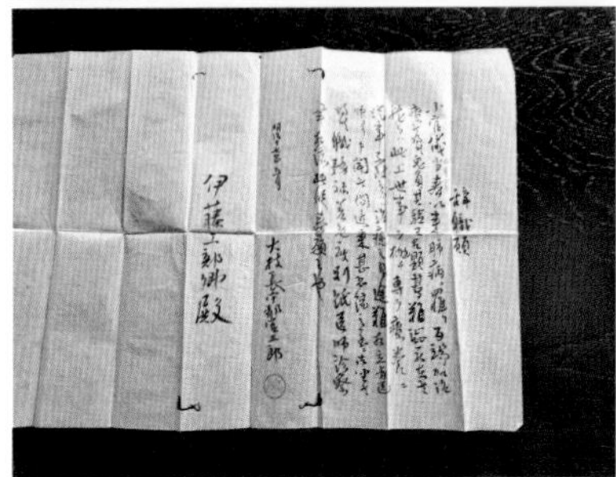

工部大技長辞令（上）と辞職願控え（下）
幸福寺蔵（非公開） 2022 年撮影
幸福寺には、明治政府からの辞令類 60 点余を含む三郎の遺品が伝わっている。
これらの遺品類は、日本化学会の化学遺産に認定されている。

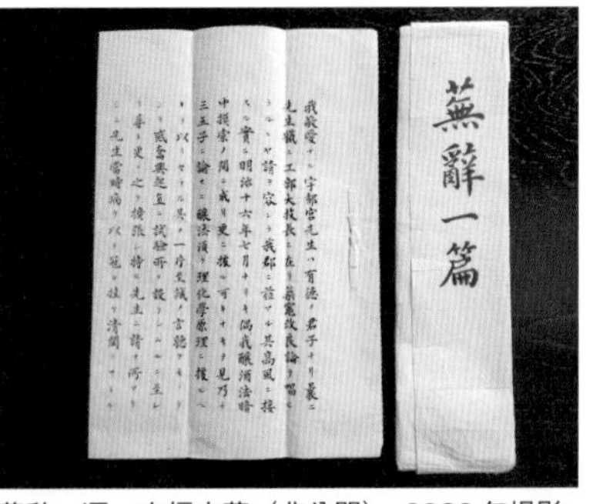

蕪辞一遍 幸福寺蔵（非公開） 2022 年撮影
1901 年一時期危篤状態に陥った三郎に半田亀崎の醸造家たちが送った感謝状。醸酒法の改良指導など、三郎に対し強い恩義を持っていたことを感じさせる。

材料を用いてセメント焼成に成功した。また大阪造幣局における炭酸ソーダの製造では、三郎は1878 年にルブラン法による炭酸ソーダ製造所の設備・設計をおこなった。この事業は、三郎が最も苦心惨憺した事業であり、60 日間徹夜して取り組んだと伝えられている。

1884 年、三郎は突然、工部省を依願退職する。この辞職は、三郎のように蘭学の系譜をひく旧世代から、工部大学校で体系的な工学教育を受け、この時期に活躍し始めた新世代の日本人技術者への世代交代の意味を持つ。辞職願にはその理由を肺病と記しているが、新世代が第一線で動きやすくするために、三郎が進んで官職を退いたのではないかと推察している。

政府以外で、または辞職後に三郎がおこなった主な事績として、日本初の化学専門の私塾の開設、紙やすりの製法の伝授、木炭窯の設計、『築竈論（ちくそうろん）』による改良かまどの案出、平地窯の開発、火葬法の改良、『醸酒（じょうしゅ）新法（しんぽう）』につながる醸造法の研究、解石散の製法伝授や石鹸製造の指導、電力会社設立への協力が挙げられる。その他にも、人造氷の国内初製造成功や、生命保険加入者第一号になるなど、幅広い活躍をしている。

これらの足跡を見ると、三郎は、近代化への時代の要請の中で官民等の境界もなく、学理の実地応用を自らの責務としていたように感じる。その強烈な個性は同時代の人たちに「其為人ヲ窺ヘバ豪胆ナルガ如ク細心ナルガ如ク奇人ナルガ如ク君子ナルガ如ク人ヲシテ殆ド端倪スル所ヲ知ラザシムル」「武士的教育が先入主となり堅忍不抜な骨組を形り其れに欧米的筋肉を配したものが彼の性格を形成していた」などと評されている。

化学技術者の先駆け

1902年7月23日、東京都芝区豊岡町の自宅において、三郎は結核により世を去った。三郎の遺体は、自身が考案・製作した防腐装置付の特殊な棺に納められ、先祖ゆかりの幸福寺（豊田市）に葬られた。近親者に対しては「（棺を）33年後に開けてみよ。きっと死んだ時の姿のままでいるであろう」と語ったと伝えられている。以前願い出た献体はおこなわれなかったが、遺体を自らの実験に用いたとも考えられる三郎らしい最期とも言える。

宇都宮氏墓所　幸福寺　2022年撮影
向かって右側が三郎、左側が妻女・貞の墓。墓所の前には、亀崎の醸造組合（錬業会）が寄贈した石灯篭一対が据えられている。

宇都宮三郎とは、日本の近代化においてどのような存在だったのだろうか。工部大学校校長や工部技監を務めた大鳥圭介が『宇都宮氏経歴談』の緒言に寄せた文章に、それは端的に示されている。曰く「本邦ニテ泰西ノ理化学ニ因リ新タニ工芸ノ端緒ヲ開キ、其嚆矢ヲ射テ正鵠ヲ失セズ率先文明ノ嚮導者タルモノハ何人ナルヤ吾親友宇都宮三郎君其人ナリ」と。（天野博之）

ゆかりの地へのアクセス

【宇都宮氏墓所、神谷氏（宇都宮三郎先祖）墓所】
➡愛知県豊田市畝部西町屋敷51幸福寺内　愛知環状鉄道上郷駅より東へ約2km、徒歩30分

【本邦セメント工業発祥之地　碑】
➡東京都江東区清澄1-2　地下鉄半蔵門線清澄白河駅より西へ約600 m、徒歩8分

【造幣博物館】
➡大阪府大阪市北区天満1-1-79　JR西日本東西線大阪天満宮駅より東へ約1㎞、徒歩15分

宇都宮三郎をもっと知るために

- ◉豊田市郷土資料館『舎密から化学技術へ—近代技術を拓いた男・宇都宮三郎』2001年
- ◉天野博之／新井和孝「化学技術者の先駆け 宇都宮三郎資料」『化学と工業』vol.67-7、2014年
- ◉名古屋汲古会『宇都宮氏経歴談』1932年
- ◉幸福寺では、宇都宮三郎の顕彰行事が年1回程度開催されている。詳細は、主催の地域人文化学研究所HPを参照。

服部長七（はっとりちょうしち） 1840-1919

石をつくったとんでもない男
人造石工法による土木事業の開拓者

岩津天満宮蔵

服部長七	
1840 年	三河国碧海郡棚尾村生まれる
1874 年	東京でたたき屋となる
1876 年	長七たたきを考案
1877 年	博覧会で品川弥二郎から激賞される
1878 年	岡崎の夫婦橋をたたき工法で築造
1881 年	博覧会後「人造石」と呼んだ。高浜で服部新田堤防を人造石で築造
1882 年	岡山の吉備開墾社の築堤をおこなう
1889 年	広島の宇品港の築港竣工
1897 年	四日市旧港の潮吹き防波堤の築造
1901 年	明治用水旧頭首工の堰堤築造
1902 年	名古屋港埋め立て堤防の築造
1904 年	一切の工事から手を引く
1912 年	岡崎の岩津天神山に隠棲
1919 年	80 歳没

生い立ち

服部長七は、1840（天保 11）年に三河国碧海（へきかい）郡棚尾村（現 碧南市）の左官屋の三男として生まれた。30 歳頃まで各地で職を遍歴し、1874（明治 7）年東京でたたき屋となる。東京市民にきれいな水を提供するため、たたきによる濾水器（ろすいき）を考案最中に、水中で固まる「長七たたき」を考案した。1876 年のことである。長七たたきとは、マサ土と消石灰を混ぜ、水か海水で練り合せたもので、空気中の炭酸ガスを吸収して固まり石のようになる。

長七は、「長七たたき（人造石）」の技法を大規模土木工事に応用した土木事業のパイオニアである。明治期のセメントが普及する過渡期において、土木工事の正式工法として、人造石工法は全国各地の築港、護岸、樋管（ひかん）などの工事で採用された。

品川弥二郎子爵の後ろ盾

1877 年の第 1 回内国勧業博覧会で長七は、泉水池の噴水器の工事を請け負った。樋竹では噴水しないこ

宇品港の現場風景　岩津天満宮蔵

とがわかり、自費で木樋を伏せて、見事噴水させる。この工事は明治政府の官僚・品川弥二郎子爵から激賞された。手間も賃金も眼中にない長七は、並みの者ではないと見込まれた。長七の信用度が高まったのは、品川子爵の後ろ盾があったからである。長七は、これ以後、各地の大工事にかかわることができるようになった。

人造石の名を受け、全国に普及

1878年、岡崎の夫婦橋をたたき工事で築造した。

第2回内国勧業博覧会開会前、会場内の泉水池のたたき工事を視察した農商務省外国人から、「人造石は何で作っているか」と聞かれたことから、以後「人造石」と呼ぶようになった。1882年、高浜の服部新田堤防を人造石で築くことに成功。岡山吉備開墾社の社員に人造石工法の秘法を伝授し、その普及に努めた。

1884年、広島の千田貞暁県令から人造石工法で宇品築港を請け負ったが、難工事のため工事費が膨れて完成が遅れた。千田知事は新潟県知事に任命され、その完成を見ないまま広島を去っている。

その後、長七は、愛媛県三津浜の波止場新田に築堤、佐渡の相川港の護岸、熱田白鳥貯木場樋門、生野銀山の貯水池、豊橋の神野新田干拓堤

明治用水旧頭首工の遺構　1996年撮影

四日市旧港潮吹き防波堤　2017年撮影

防の築堤、台湾の基隆(キールン)淡水港改築、四日市旧港の潮吹き防波堤の築堤、矢作川の明治用水旧頭首工、碧南の前浜新田護岸、および愛知県下の樋管、樋門など多くの人造石工事をおこなった。

1904年、長七は一切の工事から手を引き、後に岡崎の岩津天神山に隠栖し、天満宮を再建して1919年80歳で大往生を遂げた。（大橋公雄）

【人造石と人造石工法】

服部長七の人造石は、古来からある左官の技法「たたき」を応用したものである。たたきは、サバ土（真砂(まさ)土、花崗岩の風化したもの）と消石灰とにがりの3種類の材料を合わせることから三和土(たたき)とも言い、これを混ぜて水で練り、たたきしめたものを「たたき」と呼んでいた。昔の土間、壁、農家の地下蔵などに用いていた。サバ土と石灰岩が産出される地域で「たたき」は用いられた。服部は、「長七たたき」を使って内国勧業博覧会に出品し、その作品を見た外国人から「人造石」という呼称を得た。服部はその人造石（たたき）でもって大規模な土木工事の堰堤に応用できる人造石工法に成功した。人造石工法は、たたきと割石による土木工法で、明治政府高官の品川弥二郎に認められ、広島の宇品港築港をはじめ、愛知や西日本各地の港湾・築堤工事などで使用された。

愛知県の土木工事の正式工法として採用され、名古屋港築港や愛知県各地の堰堤、樋門、樋管などの工事に使用された。

名古屋港３号地の堤防を人造石と割石で構築

ゆかりの地へのアクセス

【明治用水旧頭首工】➡愛知県豊田市室町　矢作川左岸側

【服部長七の寿蔵碑】➡愛知県岡崎市岩津町字東山　岩津天満宮境内

【四日市旧港潮吹き防波堤】

➡三重県四日市市高砂町　JR 関西本線四日市駅より 1km、徒歩 20 分

服部長七をもっと知るために

◉飯塚一雄「人造石工法による明治期土木構造物」『日本の産業遺産—産業考古学研究』1986 年

◉中根仙吉『服部長七伝』1996 年

◉浅井久夫『服部長七物語』2011 年

臥雲辰致 1842-1900

発明益世、其業大慈

日本独創の技術、ガラ紡

個人蔵

臥雲辰致	
1842 年	信濃国安曇郡小田多井村に生まれる
1861 年	安楽寺の智順和尚に弟子入り
1867 年	臥雲山孤峰院の住持となる
1871 年	廃仏毀釈により孤峰院廃寺、還俗して臥雲辰致と改名
1873 年	最初の太糸用ガラ紡機を発明
1876 年	松本開産社内でガラ紡機製造
1877 年	第１回内国勧業博覧会に綿紡機として出品、鳳紋褒章牌受章。愛知県の三河にガラ紡機初導入
1878 年	波多村の川澄多けと結婚
1881 年	第２回内国勧業博覧会に改良ガラ紡機を出品、進歩二等賞受賞
1888 年	改良ガラ紡機の特許出願
1890 年	第３回内国勧業博覧会に綿紡機、測量機、蚕網織機を出品
1898 年	蚕網織機の特許取得
1900 年	59 歳没

生い立ち

臥雲辰致は、1842（天保 13）年、信濃国安曇郡小田多井村（現 安曇野市堀金）の横山家の次男として誕生した。幼名は横山栄弥といい、父は横山儀十郎、母はなみである。家業は、農業兼足袋底の問屋であった。

1861（万延 2）年、家業と関連の糸つむぎから綿糸紡績機の発明に熱中したので、近くの安楽寺に弟子入りさせられ、智栄と名乗った。1867 年、臥雲山孤峰院の住持となるも、孤峰院は明治初めの廃仏毀釈で廃寺となったのを機に還俗し、臥雲辰致と改名した。

内国勧業博覧会で好評を博した綿紡機

臥雲辰致は還俗後、1875（明治 8）年、東筑摩郡波多村（現 長野県松本市波田）の川澄家に田畑、山林の測量で逗留した。この間も、綿糸紡績機の改良に努力する。松本開産社内の連綿社で綿紡機の製造を始めた。

1877 年 10 月、東京、上野で開催された明治 10 年内国勧業博覧会に綿紡機（後のガラ紡績機、ガラ紡機と

内国勧業博覧会で鳳紋褒賞を受賞した綿紡機の復元機　安城市歴史博物館蔵

略）を出品、ワグネル(G. Wagener)から「本会第一の発明品」との高い評価を受け、鳳紋褒賞牌と證状を授与された。これを契機に、ガラ紡機を知る者が国内に多数現れた。臥雲のガラ紡機は機構が簡単で製造しやすく、特許制度も未整備だったこともあり、模倣品が各地で製造販売され、臥雲自身は経済的には恵まれなかった。

1881年の第2回内国勧業博覧会に改良した紡績機を出品、進歩二等賞を受賞するも、洋式紡績の糸質同様の向上を求められ、改良機は普及することはなかった。

三河、矢作川流域で普及したガラ紡

1877年の第1回内国勧業博覧会で高評を得た臥雲のガラ紡機は、綿業の盛んな三河にいち早く伝えられた。同年12月、三河、西尾の宮島清蔵がガラ紡機を購入、額田郡常盤村滝（現 岡崎市滝町）で野村茂平次方の水車を借りて紡績を始めた。水車紡績の始まりであった。以後、矢作川の各支流一帯には水車紡績の工場が軒を連ね、最盛期の1939（昭和14）年には、百万錘を超えるガラ紡機の設備があった。

一方、幡豆郡横須賀村（現 西尾市吉良町）の鈴木六三郎は、1877年に臥雲からガラ紡機の技術指導を受け、翌1878年に矢作川で船紡績を始めている。この船紡績、明治末期には100艘余の機械船が矢作川に浮かんでいた。

1921（大正10）年、三河紡績同業組合は、岡崎市朝日町の朝日公園内に臥雲辰致顕彰碑を建立した。題額には、「澤永存」（「偉人の恩沢永遠に」の意）、そして碑文には、「発明益世 其業大慈」と臥雲のガラ紡機発明の功績を讃えている。

1961（昭和36）年、岡崎市制45周年の際、臥雲辰致は岡崎市の名誉市民に推挙されている。

臥雲辰致顕彰碑

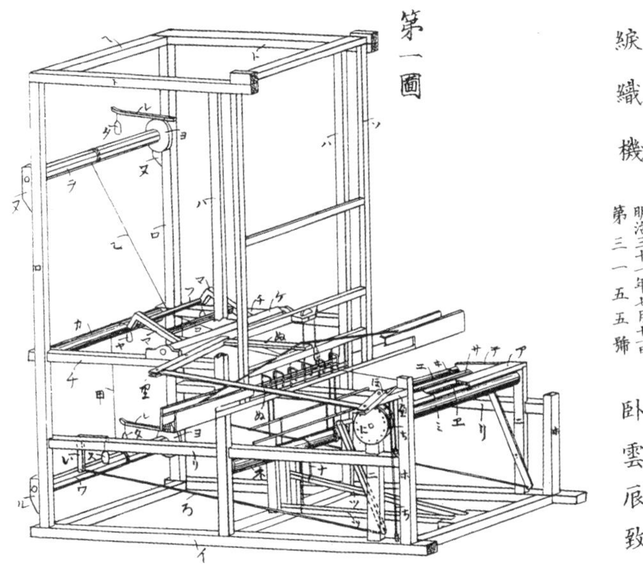

綟織機（蚕網織機）の特許の図

蚕網織機（綟織機）の発明

臥雲辰致は、1890 年、外国式の織機を応用した蚕網織機を発明し、第 3 回内国勧業博覧会に出品、三等有功賞を受賞する。臥雲の蚕網織機は、経糸の綟の間に緯糸を通した細かい目の網を織る綟織織機であった。細かい目の蚕網は養蚕に適していたため、博覧会で賞を得たこととも相俟って、蚕網織機を独占的に製造販売することができ、臥雲はようやく貧しい生活から抜け出すことができたのであった。（臥雲弘安）

【臥雲辰致の読み】

臥雲辰致の名の読みについて、「たっち」の他に「ときむね」と読む説がある。「ときむね」説は、第 1 回内国勧業博覧会の英文出品目録に TOKIMUNE と書かれていることが出所である。臥雲辰致は筆者の祖父に当たるが、どちらが正しいのかわからない。辰致が晩年に住んだ川澄家では、妻多けが「たっち」と呼んでいたとのことで、辰致が僧侶であったこともあり本書では「たっち」としておく。

ゆかりの地へのアクセス

【臥雲辰致顕彰碑】

➡愛知県岡崎市朝日町 3-36-5　せきれいホール前　名鉄名古屋本線東岡崎駅より徒歩 11 分

臥雲辰致をもっと知るために

◉ガラ紡を学ぶ会 編『臥雲辰致・日本独創のガラ紡』2017 年
◉村瀬正章『人物叢書　臥雲辰致』1965 年
◉榊原金之助『ガラ紡績業の始祖　臥雲辰致翁伝記』1949 年

小渕志ち（おぶちしち） 1847-1929

並一通りでない生涯を描いた製糸家

玉糸製糸の開拓者

出典：『小渕志ち 法雲庵了願』

小渕志ち	
1847年	上野国勢多郡富士見村に出生
1862年	前橋の製糸場に住み込み工女
1863年	富士見村の自宅に座繰り工場開業
1879年	3月、糸繭商中島徳次郎と出奔。7月、二川村で座繰り開始
1884年	三河で伝染病流行、無籍者として入牢
1885年	100坪の製糸工場建設
1886年	夫徳次郎獄死、「糸徳工場」と名づける
1892年	糸徳工場を玉糸専業工場とする
1893年	八王子、京都、福井方面に取引開始
1897年	二川本町に工場拡張移転
1901年	三遠玉糸同業組合を組織
1913年	名古屋離宮にて大正天皇拝謁
1926年	第三工場の釜数800、工女900名
1929年	82歳没

生い立ち

小渕志ちは、1847（弘化4）年、上野国（こうずけのくに）勢多（せた）郡富士見村（現 前橋市富士見町）の百姓父小渕徳右衛門、母たつの二女として生まれた。幼い頃から母親の繰糸を見て育ち、母から習った繰糸の手伝いをして家計を助けた。15歳のとき、前橋の蔦（つた）屋製糸に住み込み工女となる。数十人いた工女の中でも抜群の成績を上げ、主人に見込まれ、繭（まゆ）の仕入れや糸売買の取引なども見て覚えたとされる。惜しまれつつも1年で退社して、自宅で座繰（ざく）り工場を始める。

17歳のとき婿養子を迎え入れて結婚する。しかし夫は酒癖が悪くて乱暴もあり、4度の流産を経験。ついに耐えかねて、32歳のとき糸繭商の中島徳次郎（旧名 伊勢松）と出奔する。5度目にようやく授かった盲目の娘を置いての苦渋の決断であった。後に志ちは「一生の不覚」と語っているが、それだけ追い詰められてのことであった。

1929（昭和４）年の糸徳本工場　出典：『改訂版　玉糸の町豊橋　糸徳製糸』

豊橋で製糸工場を始める

志ちが最初に出向いた地は、製糸があると伝え聞いた遠州であった。しかし三河の田原に繭があると知り田原（現 田原市）に向かう。その途中、宿泊した三河二川宿（現 豊橋市二川町）で志ちが語った知識の豊富さに宿の主人が惚れ込み、その後豊橋で製糸業を始めるきっかけとなる。田原では座繰り機４台を使った繰糸法の伝授をおこなうが、コレラの流行で早々に田原を切り上げる。この時、二川宿の住人からの熱意に動かされ、豊橋で製糸場を設けた。出奔４カ月後の 1879（明治 12）年７月のことであった。

立ち上げた製糸場は、借家であったが 12 名の工女を雇い、繰糸法を教えながら製糸をおこなった。しかし無籍者であったため、工場明け渡し要求などで幾度かの移転を余儀なくされた。工女も 1880 年に 25 人、1881 年に 36 人と順次増やし、1885 年には後に糸徳工場となる大岩（現 豊橋市大岩町）の土地 300 坪を購入し、自社工場（工場 100 坪、釜数 40、工女 50 名）を持つこととなった。

苦難は続く

志ちが豊橋で製糸を始めた頃は、豊橋でも朝倉仁右衛門、前田伝次郎が製糸工場を創設し、富岡製糸場に工女を派遣するなど、蚕都豊橋の息吹が醸成される時期でもあった。そのため、工女の争奪も激しく、志ちの製糸場で養成された工女の引き抜

糸徳第三工場での繰糸風景　出典：『蚕糸ふたがわ―小渕志ちと女工の生活』

きも絶えなかった。それ以上に志ちを苦難に陥れたのは、1884年に伝染病が流行った際に、志ち、徳次郎夫妻が無籍者として逮捕され、志ちは無罪となったものの、夫とこれを助けた僧侶が偽造文書の罪で懲役刑となり、2年後に夫が獄死したことであった。この時、志ちは、徳次郎の名を採って工場名を「糸徳工場」と名づけた。

玉糸の繰糸技術を開発

玉糸とは、蚕2頭以上で一つの繭を作った玉状の玉繭から繰った糸のことをいう。玉繭は繭糸が絡まっているため、蚕1頭で作った精繭（単繭）と違って製糸はほとんど不可能であった。そのため屑繭として扱われ、繭を手で開いて広げた真綿にするか、これを用いた紬糸として利用されるしかなかった。

これに着目したのが志ちであった。当時は養蚕技術も途上で玉繭などの屑繭が2割前後出ることもあった。玉繭から糸が繰れれば広く織物にも利用できる。そう考えた志ちは、日夜その繰糸法開発に明け暮れ1892年に成し遂げる。そして同年、まだその専用工場がなかった時代に、志ちの糸徳工場を最初の玉糸専門工場に衣替えする。後に名を馳せる「玉糸の町豊橋」の最初の工場であった。

志ちが開発した玉糸製糸法は、一つめは玉繭に精繭を混ぜて繰糸したこと、すなわち精繭と玉繭との割合をおよそ7：3〜5：5の範囲としたことであろう。二つめは煮繭技術の改良、すなわち繭をほぐしやすくする湯温とその時間を見極め、それに微量の苛性ソーダを注入したことと思われる。そして、よく知られているのが繰糸の際に繭の糸口を取り出す独特な箒の開発であった。写真にあるように工女が右手に持つ箒である。当初はほうき草（モロコシ）が広く用いられた。

蚕都豊橋に情熱を傾ける

志ちの開発した玉糸製糸法は、それまで真綿から作った紬糸生産に革命をもたらした。玉糸はまた節糸とも呼ばれ、当時は普段着であった銘仙や紬、太織などの製品に広く用いられるようになり、その産地の八王子や京都、福井などに取引が広がった。こうして、玉糸の町豊橋の名が全国に知られることとなった。1901年には玉糸の製品格付けのため、この時までに69工場に拡大していた玉糸業者による玉糸同業組合も組織され、ロシアへの輸出も始めている。これらの功績により、大日本蚕糸会から功労表彰や、1913年には陸軍特別大演習に際し名古屋離宮にて大正天皇拝謁の栄誉も賜っている。女性として初の拝謁でもあった。

（天野武弘）

小渕志ち銅像　2023年撮影

ゆかりの地へのアクセス

【糸徳工場跡（石柱）】

➡愛知県豊橋市大岩町東郷内　JR東海道本線二川駅より徒歩12分

【小渕志ち銅像】

➡愛知県豊橋市大岩町火打坂 岩屋緑地内　JR東海道本線二川駅より徒歩14分

小渕志ちをもっと知るために

◉鈴木開道『小渕志ち 法雲庵了願』1932年

◉豊橋市近世民俗資料調査委員会 編『豊橋蚕糸の歩み』1975年

◉小渕志ちと女工の生活を調べる会 編『蚕糸ふたがわ—小渕志ちと女工の生活』1976年

◉橋山徳市『改訂版　玉糸の町豊橋　糸徳製糸』1987年

服部俊一（はっとりしゅんいち） 1853-1928

神に近い人格者

紡績界を牽引した機械技術者

出典：『工学博士　服部俊一氏追想録』

服部俊一	
1853年	長門国厚狭郡有帆村に生まれる
1871年	長州の藩儒服部東陽の塾に入塾。服部東陽の養子となる
1877年	東京新栄教会で洗礼
1881年	工部大学校機械科を卒業。兵庫工作分局に奉職
1886年	海軍省艦政局に奉職。
1887年	尾張紡績株式会社設立時に入社。英国渡航、紡績所勤務、紡績学を学ぶ
1888年	帰国、尾張紡績取締役兼支配人
1896年	桑名紡、知多紡の工務顧問兼務
1905年	三重紡績株式会社工務長
1912年	三重紡績株式会社取締役
1914年	東洋紡取締役
1915年	工学博士
1928年	76歳没

生い立ち

服部俊一は、1853（嘉永6）年、長門国厚狭（あさ）郡有帆（ありほ）村（現 山口県山陽小野田市）に父蘭医竹田良安、母キミの次男として生まれた。俊一は、幼少の頃から漢書、漢籍を学び、18歳のとき、長州藩儒であった服部東陽の塾に入り洋算を学ぶ。1871（明治4）年の冬に、門下から選ばれて服部東陽の養子となる。

翌1872年に上京して塾に通学、1875年に工部大学校機械科に入学。この間義兄に感化されて聖書を学び、1877年に洗礼を受ける。1881年の29歳のとき工部大学校機械科第三期生として卒業する。同期には日本機械学会を創設した真野文二（まのぶんじ）などがいた。

英国で紡績技術を習得する

服部俊一は、卒業とともに兵庫工作分局（兵庫造船所）に奉職し、機械科長を命ぜられる。5年後に海軍省艦政局に転任する。その1年後の1887年に、請われて尾張紡績（名古屋財界の奥田正香（まさか）（本書304ページ）

が発起人）の会社設立時から携わり、紡績機械購入のため同時に入社した岡田令高（のぶたか）（官営の愛知紡績所所長歴任）とともに英国に渡る。

英国では、オールダムやミドルトンの紡績工場で6カ月間職工として従事するなど、紡績業の実務を習得。またマンチェスター工業学校の夜間部に通い紡績学を勉強する。1年後に帰国し、同社の工務支配人として尾張紡績開業期の任務に携わる。

尾張紡績の柱石となる

1889年に開業した尾張紡績にはミュール精紡機とリング精紡機合わせて5300錘が設置された。ところが開業間もない1891年に濃尾地震で被災する。しかし服部はめげず、新たに1735坪の工場を新築し、1894年には主力機械をリング精紡機に変えて約2万7000錘（ミュール精紡機含め約3万錘）を設備して拡張している。取締役支配人として陣頭指揮した服部は、機械選定から設置に至るまでほとんど一人でおこなったことから、尾張紡績柱石の人とも称された。

尾張紡績は1905年に三重紡績に合併、服部は工務長に就任した。その後1914（大正3）年に三重紡績と大阪紡績が合併して設立した東洋紡績の取締役を務めている。

尾張紡績工場全景　出典：『工学博士　服部俊一氏追想録』

桑名、津島、知多で紡績会社を

1880年代の綿糸紡績勃興期の後を受け、1890年代になると、各地に紡績会社が次々開業していく。東海地方で開業した紡績工場のうち、服部は桑名紡績（1895設立）、津島紡績（1895開業）、知多紡績（1896設立）の顧問も兼任し、工場立ち上げ期の設計及び監督をおこなった。その工場配置はみな尾張紡績が手本となっていた。

服部のその仕事ぶりは、機械の整備、作業方法など間然とするところがないと評された。余は技術家である、と語っていたように常に紡績設備に注視した技術者であった。またキリスト教徒として、寡黙ではあったが部下への慈愛などから、神に近い人格者として尊敬もされていた。

（天野武弘）

服部俊一をもっと知るために

◉飯島誠太『工学博士　服部俊一氏追想録』1929年
◉絹川太一『本邦綿糸紡績糸』第4巻、日本綿業倶楽部、1939年

大岡 正（おおおか まさし） 1855-1909

生涯を通じて奮闘的生活
水力発電のパイオニア

大岡宏氏蔵

大岡 正	
1855 年	江戸牛込に生まれる
1872 年	工部省電信寮
1887 年	海軍省に転じる（1893 年まで）
1892 年	箱根電灯会社技術長、湯本発電所完成
1896 年	岡崎電灯属託
1897 年	岡崎電灯岩津発電所運転開始
1901 年	三河電力属託技師
1906 年	東海電気（三河電力後身）監査役
1907 年	岐阜電気取締役
1909 年	54 歳没

生い立ち

水力技師大岡正は、わが国水力発電のパイオニアである。遠距離送電の実用化に成功し、1907 年頃からの水力ブーム期には中部地方を中心に数多くの水力発電所建設に携わった。

大岡は、1855（安政 2）年 9 月、直参旗本の鳥山億右衛門の子息として江戸牛込に生まれたが、この年 10 月に起きた安政江戸地震で両親を亡くし、同じ旗本の大岡家の養子となった。戊辰戦争の際は、榎本武揚の率いる開陽丸に乗船して奥州に向かおうとして失敗し、捕縛されることもあった。

日本 2 番目の湯本発電所を建設

1872（明治 5）年、大岡は知人の電信技術者寺崎遜に誘われて逓信省電信寮に入り、卒業後は工部省の電信技師として全国の電信線路建設に 15 年間従事した。1887 年、海軍省へと移り水雷研究等に携わったが、たまたま手にした米国の工業雑誌で水力発電事業の勃興したことを知り、自分も水力発電に生涯をかけたいと

箱根電灯所湯本発電所内部　箱根町郷土資料館蔵

思うようになった。

1892年2月、37歳の大岡は海軍省を辞して水力技師へと転じた。すでに1889年8月頃から、水力地点を求めて箱根山中を探索し、地元の名望家福住九蔵等の協力を得て、箱根電灯所を起こし、湯本発電所の建設に取り組んでおり、この年6月、須雲川の流れを利用する直流25kWの湯本発電所を完成させ、湯本、塔ノ沢に電灯を供給した。京都市営の蹴上発電所（1891年）に次いで、事業用としてはわが国2番目の水力発電所であり、森鷗外の小説「青年」にも湯本発電所の灯りが出てくる。

湯本発電所の完成以降、大岡は、浜松電灯の富塚発電所（1893年）、豊橋電灯の梅田川発電所（1894年）、熱海電灯の熱海発電所（1895年）、八幡水力電気の乙姫滝発電所（1898年）等を手がけるが、流量測定の不備、機械の不完全等の事情も重なってトラブルが続き、時には山師呼ばわりされることもあった。

画期となった岩津発電所

大岡の水力事業の画期となったのは、岡崎電灯の岩津発電所の建設である。1895年10月、岡崎を訪れた大岡と、地元の事業家杉浦銀藏、近藤重三郎、田中功平の三人との話し合いから始まった事業であった。岡崎郊外の奥殿村日影地点（後に岩津村、現 岡崎市日影町）に、矢作川支流の郡界川を利用する出力50kWの発電所が建設され、1897年7月に完成している。岡崎の町まで16㎞を送電したが、水力発電の懸案となっていた遠距離の送電を実現するもので、完成後は全国から見学者が相次いだ。発電所の建設により道路が整備され、郡界川沿いには水車動力を用いるガラ紡工場の進出が相次いだ。

岡崎電灯岩津発電所外観　『愛知県写真帖』

1900年12月に大岡の指導監督のもとで増設（52kW）がおこなわれ、岡崎電灯発展の礎となった。建替えられてはいるが、今日も現存する中部地方最古の発電所である。

次いで、大岡は岡崎電灯の関連会社、三河電力の発電所建設にも関わり、1902年9月、矢作川の支流田代川に小原発電所（現 川下発電所、100kW）を建設した。三河電力は、まず瀬戸町（現 愛知県瀬戸市）に送電し、余勢をかって名古屋にも進出し、1905年10月には東海電気へと改称した。愛知郡千種町（現 名古屋市千種区）に変電所を設け、中央線千種駅から日清戦役記念碑（広小路通り、旧県庁前）までを配電するなど名古屋電燈と激しい競争を繰り広げた。日露戦争の影響で石炭価格が高騰し、火力発電が主体だった名古屋電燈は押され気味であった。当時、名古屋電燈は、名古屋財界・東京財界連合で計画された名古屋電力の脅威を受けていたので、1907年6月に極めて好条件を提示することで東海電気を合併した。

小原発電所（現 川下発電所）内部装置　峯沢基夫氏蔵

水力ブーム下の水力発電所建設

岩津発電所の成功により、大岡は経験豊かな水力技師としての評価が高まった。日露戦後の1906年頃から水力ブームが始まり、大岡のもとには全国各地の水力事業者から相談が寄せられた。中部地方で関わった発電所には、岐阜電気・小宮神発電所（岐阜県揖斐郡揖斐川町）、中津電気・大西発電所（岐阜県中津川市）、巌倉水電・巌倉発電所（三重県伊賀市）、明知町営矢伏発電所（岐阜県恵那郡明智明知町）、福島電気・杭ノ原発電所（長野県木曽郡木曽町）がある。

このほか大岡の活躍の舞台は、関西水力電気の白砂川発電所（奈良県奈良市下狭川町）・布目川発電所（京都府相楽郡笠置町）、南海水力電気の修理川発電所（和歌山県有田郡石垣村）、甲府電灯の芦川発電所（山梨県西八代郡）、鳥取電灯の荒船発電所（鳥取県）など関東・関西から中国地方に広がり、大岡が生涯に関わった事業用の発電所は18カ所に及んだ。

また、晩年の大岡は関係する電気会社の役員にも就任するようになった。東海電気の監査役（1906年）、

岐阜電気小宮神発電所外観　中部電力蔵

岐阜電気の取締役（1907年）、鳥取電灯の監査役（1907年）、南海水力電気の相談役（1907年）などである。

仕事に忙殺される中、大岡の体は病に冒され、1909年2月、自宅のある名古屋市で没した。54歳であった。

当時の水力技師一般がそうであったように、大岡は一つの会社に留まらず、会社から会社へ、発電所から発電所へと渡り歩いて仕事をしている。仕事は、中部地方を中心に、18発電所（うち岩津・川下・小宮神・芦川・布目川・荒船の6発電所が現存）におよび、草創期の水力事業の発展に大きく貢献した。

クリスチャンであった大岡を看取った牧師吉川逸之助は、大岡の生涯を振り返り、「一生を通じて奮闘的生活なりき。氏は殆ど学修の暇なくして能（よ）く最も深奥なる学術応用せりと称せらるる電気事業を志ざされ、殊に水力電気事業につきては日本に於ける嚆矢（こうし）」となったと告別の言葉を語っている。（浅野伸一）

ゆかりの地へのアクセス

【湯本発電所跡】
➡神奈川県足柄下郡箱根町湯本。湯本橋近い吉池旅館前に「日本水力発電発祥地跡」の碑

【岩津発電所】
➡岡崎市日影町大日影5-5　愛知環状鉄道三河豊田駅より約11㎞

【川下発電所】
➡豊田市川下町　名鉄三河線猿投駅より約16km

大岡 正をもっと知るために

◉浅野伸一『水力の夜明けに』1997年
◉大岡正「日本水力事業一班」、『電気協会会報』第3号、1903年
◉大岡正「箱根山電気の追想」、『電気之友』第225号、1909年

丹羽正道（にわせいどう） 1863-1928

電灯線を張りめぐらした男
中部地方の電力の夜明け

出典：『シンポジウム中部の電力のあゆみ第4回講演報告資料集』

丹羽正道	
1863年	尾張藩の儒学者丹羽氏任の長男として生まれる
1881年	工部大学校に入学
1886年	名古屋区役所で白熱灯・アーク灯の点灯実演。工部大学校、帝国大学工科大学となる
1887年	工科大学電気工学科卒業。名古屋電燈の技師長に就任
1889年	名古屋電燈、中央発電所の開業
1894年	岐阜電灯の電気設備の施工
1896年	豊橋電灯の電気設備の施工
1897年	四日市電灯の電気設備の施工
1899年	名古屋電燈を辞職。大阪に丹羽工務店を開設。大阪市営電気鉄道の主任技師
1916年	ダイヤゴナル・ラジアル台車の発明。名古屋に戻り、名古屋工務所を開設。
1928年	65歳没

生い立ち

丹羽正道は尾張藩の儒学者丹羽氏任（うじとう）の長子として、名古屋の新町二丁目（現 名古屋市中区広小路御園）に生まれた。愛知県中学校を卒業して上京し、1880（明治13）年、大学予備門（第一高等学校の前身）を経て、1881年に工部大学校の官費生として入学した。工部大学校は普通科、専門科、実地科の2年ごと6年制で、実地科では1886年に米エジソン電気会社の派遣技師コンプトンの監督下で内閣官報局印刷所の電灯工事と、児玉隼槌（しゅんつい）に従い大阪紡績・三軒家工場の電灯工事に参加し、黎明期の電灯工事技術の実務を身に付けた。

三重県・名古屋の電気点灯試験

1883年、愛知県は士族救済の勧業資金として政府より10万円の貸与を受けた。資金活用案には養蚕業、紡績業なども挙がったが決定しなかった。そこで旧名古屋藩士で愛知県衛生課長の丹羽精五郎（正道の叔父）は、旧士族の事業として電灯事業が最適であると主張した。同じく旧名古屋藩士で工部省技師の宇都宮三郎（本書176ページ）も、「電灯事業の将来性は大きい」と精五郎を支持した。

1886年11月3日に工科大学学生の丹羽正道は、三重県庁（三重県津市）において、「日本赤十字社三重県支部総会」の「アトラクション」として三吉工場製の移動式発電機を使った電灯点火の実演をおこなった。出張で参加した精五郎はこの機を捉え、名古屋で電灯の実演を正道に要請した。

正道は1886年11月26日から12月2日までの間、名古屋区役所の会議室で白熱電球40灯、アーク灯1灯の点灯実演をおこなった。初めて電灯を目にした名古屋の政財界人から、「灯光爛々四を射て人目を驚かし」と称された。エジソンの電灯発明後7年にしてこの地に初の電灯の灯が点された。これを機に電灯事業の設立に世論の気運が一気に高まった。勧業資金の10万円のうち、7万5千円を電灯事業に振り分けることになり、名古屋電燈株式会社の設立が決定した。

名古屋電燈の技師長として

丹羽正道は1887年7月、帝国大学工科大学（現 東京大学工学部電気工学科）を首席で卒業し、同年9月に設立された名古屋電燈に技師長として招聘された。1887年10月から翌年4月まで、正道と叔父精五郎

1891年の濃尾地震後の名古屋電燈本社。電柱腕木の＋－印から直流送電である
愛知県図書館蔵

は、電気事業の調査と電気機器の買い付けに米国、欧州に渡った。

米国では発明王エジソンを訪ね、指導を受けた。エジソン研究所では歓迎され、発明したばかりの蓄音機に二人の声を吹き込んで聞かせてくれたという。発電機は当時最も優れているエジソン式を採用するため、東洋の専属代理店であるフレザー商会と契約を結ぼうとした。しかし米国内よりも遙かに高い価格を提示されたため、正道はエジソンから同等性能品を製造するドイツのアルゲマイネ・エレクトリテーツ・ゲゼルシャフト（AEG）の紹介を受けた。二人は大西洋を横断し、英国・ロンドンに全権大使西園寺公望（さいおんじきんもち）を訪ね、AEG発電機購入の支援を頼んだ。西園寺の指示で領事本多学而（ほんだがくじ）が商談に加わり、ドイツで格安にてエジソン型10号発電機（25kW）4基を購入できた。

1889年3月、欧米視察中に注文した汽缶（ボイラ）・機器の到着の近づく中、「電灯中央局設立願」を名古屋第一

1907年頃の名古屋市広小路通り。この頃はすべて交流送電に切り替わっている。
出典:『写真集　愛知百年』中日新聞社、1986年

警察署宛に提出した。認可にあたり、「但(ただし)火災ノ虞(おそれ)ナキ様精々注意スベシ」の但書きが添えられた。電灯中央局の工事は東京電灯会社によっておこなわれ、1889年11月3日に落成した。発電機はエジソン式10号発電機(AEG製、出力25kW)4基、直流250V三線式、煙突の高さ24.7m、発電所建屋264㎡であった。発電所は名古屋区入江町一番地、同長島町無番地38番戸(現在の電気文化会館裏手)にまたがる敷地に建設された。

最初に発注した電球を積載した船舶がスエズ運河沖で沈没したため開業は遅れて12月15日となった。東京電灯、神戸電灯、大阪電灯、京都電灯に続いて全国5番目の開業であった。開業時、点灯数400余戸、植柱(電柱)391本、電線路の総延長12.24km、毎日日没から3時間点灯であった。

地方の電気事業への貢献

丹羽正道は、電気技術者として各地の電灯会社に出かけ、岐阜電灯(1894年)、豊橋電灯(1896年)、四日市電灯(1897年)などの電気設備の設計に携わった。また仙台電灯(1894年)の創設にも協力している。

正道は1899年、名古屋電燈を辞して大阪に丹羽工務所を開設した。大阪市の顧問に就任し、大阪市電気鉄道敷設の主任技術者を委嘱され市電工事にも携わった。電車のカーブ運転の技術である丹羽式ダイヤゴナル・ラジアル・トラックを発明し、鉄道技術にも貢献した。正道は、そのほか、幾つかの会社の顧問、嘱託や技師を兼務していた。

1900年、名古屋電燈では日清戦争後電灯需要は増加し、その範囲も拡大していたので、名古屋電燈の要請に応じて正道は、石炭輸送の便利な堀川筋の水主町(かこまち)に第3発電所(交流発電)の建設、機器の据付け、運転開始まで監督を務めた。

1916年に正道は名古屋に戻り、矢場町に名古屋工務所を開設、生涯、電力事業の発展に尽くし、1928年1月66歳で逝去した。(市野清志)

丹羽正道をもっと知るために

◉『シンポジウム中部の電力のあゆみ第4回講演報告資料集—電気技術の開拓者たち』中部産業遺産研究会、1996年

豊田佐吉（とよださきち） 1867-1930

障子を開けてみよ、外は広いぞ
国産自動織機の発明に賭けた生涯

出典：『豊田佐吉傳』

豊田佐吉	
1867 年	遠江国敷知郡山口村に生まれる
1890 年	豊田式木製人力織機を発明
1895 年	豊田商店を設立。糸繰返機を発明
1896 年	木鉄混製動力織機を発明
1902 年	豊田商店を豊田商会に改称
1899 年	三井物産と井桁商会を設立
1903 年	T式自動織機を発明
1910 年	アメリカ、ヨーロッパを視察
1918 年	豊田紡織株式会社を設立
1921 年	上海に豊田紡織廠を設立
1924 年	無停止杼換G型自動織機を完成
1926 年	豊田自動織機製作所を設立
1929 年	英国プラット社へ自動織機の特許権利を譲渡
1930 年	63 歳没

生い立ち

豊田佐吉は、1867（慶応3）年、遠江国（とおとうみのくに）敷知郡（ふちのごおり）山口村（現 静岡県湖西市）に生まれた。父伊吉は、農業を営むかたわら大工職でもあり名匠であった。佐吉は、寺子屋から小学校に代わる明治初頭の、過渡期の学校教育を経た後、父の大工仕事を手伝いながらその技を習得した。当時、村は困窮しており、公共のために尽くしたいと考えるようになった。

特許条例、よし此処（ここ）じゃ

1885（明治18）年、専売特許令が公布され、その内容に啓発されて佐吉は、発明で身を立てる第一歩を踏み出した。佐吉の郷里は手織木綿の産地で、農家にあったハタゴ（バッタン付高機）に注目し、織機の改良・発明を生涯の仕事にする決意を固めた。佐吉は1890年23歳の時、ハタゴを改良した「豊田式木製人力織機」を発明、翌1891年に最初の特許「織機」（第1195号）を取得した。

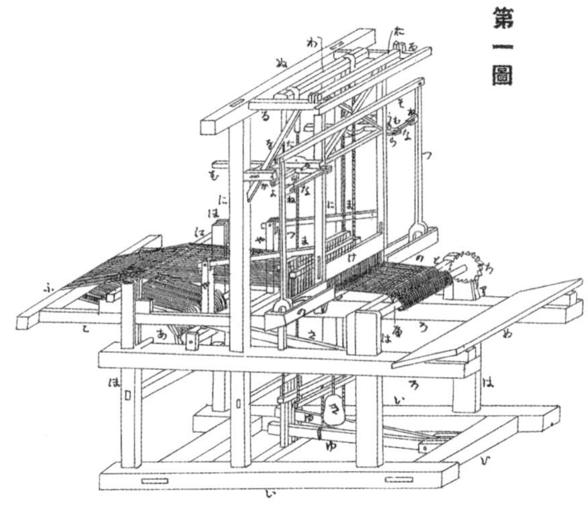

豊田佐吉の最初の特許第1195号（1891年）の図

1895年、研究開発の経済的基盤確立のために豊田商店を設立し、経糸を準備するための高効率の糸繰返機（1895年特許）を開発、販売を開始した。糸繰返機は順調に売れて経済的基盤を確立し、動力を使った豊田式汽力織機（1898年特許）を開発、その販売のために三井物産と提携し、井桁商会を設立した。井桁商会では動力織機の製作指導と発明に専念することとなったが、不況のため力織機の注文が激減し、井桁商会を離れて豊田商店を豊田商会に改称し再起を図った。

1903年、糸切れを自動検知したり、緯糸を自動的に交換する自動杼換装置を発明し、世界で初めての無停止杼換式自動織機、豊田式鉄製自動織機（T式）を発明、日本人として自動織機に関する最初の特許を取得した。

中国、上海への事業展開

豊田商会が順調に発展したのを見た三井物産は、資本家から資金を調達し、1906年に豊田式織機株式会社（社長は谷口房蔵）を設立、佐吉は常務取締役となった。しかし、日露戦争後の不況の影響で会社は赤字を出し、多額の研究費を使う自動織機の開発は無用とされ、1910年、佐吉は豊田式織機を去ることとなった。失意の佐吉であったが、三井物産の藤野亀之助の誘いで欧米視察に行き、織布工場、織機工場、紡織工場を見学し、自分の発明が欧米に劣るものではないと自信を取り戻した。

1911年1月、欧米視察から帰国して資金集めに奔走し、同年10月、名古屋市西区栄生町に自動織機開発のための豊田自動織布工場（1918年に豊田紡織株式会社、現トヨタ産業技

旧豊田紡織本社工場の紡績工場（現 トヨタ産業技術記念館） 1990年石田正治氏撮影

術記念館）を設立した。経営が軌道に乗ると、1921（大正10）年にかねてからの思いである民間外交の実践と開発資金確保のために、中国の上海に豊田紡織廠を設立した。この時、海外進出に反対する親族に対して言った言葉が本項タイトルの「障子を開けてみよ、外は広いぞ」である。

無停止杼換式自動織機G型（1924年）
トヨタ産業技術記念館蔵

英国プラット社が世界一と賞賛

佐吉は自動織機に関係する特許を、1903年から中国進出の1921年までの間に26件も取得していたが、実用となる自動織機はなお開発途上であった。佐吉は経営を利三郎や西川秋次に任せ、息子の喜一郎（本書144ページ）や部下たちとともに何度も発明と改良を加えて、1924年、57歳の時に自働杼換装置（二次式）を発明（特許第65156号）、集大成と言える「無停止杼換式豊田自動織機（G型）」を完成させた。

後の1929（昭和4）年、自動織機G型をみた英国プラット社の視察員は、マジック・ルーム（魔法の織機）と感嘆したという。同年12月、プラット社との自動織機特許の権利譲渡に関する「豊田プラット契約」が成立した。日本人の発明が特許権の譲渡を求められたことは、日本の発明が世界に認められたということであった。この契約金は、その後の豊田の自動車事業進出への資金の一部となった。

1926年には自動織機を製造、販売する会社として豊田自動織機製作所を設立した。佐吉は1930年10月に亡くなったが、1933年に豊田自動織機製作所は自動車の製造を社業に加えることを決議、喜一郎が自動車部門を立ち上げ、現在のトヨタ自動車の礎となった。（加藤真司）

ゆかりの地へのアクセス

【豊田佐吉記念館】
➡静岡県湖西市山口113-2　JR東海道線鷲津駅より徒歩25分
【トヨタ産業技術記念館】
➡名古屋市西区則武新町4-1-35　名鉄名古屋本線栄生駅より徒歩3分

豊田佐吉をもっと知るために

◉豊田佐吉翁正伝編纂所『豊田佐吉傳』1933年
◉梶西光速『人物叢書　豊田佐吉』吉川弘文館、1962年
◉静岡県湖西市教育委員会 編『湖西が生んだ偉人—豊田佐吉』1990年

土橋長兵衛（つちはしちょうべえ） 1868-1939

忘れられた発明家、鉄の長兵衛さん

日本で最初の電気炉製鋼を開発

出典：『信州の人と鉄』

土橋長兵衛	
1868年	土橋治三郎の次男として上諏訪に生まれる。幼くして土橋総本家「亀屋」の養子となり、長兵衛を襲名
1904年頃	諏訪湖畔の渋崎に電気冶金の工場を建て、製鋼実験を繰り返すも失敗
1907年	松本島内に亀長電気工場を建設し、本格的に製鋼の仕事に取り組む
1909年	電気炉による鋼の製造に成功、翌年に高速度工具鋼を製出
1911年	社名を土橋電気製鋼所と変更
1917年頃	第一次世界大戦による好況で事業拡大
1920年代	戦後不況で事業縮小
1935年	昭和恐慌の中で破産し、島内工場は日本電気工業へ譲渡
1939年	71歳没

生い立ち、金物商「亀長」

土橋長兵衛（幼名は田実治（たみじ））は1868（慶応4）年に上諏訪の酒造業「万年屋」土橋治三郎の次男として生まれ、幼くして土橋総本家「亀屋」の養子となった。「亀屋」が貧窮していて、小学校を卒業すると家業の金物屋を再興するために働き、第十三代長兵衛を襲名し「亀長」と名乗った。向学心が強く、諏訪にいた牧師から英語やドイツ語を学ぶなど独学を続けた。兄の八千太（やちた）はカトリックの洗礼を受けて15歳の時に上京し、上海を経てフランスに留学した。パリ大学で天文学・数学・神学を学んでいる。帰国してからは上智大学の創立に関わり、第三代学長を務めた。

長兵衛は金物商として輸入品を多く扱っていたことから、「外国で作れるものが日本でもできないことはない」と考え、洋書により独学で冶金学を勉強し、自宅裏に鋳物工場を設けるに至っている。1904(明治37)年頃から諏訪湖畔の渋崎に電気冶金の工場を設立して、そこで小型の電気炉を使って製鋼実験を繰り返したが失敗した。「小規模にては目的を達すること不可能を悟り」、1907年に豊な電力を求めて松本島内に亀長電気工場を建設し、本格的に製鋼の仕事に取り組むようになった。

日本最初の電気炉製鋼の開発

安曇電力は中房川に長野県下最大の宮城発電所（出力250kW）を建設し、余剰電力をかかえていた。亀長電気工業はこの豊富な電気エネルギーを利用した。長兵衛が独自に開発したエルー式風のアーク電気炉によって鉱石銑ないし合金銑（フェロアロイ）をまず製造し、1909（明治42）年1月31日に鋼の製造に成功して、翌年に高速度工具鋼を製出した。1911年に社名を土橋電気製鋼所と変更している。その後、第一次世界大戦期に全盛時代を迎えるまで、工場は松本島内のほか、松本清水および箕輪の3カ所に設置された。

島内工場には電気製銑炉3基と電気製鋼炉2基が設置されていた。これらの電気炉はフランスで開発されたアーク炉の原理を適用としたものであるが、それがなぜ時をおかずに長兵衛によって開発されたのであろうか。『明治工業史 鉄鋼篇』（工学会、1929年）に「東京帝国大学教授俵国一及び海軍工廠の技師等に教えを乞い、……」とあり、1907年頃に俵研究室に海軍給費生として在学

日本最初の電気製銑炉（島内工場）　出典：『信州の人と鉄』

所有者の変遷を示す工場用地の登記（部分）
1907（明治 40）年に長兵衛が購入し、電気製鋼を始めた土地は、土橋電気製鋼所、日本電気工業、昭和電工に引き継がれた
北野進氏提供

していた吉川晴十（後に東京帝大教授）が長兵衛と俵教授とをつなげたようである。吉川は茅野玉川の出身だった。長兵衛はしばしば俵を訪ね、俵も松本の工場に赴いて指導している。長兵衛はメモに「明治四十一年十二月二十一日鉱石ヨリハジメテ銑鉄製造ヲ実施生産スル。明治四十二年一月三十一日鋼ノ製造ヲオコナウ。右製品ハ帝国大学教授俵国一博士ノモトメニ応ジ、明治四十二年二月七日各小片ヲ大学ニ於テ同博士ニ渡ス」と書き残している。

その後の土橋電気製鋼所

高速度工具鋼はもっぱら呉海軍工廠、陸軍砲兵工廠に納入され、第一

日本電気工業・松本工場（1937 年頃）　出典：『安曇野の近代化遺産―技術史再考』

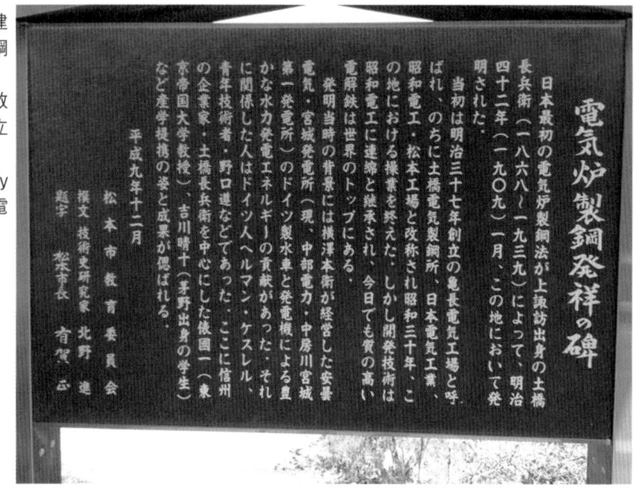

亀長電気工場の跡に建てられた「電気炉製鋼発祥の碑」
松本市島内に松本市教育委員会によって建立された。
出典：Foursquare City Guideのwebサイト「電気炉製鋼発祥の碑」

次世界大戦で輸入品が途絶する中、事業は拡大し、長兵衛は長野県の高額納税者に名を連ねた。しかし、大戦の終了にともなう不況のため特殊鋼生産を中止し、事業の縮小をよぎなくされた。長兵衛は大正末期からは純度の高い電解鉄製造の研究に没頭し財産を失っていったが、晩年には取得した特許は9件を数えている。昭和恐慌の中で破産に至り、1935（昭和10）年には島内工場は日本電気工業に譲渡され、1939年には昭和電工松本工場となる。

「もう三十年は生きて百歳までに人造金を必ず完成する」と夢を抱きながら、1939年に長兵衛は71歳の生涯を閉じた。「電気炉製鋼発祥の碑」が1997年12月に島内工場跡に建てられている。（黒田光太郎）

ゆかりの地へのアクセス

【電気炉製鋼発祥の碑】

➡長野県松本市島内4661

https://ja.foursquare.com/v/電気炉製鋼発祥の碑/553c3e1c498e4eca6560e9c3

市道8730号線沿いの信濃毎日新聞松本専売所島内営業所の敷地内に松本市教育委員会による碑が建てられている。碑の題字は松本市長有賀正、撰文は北野進による。

土橋長兵衛をもっと知るために

◉北野進『安曇野の近代化遺産―技術史再考』近代文芸社、2007年
◉北野進編著「電気炉製鋼の発明者・土橋長兵衛」『信州の人と鉄』信濃毎日新聞社、1996年、pp.31-54
◉北野進「電気炉製鋼―忘れられた発明家土橋長兵衛」『日本の「創造力」近代・現代を開花させた四七〇人』第9巻、日本放送出版協会、1993年、pp.161-176
◉大橋周治「付論Ⅱ土橋長兵衛―わが国最初の電気製鋼」『幕末明治製鉄史』アグネ、1975年、pp.310-319

吉浜勇次郎（よしはまゆうじろう） 1869-1934

義侠心に富み、責任感旺盛
豊橋麻真田製造の創始者

出典：『郷土豊橋を築いた先覚者たち』

吉浜勇次郎	
1869年	武蔵国橘樹郡程ヶ谷に生まれる
1890年代	駒場農学校（東大農学部）中退、横浜でリンネル加工業創業
1905年	豊橋で輸出用リンネルハンカチの糸抜き業の吉浜商店開業
1909年	麻真田の製造を開始
1911年	吉浜の開業に触発され、豊橋の麻真田業者20社に急成長
1926年	豊橋輸出麻真田工業組合設立、理事長就任
1933年	豊橋の麻真田生産額全国一に尽力
1934年	65歳没

生い立ち

吉浜勇次郎は、1869（明治2）年7月2日、武蔵国橘樹郡程ヶ谷（むさしのくにたちばなぐんほどがや）（現 横浜市保土ケ谷区）の一農家で生まれる。幼少の頃から曲がったことが嫌いで、頭脳明晰といわれた。駒場農学校（現 東京大学農学部）に学ぶが、中退して、横浜で亜麻（あま）を原料としたリンネル加工業を創業する。しかし事業に挫折して家督を弟に譲り、1905年に妻子とともに愛知県の豊橋に移住している。

豊橋で麻真田業を立ち上げる

当時の豊橋は、麻糸や麻製品の集散地と知られ、漁網やロープなど、麻を原料とした産業が盛んな地であった。吉浜がここで最初に手掛けた仕事も麻を原料とする輸出用のリンネルハンカチの糸抜き業であった。横浜へも頻繁に出向いていたある日、1906年に横浜で製造が開始されたばかりの麻真田（あさざなだ）に目が留まった。これが契機となり、1909年に豊橋で最初となる麻真田業を創業する。

麻真田とは、麻製の帽子の材料と

麻真田の帽子　愛知大学生活産業資料館蔵

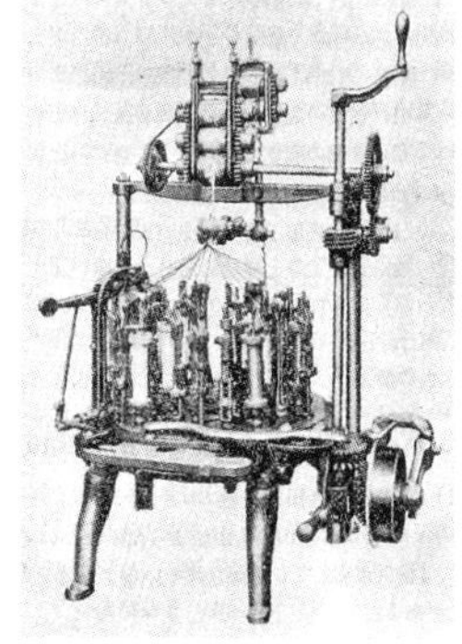

製紐機
出典：『組物及び組物機械』

なる平たい紐である。7本打ちと呼ばれる7本の麻糸を組み上げた細幅の紐や、少し幅広の13本打ちなどの麻紐を少し重ねて、環状に縫い合わせて帽子にしていくが、とくに婦人用のマニラ麻を原料とした麻真田の帽子は、アメリカや欧州向けの輸出品として人気を博していた。

ちなみにこの紐は、織物ではなく組物で、この紐を作るための複雑な機構を有する製紐機（せいちゅうき）を必要とした。当初はすべて輸入品であったが、1912年頃には国産化も成り、横浜を中心に新潟県の柏崎や豊橋が麻真田の主産地として栄えた。

愛知県下で初の工業組合を設立

吉浜の豊橋での最初の活躍は、麻真田が輸出品として有望であることを広めたことである。創業2年後の1911年には豊橋の麻真田業者は20名を数え、設置された製紐機は1300台と急速に拡大する。豊橋での麻真田生産額は、その後、吉浜の尽力もあって、1933（昭和8）年には先進地の神奈川をおさえて全国第1位（全国比40%）を記録している。

そしてもう一つ、吉浜の功績は、重要輸出品工業組合法が発布された翌年の1926（大正15）年に、豊橋輸出麻真田工業組合を設立したことである。これは同法に基づく愛知県下最初の工業組合となり、全国的にも2番目となる設立であった。

一方麻真田は、ほとんどが輸出品であったことから、好不況の波をもろに受けた産業であった。それだけに苦労も多く、日本輸出麻真田工業組合連合会（工連）理事長も兼ねていた吉浜は、東奔西走していた最中の上京中に工連事務所で倒れ、満65歳で帰らぬ人となった。義侠心に富み、責任感旺盛であったともいわれた吉浜は、最後まで麻真田産業発展のために動き続けた人物であった。（天野武弘）

吉浜勇次郎をもっと知るために

●豊橋市立商業学校 編『東三河産業功労者伝』豊橋市立商業学校、1943年
●青木祐介／天野武弘／野口英一朗「横浜・豊橋における麻真田製造」『横浜都市発展記念館紀要　第2号』横浜都市発展記念館、2006年

鈴木禎次（すずきていじ） 1870-1941

時代を洋風建築で表現
近代名古屋をつくった建築家

名古屋工業大学蔵

鈴木禎次	
1870年	鈴木利享長男として静岡で誕生
1896年	帝国大学造家学科を卒業。帝国大学大学院で鉄骨構造研究
1897年	三井銀行建築掛に就職する
1899年	三井銀行大阪支店の設計を担当
1901年	処女作の三井銀行大阪支店竣工
1903年	文部省より命じられ欧州へ留学
1906年	名古屋高等工業学校の建築科長
1910年	鶴舞公園計画と噴水塔ほか設計
1911年	半田の中埜家別邸が竣工する
1913年	共同火災保険名古屋支店が竣工
1916年	岡崎銀行本店が竣工する。夏目漱石の葬儀で総括責任者
1917年	夏目漱石墓標をデザインし完成
1922年	教授職を退官し鈴木建築事務所
1925年	名古屋矢場町の松坂屋本店竣工
1933年	豊田喜一郎氏の邸宅が竣工する
1941年	71歳没

生い立ち

鈴木禎次は1870（明治3）年に駿河国（するがのくに）静岡（現 静岡県静岡市）で生まれた。父、鈴木利亨（としゆき）は徳川家の旗本の家柄であり、当時、徳川慶喜の駿府行に随行し、東京からこの地に移住していた。のちには家族とともに東京に戻っている。

帝国大学工科大学造家（ぞうか）学科（現 東京大学工学部建築学科）を1896年に卒業すると、大学院に残り、鉄骨耐震構造を研究する。これが縁で帝大先輩の横河民輔（よこがわたみすけ）に請われて、1897年、三井銀行建築係に就職し、三井銀行本店、三井大阪支店などの設計を通じて実務を学んだ。

1903年、文部省の命でイギリスとフランスに留学、3年半に及ぶ留学を終えて帰国、1906年、36歳のとき、新設されたばかりの名古屋高等工業学校の建築科教授として赴任した。欧州留学と名古屋高等工業学校への赴任は、帝大の恩師辰野金吾（たつのきんご）の配慮であった。これが鈴木と名古屋をつなぐ始まりとなった。

鈴木は名古屋高等工業学校で教鞭をとる傍ら、建築設計活動を始めた。

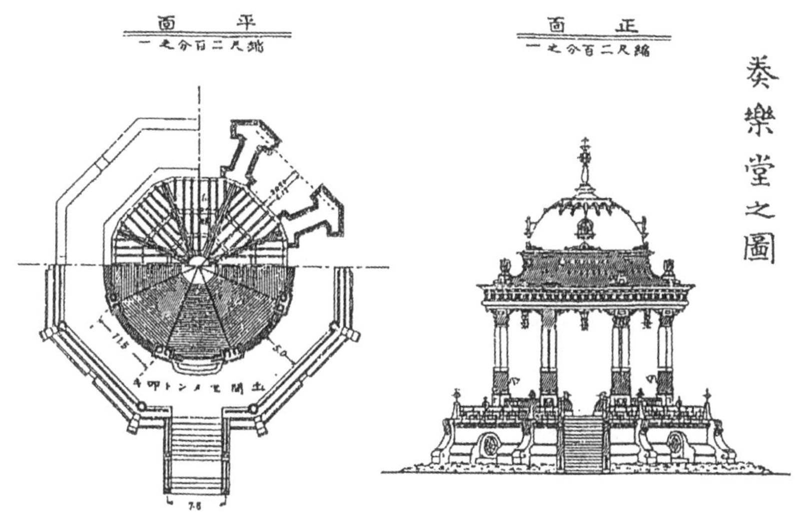

鶴舞公園奉楽堂の図　出典：『第十回関西府県連合共進会事務報告』

鶴舞公園噴水塔　2019 年撮影

赴任後最初に設計した鶴舞公園噴水塔・奏楽堂、愛知県商品陳列館では、設計に教え子の鈴川孫三郎、桃井保憲、星野則保（第 1 回卒業生）が協力している。

53 歳のとき退官して名古屋における草分け的存在となる鈴木建築事務所を開設し、業務に専念した。約 80 の建築作品は三大都市圏を中心に分布しており、うち 44 棟は名古屋市内にある。さまざまな洋風様式を取り入れた銀行、百貨店、事務所建築といった建築作品を多く残した。

1941（昭和 16）年に没したが、建築界では彼を称えての鈴木禎次賞が設定された。また、鈴木は夏目漱石の義弟でもあり、漱石葬儀の総括責任者も務めている。

第二世代の建築家

鈴木禎次は、日本人建築家として第二世代に位置する人物群の一人である。第二世代の建築家とは、日本銀行本店と東京駅を設計した辰野金吾（1854 − 1919）や、辰野の同期生であり京都国立博物館や赤坂離宮迎賓館の設計者である片山東熊（1854 ～ 1917）ら第一世代のすぐあとに続く近代建築家の世代である。

第 2 世代には、ふたつの歴史的な使命が課されていた。ひとつは建築教育の学窓を全国各地にともすことであった。第一世代の課題は、イギリス人お雇い教師ジョサイア・コンドル（1852 － 1920）を中心として実践された西洋建築教育を、日本人の手で発展させていくことであった。これを受けて第二世代の建築家たちの中には、幾人かのプロフェッサー・アーキテクトが含まれる。つまり彼らは教授として建築設計教育を日々つづけながら、一方では見事に設計行為をもこなす建築家であった。名古屋高等工業学校の鈴木禎次、京都高等工芸学校と京都帝国大学の武田五一（1872 － 1938）、早稲田大学の佐藤功一（1878 － 1941）などが代表的な人材で、名古屋・京都・東京の地で歴史に残る優秀な門下生を育てた。この時代から大正期にかけては、東京高等工業学校、東京美術学校、日本大学、横浜高等工業学校、福井高等工業学校、神戸高等工業学校ほかにも建築学の専門課程が開設されている。

旧岡崎銀行本店　2019 年撮影

第二世代のもうひとつの役割は、西欧諸国の建築学では問題視されなかった自然現象の克服である。ヨーロッパでは大きな困難とはなり得ない大地震という日本特有の課題解決であった。鈴木禎次は帝国大学大学院時代に横河民輔（1864 － 1945）という東大建築学科で初めて鉄骨構造を講義した技術者の指導を得て、構造力学の研究をした。数学の才能と力量を認められた結果である。他の第二世代をみると、武田は京大土木工学出身の日比忠彦（1873 － 1921）という鉄筋コンクリート造の研究者をパートナーとした。また佐藤は自分の同期生である佐野利器（1880 － 1956）東大教授の下で大学院を修了した内藤多仲（1886 － 1970）を早大の助教授に招く。内藤は名古屋のテレビ塔（中部電力 MIRAI TOWER）や東京タワーの設計者として知られる。

鈴木禎次の活躍ぶりは官立専門学校の教授職であり、建築構造の専門家でもあり、さらに建築作品の設計者でもあった。とりわけ鶴舞公園を実作品とする公園計画や、ヨーロピアン・スタイルの歴史的様式建築などを巧みに意匠した。これらのスタイリッシュな西洋建築物を鈴木自身は、美術建築と呼んでいた。その代表が鶴舞公園噴水塔と奏楽堂であり、半田の中埜家別邸であり、旧岡崎銀行本店として今日わたくしたちの眼前に姿を見せてくれる。

共同火災保険名古屋支店　1980 年撮影

名古屋工業大学内の鈴木禎次記念碑
2019 年撮影

筆者（水野）は辛うじて鈴木禎次の孫弟子にあたる。伊藤三郎、浅野清、城戸久、鈴木雅太郎という鈴木禎次の現役教授時代直伝の卒業生、その後の非常勤講師時代の教え子、鈴木設計事務所所員の各先生方から幾多の興味深い話題を聞くことができた最後の世代である。なお 1980 年まで名古屋納屋橋の東側で広小路に面して北側に建っていた共同火災保険名古屋支店は、筆者の学部生時代には東海地域で最初の鉄筋コンクリート構造の実例であるとされていた。しかし解体工事中に、この建築物は山型鋼（アングル）を用いた組み立て圧縮材の骨組に、鉄筋で補強した鉄骨鉄筋コンクリート造であったことが判明した。様式建築の意匠だけでなく、地震に耐える工夫をも学んだ鈴木禎次らしい美と構造を兼備した代表作であったといえる。

（水野信太郎）

ゆかりの地へのアクセス

【鈴木禎次記念碑】
➡愛知県名古屋市昭和区御器所町 名古屋工業大学内　JR 中央線鶴舞駅より徒歩 5 分
【鶴舞公園の噴水塔と奉楽堂】
➡愛知県名古屋市昭和区鶴舞一丁目　JR 中央線鶴舞駅より徒歩 1 分
【旧岡崎銀行本店】
➡愛知県岡崎市伝馬町 1-58　名鉄名古屋本線東岡崎駅より徒歩約 10 分

鈴木禎次をもっと知るために

◉『日本の建築［明治大正昭和］8 様式美の挽歌』三省堂、1982 年
◉瀬口哲夫『名古屋をつくった建築家鈴木禎次』名古屋 CD フォーラム、2004 年

森田吾郎（もりたごろう） 1874-1952

天賦の音楽の才能と手先の器用さ

大正琴生みの親

出典：浜松市楽器博物館編
『企画展　大正琴の世界』

森田吾郎	
1874年	名古屋大須門前町の旅館「森田屋旅館」の息子として生まれる
1888年	二弦琴や明笛を携え日本中で演奏活動を始める
1899年	25歳から2年間に亘りアメリカ、ヨーロッパで演奏活動
1911年	菊琴を制作、「大正琴」として発売
1912年	大正琴のデモ演奏を通し指導法、教材の開発など普及活動に尽力
1923年	名古屋市中区末広町に名古屋木工製作所を設立
1952年	78歳没
1985年	「大正琴発祥の地」碑建立
2009年	「大正琴誕生客年記念碑」建立

生い立ち

森田吾郎は1874（明治7）年、名古屋での芸事の中心地であった名古屋大須門前町の旅館「森田屋」の長男として生まれた。本名は川口仁三郎で旅館の屋号から通称森田吾郎と名乗っていた。幼児から利発で音楽的才能に恵まれ、手先が器用でものづくりが得意な少年であった。

欧米への演奏公演

14歳頃から明笛（みんてき）（中国から伝来した横笛）や二弦琴（にげんきん）の演奏を日本国内で始めた。芸名を“川口音海（おんかい）”と名乗った。その意味は家を出て音楽の世界を探検することで、川の入口を出て音楽の海に出かけることである。25歳の時、明笛一本を携えてニューヨーク、ロンドン、パリ、インド、香港、上海などを2年ほどかけて回り演奏活動を続け、異国の音楽文化のレベルの高さに衝撃を受けた。

日本では学校でオルガンやピアノなどの洋楽器を使い唱歌を学ぶが、家庭で復習したくとも楽器がない。学校と家庭と音楽環境が違うのでは音楽界の発展はない。そこでだれでも気軽に弾ける安価で洋楽の復習ができる楽器を造らなければいけないと決心した。

タイプライターからヒント

1912（大正元）年、二弦琴を基本にタイプライターからヒントを得たボタン装置を組み合わせた鍵盤付き弦楽器を完成させた。1912年9月9日に全国で一斉販売され、重陽の節句であったことから「菊琴」と名づけられた。その後、新しく大正時代が始まり、この洋楽と邦楽を折衷した楽器が「大正琴」の名で親しまれ、演奏の手軽さもあって広まっていき日本の楽器となった。

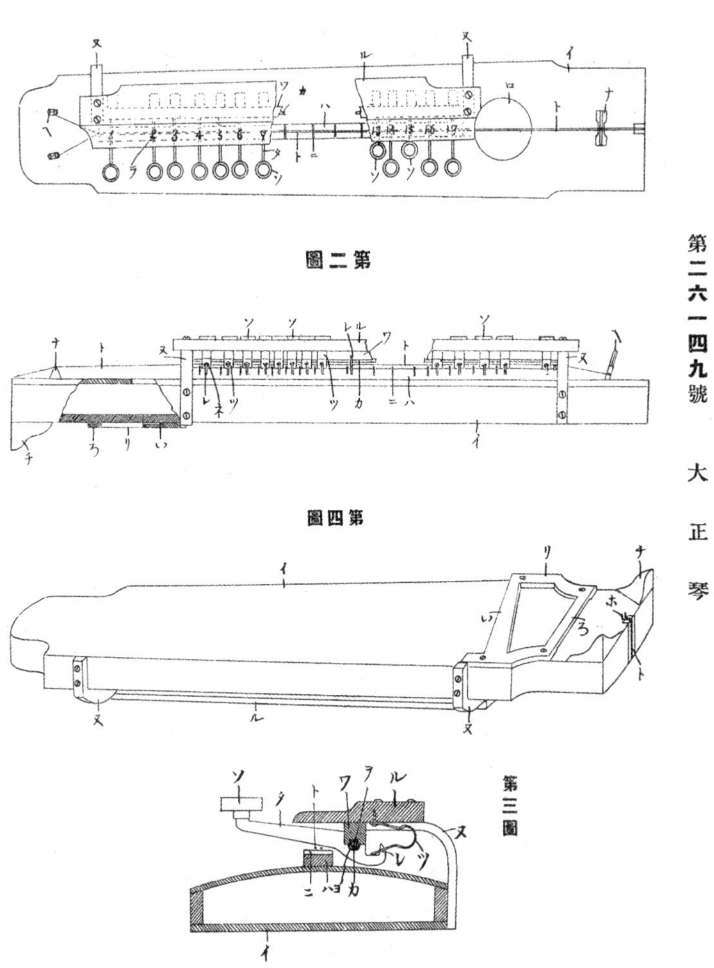

大正琴の特許図

1923年に名古屋市中区末広町に名古屋木工製作所を設立した。第二次世界大戦前の最盛期には、名古屋を代表するノリタケの洋食器、鈴木政吉（本書56ページ）のバイオリンと並ぶ輸出品であった。（寺沢安正）

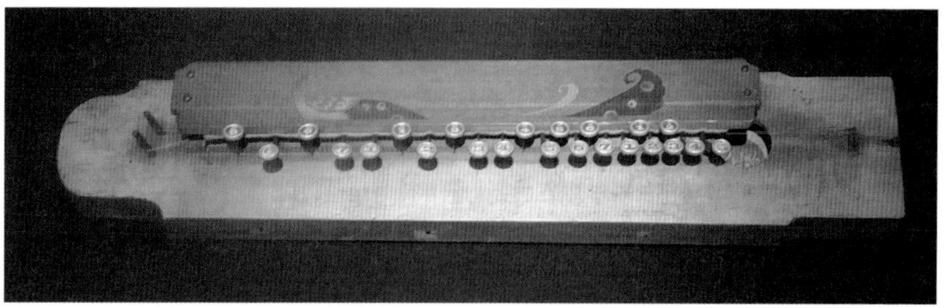

大正期につくられた大正琴　浜松市楽器博物館蔵　2020年撮影

【「大正琴発祥の地」の碑】

大正琴は演奏の手軽さもあって日本中に広まり、一人で弾く楽器からグループで合奏を楽しめる楽器に大きく変わり、最もポピュラーな楽器となった。

2020年撮影

全国大正琴愛好会は1985年に「大正琴発祥の地」の碑を大須観音境内に建立した。碑には、「明治45年大須の住人森田五郎氏が八雲琴をもとにして小型で手軽な二弦琴を作り上げた時に重陽の節句であったことから菊琴と名付けられた。この菊琴をさらに弾き易く改良されたものが現在の大正琴の原形と言われております。大正時代大流行したこの琴も、時代の変遷によりその音色もいつしか消え去りました。昭和2年一人の少年がこの楽器のとりことなり以来58年間改良に改良を加えながら、大衆芸能と言われるまでに育て上げてきました。（以下略、原文のまま）」と記述されている。

また、2009年、岐阜県恵那市の日本大正村に当時の司葉子村長揮毫による「大正琴誕生百年記念碑」が建立された。

ゆかりの地へのアクセス

【「大正琴発祥の地」の碑】

➡「大須観音」境内内、名古屋市中区大須2-21-47
大須観音へは、名古屋市地下鉄鶴舞線大須観音駅を出てすぐ

【日本大正村】

➡岐阜県恵那市明智町1884-3　明知鉄道明智駅より徒歩5分

寒川恒貞（さむかわつねさだ） 1875-1945

独往邁進、独立独歩の気魄
電気炉製鋼技術の開拓者

出典：『寒川恒貞傳』

寒川恒貞	
1875 年	香川県香川郡太田村に生まれる
1895 年	第四高等学校理工科入学
1898 年	第四高等学校卒業。京都帝国大学理工科入学
1902 年	京都帝国大学電気工学科卒業、同大学大学院に進学
1903 年	深川電灯入社、主任技師となる
1907 年	箱根水力電気で、長距離高圧送電用鉄塔を本邦初に設計
1914 年	名古屋電燈の余剰電力対策として、福沢桃介常務に製鉄製鋼事業を提案
1916 年	電気製鋼所を創立し、常務となる。1.5 トンエルー式電気炉、完成
1918 年	東海電極製造を創立し、社長となる
1945 年	69 歳没

生い立ち、電源開発の技師として

寒川は香川県香川郡太田村（現高松市）の生まれで、幼名は安太郎といい、1897（明治 30）年に恒貞と改めた。1898 年に京都帝国大学電気工学科に入学。1902 年に卒業し、蓄電池研究のために大学院へ進学した。

1903 年、結婚を機に大学院を退学し、深川電灯の主任技師を経て、芝浦製作所の岸敬二郎が技術顧問を務める川越馬車鉄道（のち川越電気鉄道に改称）に入社した。

1906 年、岸の勧めで箱根水力電気に転じた。寒川は技師長として、箱根の塔之沢水力発電所から横浜の保土ヶ谷変電所まで 58㎞、4 万 6000V の長距離高圧の架空送電線路を 1907 ～ 1909 年に実現した。送電線のうち 16㎞の区間は、寒川が設計した国産初の鉄塔 166 基が、ほかの区間は木柱がささえとして使われた。

1909 年、徳島水力電気技師長になり、三縄（みなわ）水力発電所の建設を計画した。1910 年、同社を四国水力電気に改組する際、岸から紹介された福沢桃介（本書 80 ページ）に出資依頼をし、福沢の面識を得た。

寒川が設計したわが国初の国産鉄塔（箱根ー横浜間）　出典：『寒川恒貞傳』

電気炉製鋼事業の創成

福沢との関係から名古屋電燈の顧問となった寒川は、1914（大正3）年10月欧米視察旅行から帰国し、神戸駅から新橋駅へ向かう途中の名古屋駅で、福沢桃介常務から同社の余剰電力を使う産業の検討を依頼された。電力を大量に消費する3事業（製鉄製鋼事業、ソーダ工業、アルミニウム工業）を検討し、製鉄製鋼事業が有望だと福沢に報告した。

名古屋電燈は、同年12月電気炉製鋼の事業化に着手し、1915年10月に製鋼部を設置した。1916年3月、寒川は1.5トンのエルー式電気炉を完成し、工具鋼の試作を始めた。同社は、熱田発電所の南隣（現在、カーマ熱田店）に製鋼部の熱田工場を建設し、8月に電気製鋼所として分社化し、寒川はその常務となった。

のちに寒川は、上（炉蓋）から電極を通すエルー式で失敗したとき、上下から電極を通すジロー式に変更できるよう、下（炉底）に穴をあけておいたが使わずにすんだと、座談会（1936年）で語っている。

寒川が設計した1.5トンエルー式電気炉は、現存する日本最古の電気炉として、大同特殊鋼知多工場に保存・展示されている。

なお我が国の電気炉製鋼は、1909年土橋長兵衛（本書202ページ）により亀長電気工場（長野県松本）で始められた。寒川は、岸の紹介で1914年末に土橋を訪ね、共同によ

寒川が設計した1.5トンエルー式電気炉
出典：『寒川恒貞傳』

る大規模試作を提案したが同意を得られず、独自に電気炉製鋼事業に着手した経緯がある。

事業家として電気利用事業を展開

数々の事業を起こした寒川は、大量の電気を使う事業として、電気炉製鋼に必要な黒鉛電極を生産する東海電極製造を1918年に設立し、ボーキサイトを原料とする日本アルミニウムを1935（昭和10）年に台湾に設立した。

香川県志度の出身でエレキテルを製作した平賀源内を敬愛する寒川は、晩年その顕彰に尽力した。

（山田富久）

ゆかりの地へのアクセス

【大同特殊鋼知多工場】

東海市観光協会ホームページ　https://www.tokaikanko.com/study/industrial/daido/

寒川恒貞をもっと知るために

- ◉寒川恒貞傳記編纂會 編『寒川恒貞傳』社會教育協會、1949年
- ◉青山正治「寒川恒貞による水力発電開発と電気製鋼事業の草創」愛知東邦大学地域創造研究所 編『下出民義父子の事業と文化活動』、地域創造研究叢書28、唯学書房、2017年

丸山康次郎（まるやまやすじろう） 1876-1955

卓越した語学力のエンジニア

メイキエンジンの父

出典：『名古屋オートバイ王国』

丸山康次郎	
1876 年	長野県小県郡上田町に生まれる
1909 年	専修学校卒業
1909 年	渡米、32 年間米国に滞在し、自動車メーカー GM(ゼネラルモーターズ社）で勤務
1940 年	日本に帰国、米国のサルスベリー社製のスクーターを持ち帰る
1946 年	三菱重工業名古屋機器製作所に米国製スクーターを持ち込み、スクーターの開発に貢献する
1946 年	シルバーピジョン 1 号車「ふそう C-10 型」発売
1947 年	農業機械汎用ガソリンエンジン「メイキエンジン」にも採用
1948 年	C-11 型初号機が皇太子殿下（昭和天皇）に献上された
1954 年	C-35 型年間 2 万 5 千台生産
1955 年	79 歳没

生い立ち

丸山康次郎は、1876（明治 9）年、長野県小県（ちいさがた）郡上田町（現 長野県上田市）で生まれた。当時の高等教育機関であった専修学校（現 専修大学）に進学し、卒業後の 1909 年に単身、渡米した。

米国では、ゼネラルモータース（GM）で自動車製造関係の業務に 32 年間従事し、1940（昭和 15）年に帰国した。

戦後は、中日本重工業株式会社（現 三菱重工業株式会社）に勤務、スクーター・シルバーピジョンとそのエンジンの開発に心血を注ぎ、三菱技術陣の陣頭指揮をした。

スクーター「シルバーピジョン」の開発

丸山康次郎は、米国から帰国の際に持ち帰った、米国のサルスベリー社のスクーターの図面を、戦後まもない 1946 年に中日本重工業株式会社が疎開していた岐阜県大垣市の工場に持ち込んだ。

当時、わが国の多くの企業が「売れる物」を、目の色をかえて探して

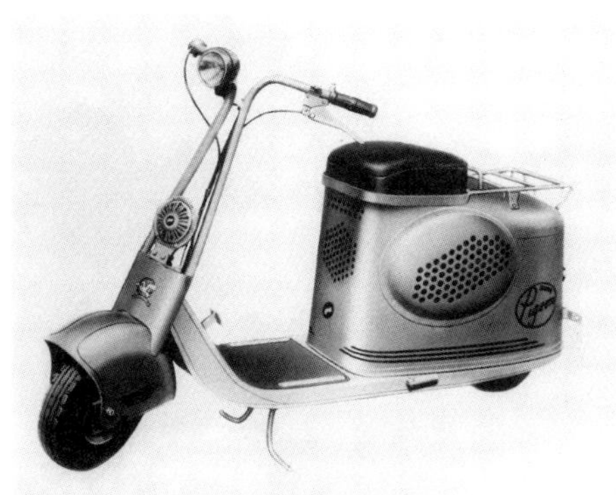

シルバーピジョン C-11 型
出典:『名古屋オートバイ王国』

いたときであったので、丸山の持ち込んだスクーターの図面は、三菱技術陣の注目を集め、不十分な設備であったが、直ちに試作にとりかかった。試作には、丸山の30余年の米国生活で得たノウハウを随所に取りいれ、また、丸山自身も部品製作の一つひとつに、そしてエンジンの製作においても日夜心血を注いだ。

1946年12月、スクーター1号機C-10型は完成し、永久の平和を祈って「シルバーピジョン」(銀の鳩)と名づけられた。エンジンは名古屋市中村区の岩塚工場、車体は名古屋市港区の大江工場でつくられた。

シルバーピジョンは、1号機のC-10型から1964年のC-140型、240型まで36万台が生産された。スクーターの語源は米語で「エンジンのついたスケート」の意味で、1955年ごろが最盛期でオートバイ以上の販売台数を記録した。名古屋だけではなく、全国の街を走り回り、富士重工株式会社(現株式会社SUBARU)のラビットスクーターとはライバルで市場を争った。

「メイキエンジン」の誕生

シルバービジョンC-10型のエンジンは、空冷単気筒、サイドバルブ式4サイクルエンジンで、排気量112cc、1.5馬力/3500rpm、空冷NE10型と呼ばれた。このエンジンは1947年には、定置式の農業機械用にも用途を広げた。これが、農業機械用空冷エンジンの代名詞と称されるまでになっているメイキエンジンである。メイキとは、名古屋機器製作所の略称「名機」にちなんだものである。

丸山康次郎は1955年に亡くなったが、翌1956年に、丸山の業績を称えるための、「メイキエンジンの父」記念碑が名古屋市中村区岩塚の三菱重工業、名古屋機器製作所本館前庭に立てられた。なお、記念碑は2019年に津島市の三菱重工メイキエンジン株式会社に移設されている。(冨成一也)

ゆかりの地へのアクセス

【「メイキエンジンの父」記念碑】
➡愛知県津島市鹿伏兎町下子守23　三菱重工メイキエンジン株式会社内
(見学については、会社に問い合わせ)

久保田長太郎（くぼたちょうたろう） 1882-1964

クボチョウと慕われた鋳物の神様

鋳造用砂型造型機の開発

出典：『新東工業三十年の歩み』

久保田長太郎	
1882 年	大阪に生まれる
1896 年	鋳物工となる
1904 年	日露戦争に従軍
1909 年	豊田式織機に入社、豊田佐吉の知遇を得る
1923 年	久保田鋳造所設立
1927 年	生型造型機 C-11 型を開発
1933 年	合名会社久保田製作所に改組
1934 年	株式会社久保田製作所創立、久保田長太郎は専務取締役に就任
1940 年	久保田長太郎、社長に就任
1942 年	本社を名古屋市中区流町に移転
1946 年	本社を名古屋市昭和区に移転
1950 年	久保田長太郎、会長に就任
1955 年	会長を辞任
1960 年	社名を新東工業株式会社に変更
1964 年	82 歳没

生い立ち、発明王豊田佐吉に出会う

鋳造機械メーカーとして知られる現 新東工業株式会社の創始者久保田長太郎は、1882（明治 15）年、大阪に生まれた。14 歳の時に鋳物工となったが、日露戦争で従軍し、巡洋艦吾妻（あずま）乗り組んで奮戦した。

復員後、長太郎は 1909 年に豊田織機株式会社に入社した。ここで、豊田佐吉（本書 199 ページ）に出会い、その鋳物工としての優れた腕を見込まれて引き立てられた。佐吉の意を体して、紡織機の鋳物部品の製造に腕を腕を揮った。1913（大正 2）年には、同社鋳造部門の責任者となっている。長太郎の話によれば、佐吉から鋳造技術に関する諸処の注意やヒントが与えられ、これに大いに奮起したという。1920 年には、当時、手作業一本の鋳物工場の機械化について佐吉は長太郎に説いたという。

久保田鋳造所の設立

久保田長太郎は、1923 年に名古屋市西区児玉町に久保田鋳造所を発足させた。この時は、豊田織機に在職

C11 型生型（砂型）造型機　2017 年撮影

したままであった。当時は、第一次世界大戦後の緊縮財政の下での不況に、さらに関東大震災が起こり、深刻な不況時代で、経営は必ずしも容易ではなかった。しかしながら久保田鋳造所の鋳物は、鋳肌（鋳物の表面）が美しく、他の鋳物工場ではまねのできない高品質のものであった。苦しい中にも名声を高めたのは、鋳物砂を処理するサンドブラストやタンブラーなど他に類例のない機械設備をもった鋳物工場であったからである。経済不況のどん底の中、久保田鋳造所は機械工業へも進出して躍進を続け、1933（昭和 8）年、合名会社久保田鋳造所に改組した。

国産初の生型造型機の開発

豊田佐吉は、1926 年に株式会社豊田自動織機製作所を設立した。その本社工場を刈谷に建設する際に、「久保田君が前に言っていた機械化した斬新な鋳物工場をつくるから、存分に腕をふるってくれ」と、鋳物工場建設の一切を久保田長太郎に任せた。長太郎は佐吉の命を受けて、精魂を傾けてその実現に努力し、1927 年、刈谷に画期的な鋳物工場を完成させた。この時、米国のオスボーン社から豊田自動織機製作所に輸入されたモールディングマシン（砂型造型機）5 台うち、1 台を久保田鋳造所が買い取った。それを分解・組立して研究を積み重ね、改良を加えて完成したのが、1927 年に完成した国産初の C11 型生型（砂型）造型機である。鋳型を熟練工の技によらず、高速で生産する生型造型機は鋳造工場機械化の核となる機械であった。

久保田鋳造所は、1934 年に株式会社久保田製作所と改組し、鋳造機械の総合専業メーカーとなった。第二次世界大戦で、本社と本社工場を空襲で全焼し、壊滅的な打撃を受けたが、1945 年にGHQより民需品生産転換の許可を得て、鋳造機械生産は再開された。

1951 年には、自動車鋳物株式会社（現 IJT テクノロジーホールディングス）に鋳造の総合プラント設備第 1 号を納めている。1960 年に社名を新東工業株式会社に変更し、現在に至る。（石田正治）

久保田長太郎をもっと知るために

◉新東工業株式会社社史編集委員会 編『新東工業三十年の歩み』1964 年

今西 卓（いまにし たく） 1883-1933

高潔なる人格、卓越せる見識
革新のナイヤガラ式発電所

個人蔵

今西 卓	
1883 年	岐阜県揖斐郡池田村に生まれる
1908 年	京都帝国大学電気工学科卒業。豊橋電気株式会社入社、主任技術者となる
1912 年	長篠発電所完成
1919 年	布里発電所完成
1921 年	豊橋電気信託株式会社設立、専務取締役
1923 年	渥美電気鉄道株式会社設立、専務取締役
1924 年	豊橋電気軌道株式会社設立、専務取締役
1927 年	三河セメント株式会社設立、専務取締役
1933 年	49 歳没
1934 年	謝恩碑、浄円寺に建立

生い立ち

今西卓は、1883（明治 16）年、岐阜県揖斐（いび）郡池田村（現 揖斐郡池田町）に父今西文三、母クミの長男として生まれた。今西は、幼少の頃から頭脳明晰で、地元の小学校を卒業後は、大垣中学校に進み、第三高等学校を経て京都帝国大学電気工学科に入学した。京都帝大では、電気工学の権威青柳栄司教授のもとで学んだ。今西は、京都帝大を 1908 年に卒業したが、卒業時には金杯が授与された。トップないしはそれに近い成績であったであろう。

豊橋電気への就職

今西卓は、京都帝大卒業後に、当時大井川の電源開発をして東京への電力供給を目指していた日英共同プロジェクト、日英水力電気に就職が内定していた。ところが、日英の資本の割り当ての交渉が進まず、会社は発足できないでいた。一方、1894 年に設立の豊橋電灯は、1908 年に社名を豊橋電気と変更し、1908 年には藤岡市助設計による見代（けんだい）発電所が建設された。豊橋電気は、見代発電所の建設で資金難となったため、名古屋電燈の福沢桃介（本書80ページ）に強力な援助を頼み、福沢は1910年に豊橋電気の第四代目の社長となった。福沢が豊橋電気の経営に参加し始めていた頃、福沢が優秀な電気技術者を探し求めていたところに、側近の青木義雄が今西を紹介した。今西は、日英水力がはっきりしないので、当面、腰掛けのつもりで豊橋電気に主任技師として就職した。その後、日英水力電気は、資本割り当て交渉が不調に終わり、当初の構想とは異なる小規模な発電会社になってしまったことと、豊橋電気の期待の大きさに応えて、今西はそのまま豊橋電気にとどまることになった。

わが国初のナイヤガラ型を採用

豊橋電気に就職した今西卓の最初の仕事は、新しい水力発電所の建設であった。今西は、豊川流域を調査し、豊川の支流の寒狭川（現 豊川）下流の長篠に適地を見つけ、そこに大規模な水力発電所を建設することにした。

今西は、恩師青柳栄司教授の助言も得つつ、当時、日本にはなかった立軸水車を長篠発電所の発電設備として採用し、設計した。今西はこの発電設備の形式について、米国のナイヤガラ発電所を範としたので、ナイヤガラ型と呼んだ。立軸水車にすれば、落差を最大限に活かすことができ、洪水時に発電機が水没することも防げた。水車は、ドイツ、フォ

1912年に完成した長篠発電所の発電機室　2004年撮影

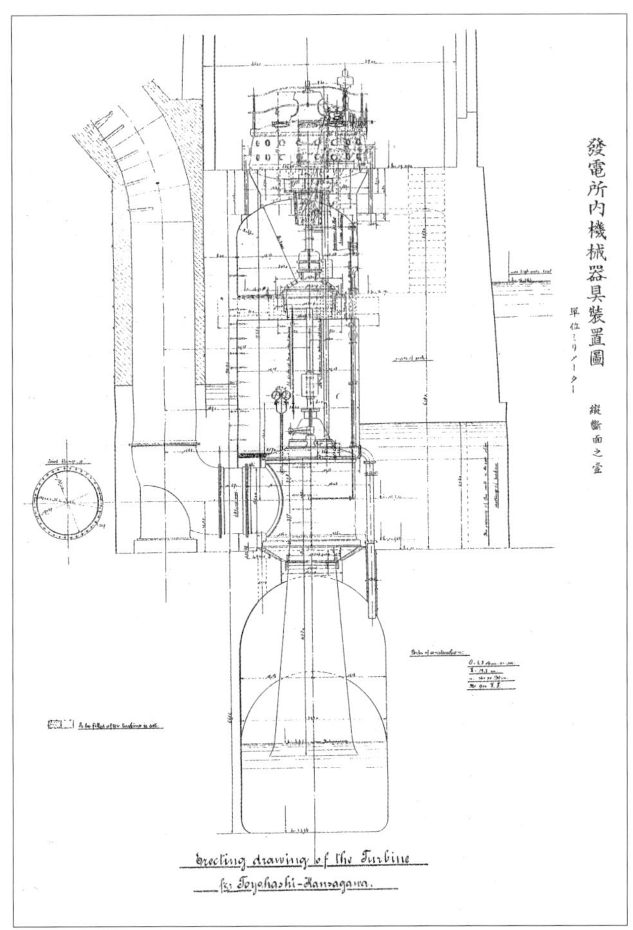

今西卓が設計した長篠発電所の立断面図　出典：『電気協会会報 32 号』

イト社製のフランシス型水車で、ランナ（水車の羽根車）は缶筒型と呼ばれる円筒形のケーシングの中に納められた。水車の出力は、使用水量毎秒 4.3 トンで 900 馬力である。発電機は、ドイツ、ジーメンス・シュッケルト社製の三相交流 60Hz、回転数 360rpm、電圧 1 万 1000 V、出力 500kW である。

長篠発電所は、1900 年に着工、1912 年に完成した。発電所脇に立てられている長篠発電所竣工記念碑には、「水車発電機共ニナイヤガラ型ト称シ、本邦ニテ本発電所ヲ以テ使用ノ嚆矢トナス」と刻まれている。

東三河の事業王

今西卓は、長篠発電所建設以後、布里（ふり）発電所（1919）、横川発電所（1922）をナイヤガラ式水力発電所として建設した。同時に豊橋電気の経

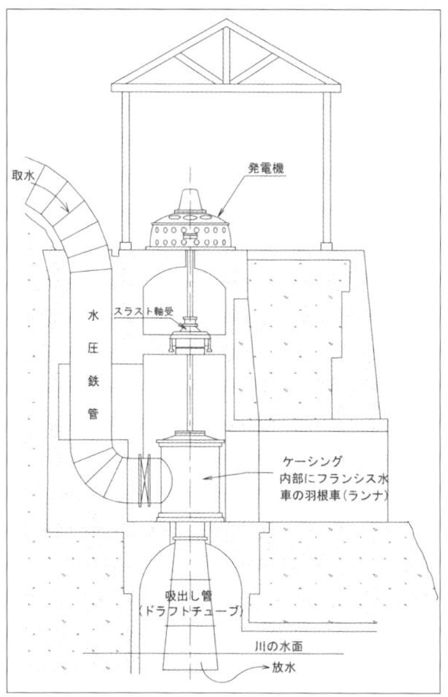

長篠発電所原理図

今西卓の謝恩碑　2022 年撮影
今西の死後、今西が関係した会社の関係者により建立された謝恩の碑。碑文に「豊橋を中心とする事業界の一大明星を以て目せられる其高潔なる人格と卓越せる見識を以て精励努力到らざるなく益事業の大成を期せられたり……」とある。

営にも参画し、その高潔なる人格で人望を集め、卓越した経営手腕を発揮した。1922 年、今西は豊橋電気を離れるが、水窪（みさくぼ）川電力、豊橋電気信託、渥美電気鉄道（現 豊橋鉄道の渥美線）、豊橋電気軌道（現 豊橋市電）、三河セメントなど 10 社の役員に就任、東三河の事業王と称された。1932 年暮れに肺がんが発病し、翌 1933 年、49 歳の若さで逝去した。
（石田正治）

ゆかりの地へのアクセス

【長篠発電所竣工記念碑と発電所堰堤】
➡愛知県新城市横川倉木　JR 飯田線大海駅より 2㎞、徒歩 30 分
【今西卓謝恩碑】➡愛知県豊橋市大村町黒下 19　浄円寺

今西 卓をもっと知るために

◉今西卓「我が國に於ける「ナイヤガラ」式発電所の嚆矢」、『日本電気協会会報』32 号、1912 年
◉杉浦雄司、石田正治「ナイヤガラ式発電所を築いた今西卓」、『シンポジウム中部の電力のあゆみ第 4 回講演報告資料集』1996 年

江副孫右衛門（えぞえまごえもん） 1885-1964

一個の不良品もだすな

点火プラグ国産化への挑戦

江副孫右衛門	
1885年	佐賀県西松浦郡有田町上幸平に生まれる
1909年	東京工業高等学校窯業科卒業 日本陶器合名会社入社
1912年	渡欧、ドイツなどの窯業を視察
1919年	日本碍子株式会社工務部長
1936年	日本特殊陶業株式会社設立、社長に就任
1939年	日本碍子株式会社社長
1944年	すべての役職を辞任
1947年	有田町長に当選
1949年	東洋陶器株式会社社長
1963年	東洋陶器株式会社会長
1964年	79歳没

生い立ち

江副孫右衛門は、1885（明治18）年、佐賀県西松浦（にしまつうら）郡有田（ありた）町上幸平（かみこうひら）の陶磁器業の父、江副八蔵の長男として生まれた。

江副は、地元の佐賀県立工業学校有田分校を経て、東京高等工業学校（現 東京工業大学）に進学、1909年に同校窯業科を卒業して、同年、森村市左衛門の日本陶器合名会社（現ノリタケカンパニーリミテド）へ入社した。1919（大正8）年、日本碍子（がいし）株式会社（現 日本ガイシ株式会社）に移り、工務部長を経て1939（昭和14）年に同社社長に就任した。

点火プラグ国産化の研究に着手

明治・大正期は、発動機に不可欠な点火プラグはすべて輸入に頼っていた。江副孫右衛門は、1920年、米国の碍子産業の視察に旅立った。チャンピオン社を訪ね、1週間に150万個の点火プラグを生産する工場を見学し、いずれ発展するだろう日本の自動車工業の姿を想像し、国産点火プラグをつくろうと決意した。

設立時の本社（1937 年）
出典：『日本特殊陶業 70 年史』

点火プラグ第 1 号
出典：『日本特殊陶業 70 年史』

江副は、日本陶器が電力事業のみに頼るのではなく、成長するであろう発動機市場の必需品である点火プラグの発展は有望であると考え、会社の事業の多角化による安定に大きく貢献すると確信した。帰国後、欧米からプラグを取り寄せ、数種類のサンプルを分析、点火プラグの製品化の研究を開始した。

1921 年には、陸軍省に対して、飛行機用爆発磁器管（プラグ）へ試作品を提出し、各試験で高い評価を受けた。しかしこの後、商品化までにはかなりの年月が必要だった。1923 年に、社員をプラグ製造技術の研修と工業化の資料を集めるため、アメリカ・チャンピオン社に派遣した。

日本特殊陶業の設立

点火プラグはこれまでの磁器製品とは違い、高い電気絶縁性と機械強度をもち、急冷却に耐える必要があり、寸法精度も厳しかった。江副のリーダーシップの下で、点火プラグの研究、開発、改良は続けられ、海外メーカーとの比較、実用試験を繰り返し、1 個の不良品も出さない方針で製品化の道筋をつけた。

その後、点火プラグの販売に取り組む方針が出され、試作品を自動車会社で実験したところ、問題ないとわかった。

1926 年当時、日本碍子の点火プラグは、陸軍から自動車用点火栓として完全であると認定された。しかし、不十分な点を自ら発見したために、製品化にさらに 4 年余りの歳月を要した。

じゅうぶん一般の用に供することができる製品を生み出した時点で、点火プラグ部門が独立した。1936 年、日本初の点火プラグメーカーである日本特殊陶業株式会社が設立され、江副は同社社長に就任した。1939 年に日本碍子株式会社の社長に就任したが、1944 年にすべての職を辞職した。戦後は、故郷に帰り、1947 年に有田町長に当選し、町長職を短期間務めたが、1949 年に東洋陶器株式会社再建のために社長に就任、1963 年に同社会長に就任、翌 1964 年に 79 歳で没した。（二宮健壽）

江副孫右衛門をもっと知るために

◉日本特殊陶業株式会社 70 年史編集委員会 編『日本特殊陶業 70 年史』2007 年

菅 隆俊（かん たかとし） 1886-1961

頭がよくて努力家

世界のトヨタへ、基盤技術の開発

菅 隆俊	
1886 年	香川県に生まれる
1914 年	東京高等工業高校機械科卒業
1931 年	アツタ号、キソコーチ号の製作に携わる
1933 年	豊田自動織機に招聘されて入社
1934 年	渡米、自動車産業の現状を視察
1937 年	トヨダ自動車工業設立時役員就任、挙母工場の全体設計に従事
1945 年	刈谷工機社長就任
1954 年	豊田工機社長退任
1957 年	紫綬褒章授章
1961 年	75 歳没

生い立ち

菅隆俊は、1886（明治19）年、香川県に生まれた。家が豊かではなかったので、香川県師範学校卒業後、東京高等工業学校（現 東京工業大学）の工業教員養成の課程に進んだ。頭がよく、そのうえ努力家だったので、教員課程では開校以来の成績を収めて卒業した。この教員課程を卒業すると一定期間教員として奉職しなければならないので、しばらく住友の職工学校の教員として働き、それから豊田式織機に入社した。

中京デトロイト計画に参加

昭和初期、中京（戦前の名古屋の古称）地域でおこなわれた地域振興策としての自動車製造業への参入を

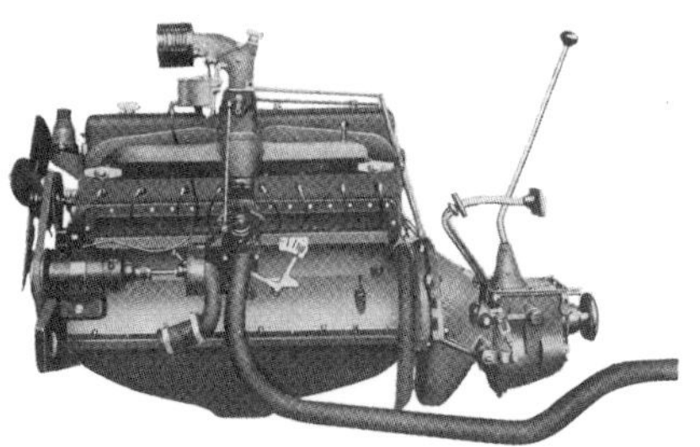

アツタ号のエンジン　出典：『アツタ号型録』

目指した活動、いわゆる、中京デトロイト化計画があった。日本車輛、岡本自転車自動車工業、大隈鐵工所、愛知時計、豊田式織機らの企業連合の分業によるアツタ号の設計製造に、菅は豊田式織機の設計者として関わり、後に豊田式織機が単独でおこなった日本初の乗合自動車専用のシャーシを有する「キソコーチ」号の設計、製造管理にも設計者として参加した。菅は、当時としては唯一無二な最先端をいく自動車設計者で

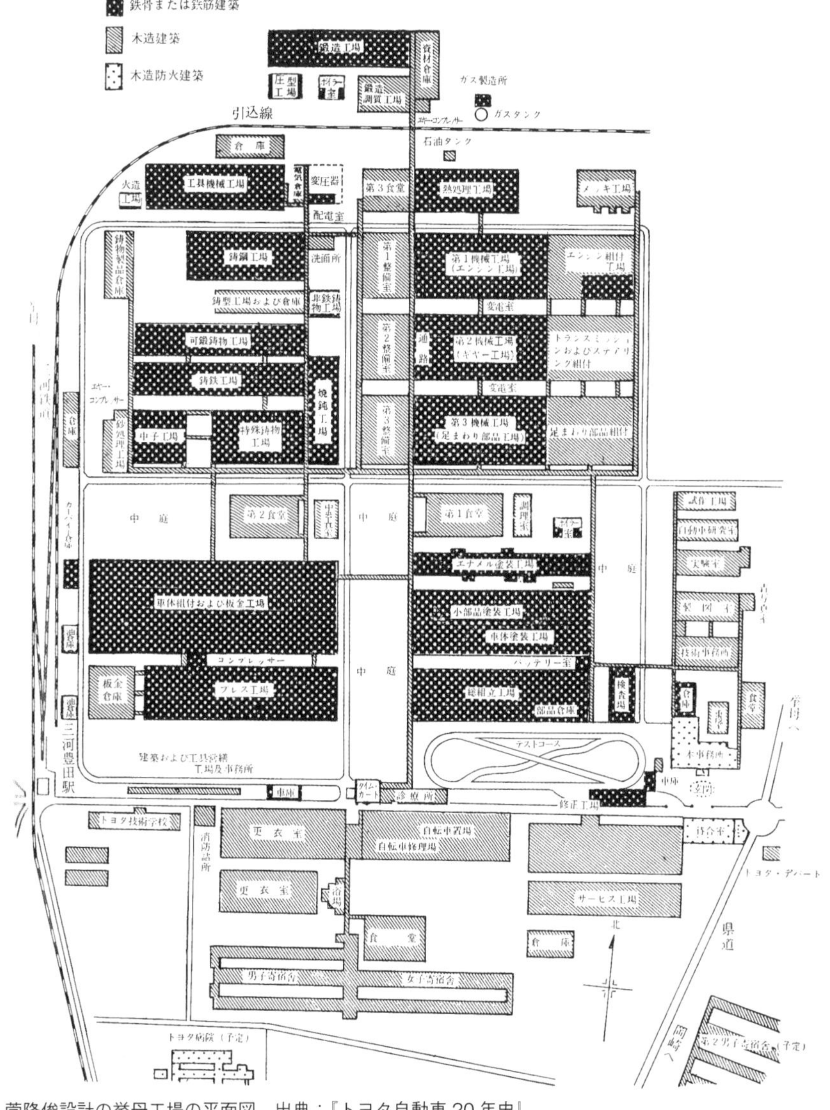

菅隆俊設計の挙母工場の平面図　出典：『トヨタ自動車20年史』

あり、自動車工場の設備設計の実務経験者であった。

その後、日本で初めて名古屋で結成されたSEA OF NAGOYA（名古屋自動車技術会）の立ち上げにも参加している。

自動車製造のための基盤技術の確立

その時点で、菅の勤務先であった豊田式織機は、自動車関係の生産からの撤退は決定していた。豊田式織機は、豊田自動織機製作所とはライバル会社であり、かつ、豊田佐吉（本書199ページ）の時代からさまざまなもめ事を抱えていた。同社の豊田喜一郎（本書144ページ）は、菅に対して、自動車大量生産の構想を語り、必要不可欠の人材として自社での自動車生産の責任者への就任を求めた。菅は、自動車の大量生産構想に共感し、豊田自動織機へ入社して、自動車製造具体化のために奔走した。菅隆俊が得難い人物であったことは、菅の豊田自動織機入社で、豊田式織機の兼松熈（本書62ページ）社長と豊田自動織機の豊田利三郎社長との間で、長い期間を経てまとまりつつあった、さまざまな懸案の交渉がすべて灰燼に帰したことでもわかる。

豊田利三郎は、豊田喜一郎が自動車開発に専心できるように考え、自動車製造に掛ける志を尊重しつつ、商業ベースに乗った会社経営ということに重大な関心を持っていた。菅を、会社の実務、経営に従事させ、自動車生産を全体的に統括できる存在として専務に任じた。

菅は、工作機械買付のために渡米する前に、自動車大量生産のための自動車生産工場の工程表を自身の経験と文献から予想で作成した。1934年、米国内での工作機械の買付のかたわら、米国の自動車工業の実態調査をし、大量生産の工程表を完成させた。その成果は挙母工場で具体化する。その工程表を基に、トヨタ自動車工業挙母工場の設計、建設を担当した。トヨタ自動車工業初の量産型自動車用A型エンジンの開発時、社員とともに改良を重ね、模範としたエンジンよりも良い性能を発揮するに至った。

自動車製造の専用工作機械の開発

菅隆俊が多軸ボール盤や多刃旋盤などの専用工作機械（単能機）の開発に果たした役割は非常に大きく、菅はわが国における専用工作機械開発の先駆者であった。

1930年代の日本においては、使用される複合性能工作機械は輸入に依存していた。工作機械を輸入からの国産化へ転換することは、基礎的な工業力を養う上で必要不可欠だった。1934年に輸入した米国製の複合性能工作機械類は豊田自動織機製作所自動車部に導入された。しかし、

航空機エンジン、シリンダーヘッド用多方向インデックステーブル形専用機
出典：『豊田工機二十年』

所内の自動車部工機工場を建設した。大量生産のために自社内でおこなわざるを得なかった専用工作機械製造が、豊田工機株式会社（現 株式会社ジェイテクト）の設立につながった。

第二次世界大戦中、ベテランの工員が減少する中で、専用工作機械を導入することで、手作業部分の誤差を減少させるように努め、少人数で複数の機械を操作できる自動化を進めた。

複合機は、生産工程で生ずる精度のばらつきが発生する。大量生産を目指す場合は、誰が扱っても同じ品質の部品を作らなければならない。そこで専用工作機械導入は不可欠であった。海外製の専用工作機械が非常に高価であったので、国内において専用機の製造をしている企業を探したが、そのような企業は存在しなかった。そこで1935年には、製品の品質向上のために自社工場で専用工作機械の設計・製造を始めた。

1937年には、豊田自動織機製作

菅は、戦時中から非常に新しい考えある単位構成主義（ユニットシステム）工作機械の導入を訴えていた。

菅は、自動車製造の標準化に尽力し、製品の精度の向上に専用工作機械開発、生産への導入を進めた先駆者であった。日本の自動車工業揺籃期から産業分野として「自動車大量生産」の基礎技術の確立に貢献し、生産機械製造、自動車製造のエンジニアである。非常に優れた技術者であり、かつ優れた経営者であった。

（杉山清一郎）

ゆかりの地へのアクセス

【トヨタ会館ミュージアム】➡愛知県豊田市トヨタ町1 トヨタ自動車本社工場内

菅 隆俊をもっと知るために

◉トヨタ自動車工業株式会社社史編集委員会 編『トヨタ自動車20年史』1958年

川崎舎恒三（かわさきやつねぞう） 1886-1954

名古屋で三人目の工学博士

電気製鋼の進歩に尽くした恪勤精励の技術者

出典：『東海カーボン 100 年史』

川崎舎恒三	
1886 年	川崎舎定馬の次男として高松市で生まれる
1904 年	第一高等学校入学
1907 年	東京帝国大学工科大学電気工学科入学
1910 年	箕面有馬電気軌道㈱入社
1916 年	讃岐化学工業㈱を設立、取締役就任
1918 年	東海電極製造㈱常務取締役及び工場長就任
1920 年	株式会社電気製鋼所取締役就任
1922 年	株式会社大同電気製鋼所常務取締役就任
1939 年	大同製鋼㈱専務取締役就任
1941 年	大同製鋼㈱取締役副社長就任
1945 年	大同製鋼㈱取締役副社長辞任
1952 年	大同製鋼㈱顧問就任
1954 年	68 歳没

生い立ち、来名まで

川崎舎恒三は1886（明治19）年に香川県高松市で男二人、女一人の末っ子として生まれた。高松中学に入学し、秀才の誉れ高く、第一高等学校に進学した。一高時代には後々までの幾人もの親友を得ている。学生寮で同室であった勝沼精蔵（内科医、第3代名古屋大学学長）とは終生にわたる親交が続いた。1907年に東京帝国大学工科大学（現在の東京大学工学部）電気工学科に入学し、3年間学んで1910年に卒業した。大阪の箕面有馬（みのおありま）電機軌道（現在の阪急電鉄）に入社し、発電係長を経て電気課長になったが、1916（大正5）年に辞職して、高松に讃岐（さぬき）化学工業を起業した。東海電極製造（現 東海カーボン）の設立にあたって、寒川恒貞（さむかわつねさだ）（本書215ページ）の招きに応えて、川崎舎は1917年暮に高松から名古屋に出てきた。寒川は同郷の先輩で一高の頃から面識があった。大阪時代に電気製鋼事業への参画を要請され、その時は実現しなかったが、二人の間には適当な機会まで待機する黙約ができていた。

大同電気製鋼所熱田工場（1926 年） 出典：『大同製鋼 50 年史』

電極製造の興業へ参画

東海電極製造は、電気炉製鋼の工業化を進める中で優秀な電極材料の国産化の必要性を痛感した寒川によって設立準備され、1918 年に寒川が社長に、川崎舎は常務取締役で名古屋工場の初代所長に就任した。川崎舎は、電極に関する海外文献を持ち帰った人を秋田鉱山専門学校まで訪ねてその写しを取ったり、新潟県や北海道の企業の電極を比較研究するなど苦労を重ねた。炭素電極の製造を軌道に乗せ、試作の繰返を経て天然黒鉛電極の生産も開始した。人造黒鉛電極製造の研究にも着手していたが、1920 年に兼務で電気製鋼所の取締役に就任し、特殊軌条の研究開発を手掛けることにもなった。

特殊軌条とは、レールの分岐や交差によってできる交差部分を指し、クロッシングともいわれる。この材料には靭性・耐摩耗性に優れた特殊鋼である高マンガン鋼が用いられる。クロッシングの製造研究が本格的に始まった当時のことを、川崎舎は次のように述懐している。

「斯う言ふ製品をつくり上げるには土木工学の専門知識がなければ失敗すると言ふ事を痛感したのですが、専門の人を置く程餘裕がないので私は自から土木工学に関する書物を相當渉猟して自分で設計が出来る様に準備をした。それで漸く圖面上の設計は相當の基礎が出来た。處が今度は材質が問題です。漸く恰好が出来たが材質の問題で色々困難に遭遇した。そして製品を鐵道線路に使って貰へるやうになったのはそれからまだ二年後の、十、十一年頃からでした」

電気製鋼技術の発展に尽くす

1922 年に大同電気製鋼所が発足すると常務取締役として、もっぱら電気製鋼事業に取り組むようになった。大同電気製鋼所の社長は寒川で、

「電氣炉設計の原則」で工學博士になる
名古屋で三人目の工學博士
―川崎舍恒三氏―

名古屋市南區熱田東町丸山、大同電氣製鋼所常務取締役川崎舍恒三氏は昨年九月「電氣爐設計の原則」と題する

工科の

論文を帝大に提出し審査中の處本月十二日東京帝大より工學博士號を授けられたが氏を勤務先に訪ふと、謙遜しつゝ語る「私は名古屋へ來てから十餘年になり元東海電機會社に居てこゝ（大同電氣製鋼所）へ來てから三年目になるが常に電氣工學に關して研究して居た今度の博士論文の眼目は電氣を熱にしてそのまゝ工業に用ふる

設計と

云ふので從來は只經驗に依つて之れを行ったものだが今度私が出したのは理論的に設計するのである」云々又同所の島田支配人は

川崎舍常務が博士になるまでには並大抵の勉强ではなかつたと氏の博士になるまでの努力を賞揚して居た尚工學博士は名古屋でも東洋紡の齋藤恒三氏と高工の森彥三氏と今度の川崎舍氏が三人目に工學博士となつたので且つ電氣に關する論文で工學博士號を得たのは川崎舍氏が東洋で初めてゞあると

川崎舍新工學博士

『新愛知』
昭和3（1928）年
1月14日7面記事

本店は熱田工場におかれた。大同のアーク炉製作は寒川による1.5トン炉に始まっていたが、多くの改良を加える努力が重ねられていた。川崎舎は寒川とともに社内に研究部を中心とする電気製鋼研究会を創り、1925年に月刊誌『電気製鋼』を創刊した。本多光太郎が「題字」を贈り、会長の寒川が「発刊の辞」を寄せ、川崎舎の「電気製鋼に就て（其ノ一）」が巻頭を飾った。この連載を5回にわたって続け、他の研究論文も積極的に発表していった。これらを基礎にして川崎舎は学位請求論文「電気爐設計の原則」を東京帝国大学に提出し、1928（昭和3）年1月9日付で工学博士が授与された。1月14日付の『新愛知』は「名古屋で3人目の工学博士―川崎舎恒三氏」と報じている。川崎舎は自動電流調整装置を1930年に完成させ特許を取得した。

大同では川崎舎の自動電流調整装置を自社の合金鋼製造用アーク炉に設置したところ好成績を収めた。その特筆すべき特徴は、「電力使用法ヲ標準化スルコトニヨリ製品ノ品質ヲ標準規格二合致セシムルコトガ出来、又統計ニヨリ操業法ノ経済的最恵条件ヲ決定スルコトガ容易」となったことである。この装置をアーク炉に併置して大同メタルス式アーク炉を完成させた。会社の定款の営業目的に電気炉製作工業を加えるとともに販売活動を進めた結果、外販第1号となる3トン大同メタルス式アーク炉を南満州鉄道に納入した。1952年までに250基のアーク炉が製作、販売された。1938年に大同電気製鋼所は商号を大同製鋼（現 大同特殊鋼）に変更し、翌年川崎舎は専務取締役に就任、1941年副社長とな

南満州鉄道へ納入した３トン大同メタルス式アーク炉
出典：『大同特殊鋼 100 年史』

り敗戦を迎えた。戦後すぐに公職を辞していたが、1952年に大同製鋼顧問となった。だが、病を得て1954年9月26日、一高時代からの親友勝沼精蔵（当時名古屋大学学長）に脈を取ってもらいながら帰らざる人となった。68歳であった。

川崎舎は亡くなるまで36年間を名古屋の地で過ごした。後半17年間は、東区二葉町の川上貞奴の旧邸の敷地の一部と建物の西側部分を購入し、増改築して居住した。川崎舎亡き後、大同特殊鋼の社員クラブ「二葉荘」として使用された。2000年に建物の寄付を受けた名古屋市は、解体保管の後、東区橦木町に移築復元し、2005年に「文化のみち二葉館」として開館した。（黒田光太郎）

文化のみち二葉館
出典：Wikipedia「文化のみち二葉館」
川崎舎恒三の住居は「旧川上貞奴邸のうつりかわり」に記述されている
（https://www.futabakan.jp/change.html）

ゆかりの地へのアクセス

【文化のみち二葉館】➡名古屋市東区撞木町 3-23　https://www.futabakan.jp/index.html
【大同特殊鋼知多工場】
　東海市観光協会ホームページ　https://www.tokaikanko.com/study/industrial/daido/

川崎舎恒三をもっと知るために

◉中住健二郎「名古屋の地で電気製鋼技術の進歩と電気関係学会の発展に貢献した川崎舎恒三博士」『産業遺産研究』4号、1997年、pp29-44
◉林達夫「川崎舎恒三氏を語る—電気炉製作の生みの親」、名古屋技術倶楽部編『東海の技術先駆者』1982年
◉和木保満『天翔ける鋼—大同特殊鋼と石井健一郎』中部経済新聞社、1987年

河合小市 1886-1955

類まれな研究心で楽器工業に功績
ピアノの一般家庭への普及と浸透を目指す

河合楽器株式会社提供

河合小市	
1886年	静岡県敷知郡浜松上新町で生まれる
1896年	山葉風琴製造所入社
1900年	アクション（打弦機構）開発
1907年	日本楽器製造株式会社アクション部長に就任
1921年	欧米へ視察旅行
1926年	日本楽器製造労働争議、日本楽器製造を退社
1927年	河合楽器研究所設立
1928年	国産アップライトピアノ「堅形A号」発売
1929年	株式会社河合楽器製作所に改組
1930年	オルガン製造開始
1931年	ハーモニカ製造開始
1950年	戦後初のグランドピアノ製作
1953年	藍綬褒章授章
1955年	70歳没

生い立ち

河合小市は1886（明治19）年、静岡県敷知郡浜松上新町（現 浜松市中区菅原町）の腕はいいのだが、酒好きの車大工、河合谷吉の長男として生まれた。小市の幼い頃は腕白で、読み方や習字は得意ではなかったが、数学は誰よりも優秀だった。

尋常小学校卒業間近の頃、小市の父親は急死した。このため、小市は小学校を卒業するとすぐに働きに出ることになった。

修業時代、そして発明小市へ

1896年、11歳の小市は山葉風琴製造所の山葉寅楠（本書34ページ）宅に住み込みの弟子となった。寅楠は小市を我が子のようにかわいがり、小市も寅楠を「師匠、師匠」と慕ったという。翌年、山葉風琴製造所は日本楽器製造株式会社となった。

小市は寅楠のもとでピアノアクションの開発やオルガン用のストップ「カップラー」の開発にも取り組み、その後も卓上ピアノやハーモニカの弁の簡易取付機の考案等をし、

カワイアップライトピアノ（昭和型）
河合楽器株式会社提供

カワイグランドピアノ第１号
河合楽器株式会社提供

周りから「発明小市」と呼ばれるまでになった。

独立、そして世界へ羽ばたく

山葉寅楠（1916年没）亡き後、技術部門の責任者となったが、1926（大正15）年に起きた日本楽器の労働争議のあおりを受け、小市は日本楽器製造株式会社を去ることになる。そして、1927（昭和2）年、愛弟子7人とともに、寺島町の自宅に河合楽器研究所を設立し、「昭和型」と名付けられた、5オクターブの小型でも基本性能を備えた安価なアップライトピアノを誕生させた。

翌年には早くもグランドピアノを完成させ、やがて85鍵のアップライトピアノも製作して会社は順調に伸びて、1929年には株式会社河合楽器製作所となる。そして日本楽器製造株式会社と並ぶ楽器会社に成長していくのであった。

小市はアクションの発明や画期的といわれたピアノ響板の発明など、20件余りの特許を取得し、浜松の楽器工業発達に大きな功績を残した。

小市は1955年に亡くなるが、彼の意志は娘婿の河合滋に継承され、世界のカワイへとさらに発展を続けることになった。（漢人省三）

ゆかりの地へのアクセス

【河合楽器製作所竜洋工場　歴史資料室】
➡静岡県磐田市飛平松252　JR豊田駅よりタクシー約15分
https://www.kawai.co.jp/

【浜松市楽器博物館】
➡静岡県浜松市中区中央3-9-1　JR浜松駅より徒歩5分
https://www.gakkihaku.jp/

鈴木道雄　1887-1982

すべてを忘れて仕事をした人

独創のサロン織機の開発

スズキ歴史館提供

鈴木道雄	
1887 年	静岡県浜名郡芳川村に生まれる
1898 年	芳川村尋常小学校を卒業
1901 年	大工、今村幸太郎の徒弟となる
1909 年	鈴木式織機製作所を設立
1912 年	杼箱上下器を発明、最初の実用新案特許取得
1920 年	鈴木式織機株式会社に改組
1929 年	サロン織機を完成
1947 年	本社を可美村高塚（現 浜松市南区高塚町）に移転
1951 年	バイクエンジンの試作
1953 年	自転車補助エンジン、ダイヤモンド・フリー号発売
1954 年	鈴木自動車工業株式会社に社名変更
1955 年	軽自動車スズライトを発売
1957 年	社長を引退
1982 年	95 歳没

生い立ち、発明王豊田佐吉に出会う

鈴木道雄は、1887（明治 20）年 2 月 18 日、静岡県浜名郡芳川村字鼠野（現 浜松市南区）の農家の次男として生まれた。1901 年、鈴木道雄 14 歳の時に棟梁今村幸太郎に弟子入りし大工職人となった。「楽は苦のたね、苦は楽のたね」と、他人よりも早く起き、他人よりも多く働け、との祖父の訓戒を胸に、厳格な親方の下で大工仕事の技を学び、早くから一人前の建築技術を習得した。

1904 年の日露戦争勃発は、鈴木に転機をもたらした。戦争のため建築の仕事が減り、親方の今村は持ち前の器用さから足踏織機の注文を引き受け、その製作に転業したのである。鈴木も当然ながら織機製作の知識と技術を学ぶ機会を得た。1908 年、徒弟期間が満了となり、鈴木は親方のもとを辞した。この頃、戦争後の満州で足踏織機の需要が増大していることを知り、鈴木は独力での織機製作を決意した。

足踏織機　スズキ歴史館蔵　2015年撮影

鈴木式織機製作所の設立

鈴木道雄は、伯父の世話で、1908年、浜名郡天神町村上中島（現 浜松市中区）に土地を借り、工場を建てて足踏織機の製作を始めた。自作の1号機は母に献じ、大いに喜ばれたという。1909年、鈴木は、鈴木式織機製作所の看板を掲げて本格的に織機の製作を開始した。当時、動力織機がすでに世に出ていたが、農家の副業から発展した中小の機織り工場では、足踏織機が全盛の時代であった。鈴木の足踏織機は一挺杼（杼が

鈴木式織機本社工場（1937年）　出典：鈴木自動車工業株式会社『四十年史』

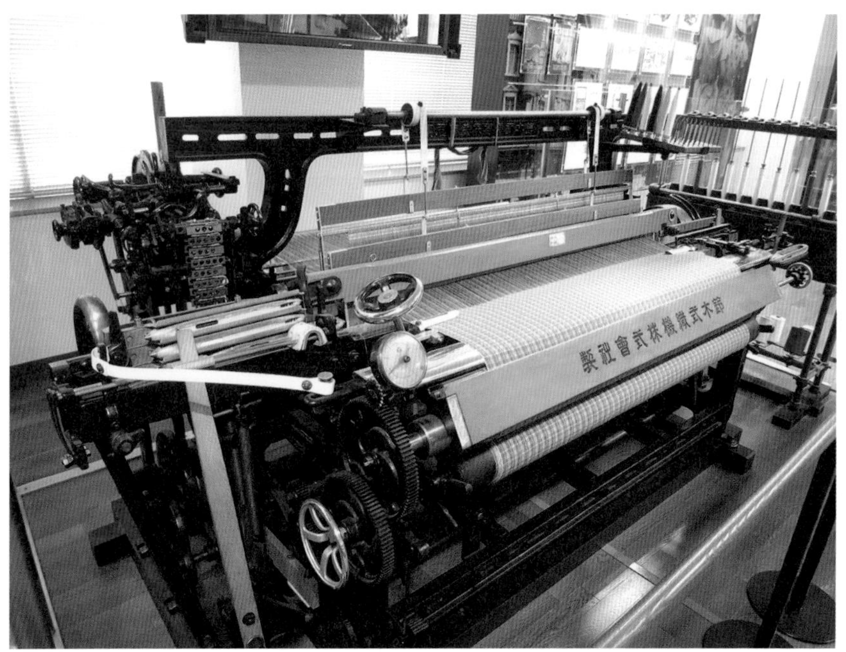

鈴木式織機　スズキ歴史館蔵　2015年撮影

ひとつ）であったため、同業者のものと同じで、特色のない製品であり、無地物を織るものであった。そこで、鈴木は、縞物が織れるように杼を2本使う仕組みを苦心の末に発明した。杼箱を上下2段重ねにして、上下機構により、2種類の緯糸を使うことのできる二挺杼足踏織機を完成させた。この発明は1912年に実用新案第26199号として登録された。鈴木式織機の飛躍の第一歩となる革新技術であった。その後も、鈴木は織機の発明改良に取り組み、次々に新装置を発明、鈴木が生涯に取得した特許は120件余である。

1920（大正9）年、個人経営であった鈴木式織機製作所を資本金50万円の鈴木式織機株式会社に改組し、鈴木は代表取締役社長に就任した。1926年に本社を浜松市相生町に移転した。戦後の恐慌下ではあったものの、特色ある鈴木式織機への影響は比較的少なく、業績は順調に推移した。

1929（昭和4）年、鈴木式織機は複雑な格子縞を織ることのできる片側四挺杼のサロン織機を出した。「サロン」（sarong）とは、インドネシア等の民族衣裳で体に巻きつける布のことをいい、それを織るのに適した織機であったことからサロン織機と名づけられた。

自動車工業への転換

織機製造だけを続けていてはいず

軽自動車・スズライト　スズキ歴史館蔵　2015年撮影

れ事業に限界がくる、そう危惧した鈴木道雄は自動車の製造に踏み出すことを決意する。「将来は必ず四輪車の時代がくる」、そう確信していた鈴木は、自動車に先駆けてオートバイの開発に着手した。戦争でいったん研究は中断するものの、1952年、自転車補助エンジン付きの「パワーフリー号」を、続いてオートバイ「コレダ号」を発売した。

1954年には社名を鈴木自動車工業株式会社と改め、翌年に国産初の軽四輪乗用車「スズライト」を発表し、軽自動車時代の先鞭をつけた。四輪車で2サイクルエンジンを搭載したのはスズライトが初めてなら、エンジンを車の前に配置するとともに前輪駆動で車を走らせるFF方式をとったのもスズライトが最初であった。スズライトは鈴木の夢の集大成であった。（石田正治）

ゆかりの地へのアクセス

【スズキ歴史館】

➡静岡県浜松市南区増楽町1301　JR東海道線高塚駅より徒歩10分
（見学は事前予約制）

鈴木道雄をもっと知るために

◉長谷川直哉『スズキを創った男　鈴木道雄』三重大学出版会、2005年
◉鈴木自動車工業株式会社『四十年史』1960年

田淵寿郎（たぶちじゅろう） 1890-1974

苦難を乗り越え未来を築く
戦後の名古屋市復興計画の牽引者

出典：『名古屋都市計画史』

田淵寿郎	
1890 年	広島県佐伯郡大竹町に生まれる
1903 年	長兄のいる大分県杵築町に移る
1909 年	第五高等学校（熊本）に入学
1912 年	東京帝国大学土木工学科に入学
1915 年	東京帝国大学卒業後、山形県庁に採用される
1917 年	京都府に転任
1919 年	内務省内務技官として秋田土木出張所に赴き、雄物川改修工事に尽力
1921 年	山形県鶴岡市へ、最上川、赤川復旧工事に尽力
1924 年	大阪土木出張所に転任
1936 年	仙台土木出張所長に就任
1939 年	名古屋土木出張所長に就任
1945 年	名古屋市技監兼施設局長として戦災復興計画立案に取り組む
1974 年	84 歳没

生い立ち

1890（明治 23）年、広島県佐伯（さえき）郡大竹町（現 大竹市）で田淵源七の五男として生まれた。実家は回船問屋「鍵屋」で多くの船を所有していたが、明治維新の激動期のなか家業は衰退し、長兄のいる大分県杵築（きつき）町（現 杵築市）で育つ。

田淵は杵築中学校を卒業後、旧制第五高等学校（現 熊本大学）に入学する。造船の進路を志望していたが不況から東京帝国大学（現 東京大学）の土木工学科に進学した。1915（大正 4）年、大学卒業後、田淵は山形県庁に採用された。

造船から土木技師への進路変更

田淵は、当時、造船業界が不況で低迷していたため、仕方がなく土木の道に進んだという。大学卒業後、山形県庁に採用され、最上川改修事業担当の酒田事業所の所長として赴任した。1917 年 11 月、京都府に転任し、淀川大水害の復旧に従事した。1921 年には、再び山形県鶴岡市に転任した。田淵の『或る土木技師の半自叙伝』には、東北の人たちとの交流が語られており、ただの土木技師ではなかった一面がうかがえる。1935（昭和10）年、大阪土木出張所の工務部長として勤務したが、1936年、仙台土木出張所長として三度目の東北勤務となった。1937年、各地の主要河川事業に尽力するなか、日中戦争がはじまり中支派遣軍特務部付きとして中国に赴いた。

移転中の平和公園　乾徳寺蔵

都市計画の名作「名古屋100m道路」

1939年、名古屋土木出張所長として転任、木曽川の治水、今渡(いまわたり)ダムの操作規程などの河川工事に関わる。1942年、華北政務委員会建設総署代理として再度中国に赴き、北京西郊の都市計画の立案に参加した。この二度目の中国で、「土木技師として、多くを学んだ」と自著に書いている。

1945年10月、名古屋市長からの招請により、技監兼施設局長となり戦災復興計画立案に取り組んだ。技術的助役として統一的な復興事業を牽引したのである。田淵の熱意は、日本の都市計画史上例がない大胆さで「田淵構想」とも称された名古屋市復興計画の実現に注がれた。その計画の基幹には、2本の100m道路と大規模な墓地の集団移転による平和公園の建設があった。計画の実行には、市内中心部に279の寺院があり、およそ18万余基の墓碑移転が重要課題であったが、田淵の熱意とリーダーシップにより平和公園という墓地公園が実現した。田淵は、戦災復興計画を中心とした名古屋の位置づけを常に考え、名古屋の発展に関わる施策を次々と実現していった。2018年、名古屋市は市政施行から130周年を迎えた。その長い歴史の中で名古屋市名誉市民の称号を与えられたただ一人の人物が、田淵寿郎である。（梅本良作）

現在の久屋大通り100m道路
鈴木吉正氏撮影
2020年

田淵寿郎をもっと知るために

- ◉田淵寿郎『或る土木技師の半自叙伝』中部経済連合会、1962年
- ◉重網伯明『土木技師・田淵寿郎の生涯』あるむ、2010年
- ◉本多静雄 編著『男の生き方―田淵寿郎伝』風媒社、1990年

石川栄耀（いしかわえいよう） 1893-1955

商店街、盛り場は夜の公園だ

都市計画法による最初の名古屋都市計画立案

渡邉耕氏（えいよう会代表幹事）提供

石川栄耀	
1893年	山形県東村山郡千布村に生まれる
1918年	東京帝国大学工科大学土木工学科卒業、米国系貿易会社建築部に就職
1920年	都市計画地方委員会技師となり名古屋地方委員会赴任
1923年	欧米視察旅行に出発。翌年、レイモンド・アンウィンと出会う
1933年	都市計画東京地方委員会赴任
1943年	都制施行により東京都技師となり東京都計画局道路課長就任
1944年	東京都計画局都市計画課長兼務
1948年	東京都建設局長就任
1951年	日本都市計画学会設立に尽力、初代副会長に就任。早稲田大学理工学部教授となる
1955年	62歳没

生い立ち

1893（明治26）年、山形県東村山郡千布（ほしぬの）村（現 山形県天童市千布）で、根岸文雄の次男に生まれた石川栄耀（ひであき）（通称：えいよう）は、5歳（6歳とも）で実父の次弟石川銀次郎の養子となる。1918（大正7）年、東京帝国大学工科大学土木工学科を卒業した。米国貿易会社建築部などを経て、1919年に日本で初めて都市計画法が制定された際、内務省の都市計画技師第一期生となった。1920年に都市計画名古屋地方委員会に赴任、東京に転勤するまでの約13年間に、名古屋において都市計画法による都市計画や土地区画整理事業に幅広い実績を残した。

1933（昭和8）年に都市計画東京地方委員会に異動。1943年、東京都技師となり、道路課長、都市計画課長、建設局長を歴任した。この間、1945年の敗戦後は、東京における戦災復興計画の立案などに取り組む。ドッジ・ライン（緊縮財政政策）による復興計画の大幅縮小に悩みながらも、東京都復興の責任者として、計画実現に全力を傾けた。

名古屋発展の礎となった都市計画

市の中枢部の商業地域、名古屋港を囲みさらに北へ伸びる工業地域、これらを結ぶ街路網と運河網、そして外周部を囲む住居地域（下図参照）は、当時、石川らが計画した都市の骨格的構造であり、これらが産業都市・名古屋発展の礎となった。

今、名古屋市の交通を支えている現在の桜通、伏見通、環状線などは、石川の都市計画の遺産である。石川は、鉄道と名古屋港を連絡し物流を担った中川運河と、両岸の工業用地の造成も手がけた。彼は決定された都市計画案を、乏しい市の財政の下、

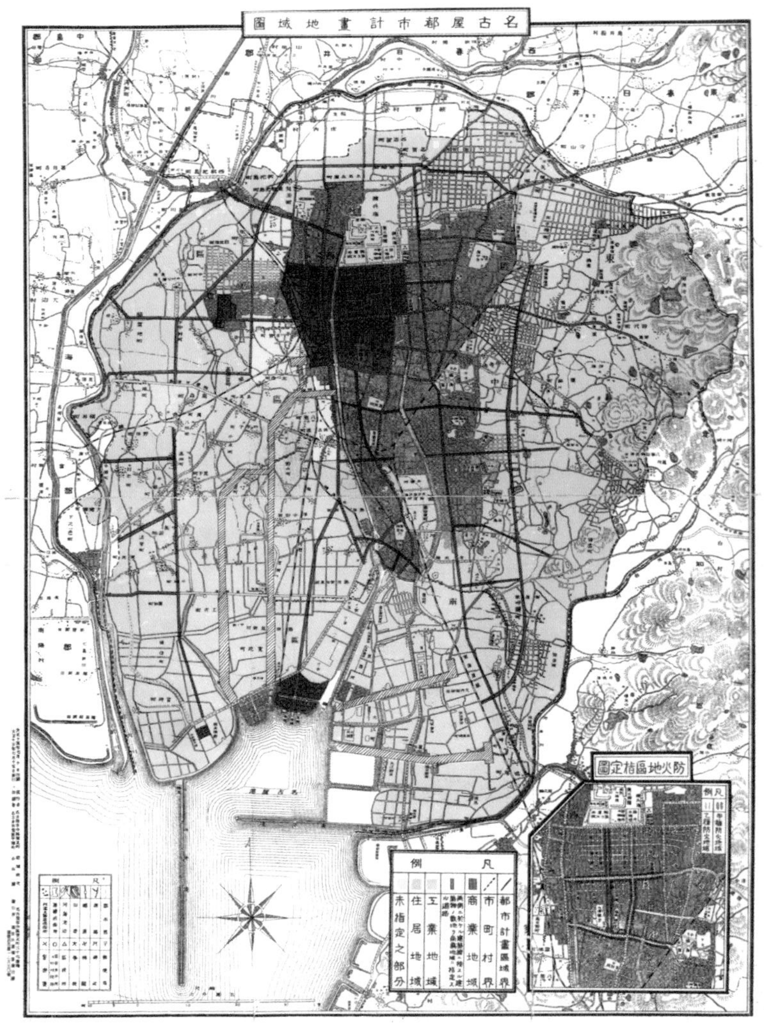

名古屋都市計画地域図 1924 年　出典：『名古屋都市計画史（大正 8 年～昭和 44 年）図集編』

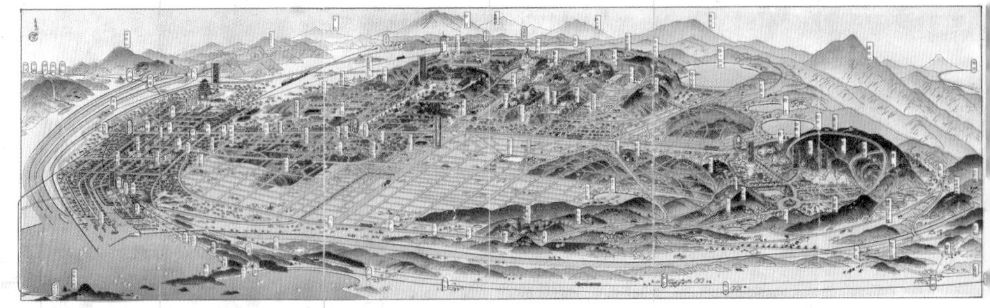

田代土地区画整理組合鳥瞰図（1937年） 名古屋市土地區劃整理組合発行 名古屋都市センター蔵

土地買収に頼らない土地区画整理の手法によって実現した。こうした石川の仕事を、大岩勇夫（いさお）市長（本書318ページ）は全幅の信頼をもって支えた。

「夜の都市計画」を提唱

石川は1923年から1年間、欧米の都市計画調査のためアメリカや欧州へ視察旅行に出かけた。その際、ロンドンで田園都市レッチワースの設計者として知られるイギリスの都市計画家レイモンド・アンウィンに面会し、名古屋の都市計画は「産業そのもの」であり、「人生を欠いている」と酷評され衝撃を受ける。

帰国後、石川は田園都市の思想を採り入れた、八事（やごと）丘陵地や田代地区などの土地区画整理事業を進めた。一方、「夜の都市計画」と称して休日や夜こそが人生にとって重要な時間だとし、人々が集い憩う盛り場や商店街作りに取り組んだ。商工会議所を拠点として名古屋都市美研究会を設立し、盛り場の照明の研究、広小路や大須商店街などの祭やイベントの企画、市民による盛り場育成の研究会の運営支援などをおこなった。日本の商店街や盛り場は、人々が語らい友愛を深める仕掛け、西欧の「広場」に代わるもので、「夜の公園だ」とも言っている。（北原なつ子）

ゆかりの地へのアクセス

【中川運河】➡名古屋市営地下鉄名港線名古屋港駅より徒歩5分

【田代土地区画整理によるY字交差を多用した放射状道路】

➡愛知県名古屋市千種区穂波町、松竹町

➡名古屋市営地下鉄東山線・名城線本山駅付近

石川栄耀をもっと知るために

◉石川栄耀『都市計画及国土計画 その構想と技術』工業図書、1941年

◉中島直人ほか『都市計画家・石川栄耀―都市探求の軌跡』鹿島出版会、2009年

◉高崎哲郎『評伝 石川栄耀―社会に対する愛憎、これを都市計画という』鹿島出版会、2010年

竹内芳太郎 1897-1987

穏やかな人柄に秘めた強い信念
農村改善に尽くした建築家

出典：『年輪の記』

竹内芳太郎	
1897年	愛知県知多郡亀崎町に生まれる
1909年	愛知県立第二中学校へ入学する
1910年	愛知県立第一中学校へ転校する
1916年	愛知県立第一中学校を卒業する
1917年	早稲田大学高等予科理工科入学
1919年	早稲田大学理工科建築科へ入学
1920年	坪内逍遥指導で劇研究会を開始。今和次郎の指導で民家調査開始
1922年	大学を卒業し東京市公園課技手
1926年	三協土木建築事務所に勤務する
1929年	武蔵高等工科学校建築科の講師。日本無線電信対欧送信所が竣工
1933年	浅草本願寺の再建事務局に移る
1936年	浅草本願寺から同潤会技師就任
1954年	東京教育大学農学部教授に就任
1964年	中部工業大学建築学科教授就任
1979年	中部工業大学の名誉教授となる
1987年	90歳没

生い立ち

竹内芳太郎は、1897（明治30）年、愛知県知多郡亀崎町（現 愛知県半田市亀崎相生町）で機械工場を経営する家庭に生まれた。同工場では東大寺大仏殿修理に使われた製材器具も製作した。父は三菱UFJ銀行となる稲橋銀行、のちの東海銀行の重役も務めた。

1910年、愛知県立第二中学校（愛知二中）から愛知一中へ転校し、1916（大正5）年に卒業した。1917年、早稲田大学高等予科理工科に進み、1919年に早稲田大学理工科建築科に入学した。

竹内は、在学中の1921年に白川郷の岐阜県大野郡白川村御母衣集落の住居を調査した。現在は世界遺産として知られる白川郷は、現在ほど有名でなく、当時は徒歩での調査旅行であった。この調査で、白川村の大家族制度は、狭小な耕作地の分散化防止と労働力確保にその成立要因があり、また合掌造りと称する民家は、蚕室の多層化によって生まれた住宅の一形式であることをつきとめ、その成果を卒業論文「二つの村の生活の人文地理学的研究」としてまとめている。

竹内は、演劇好きで、坪内逍遥の指導のもとに、劇団「わかもの座」をつくり、初代水谷八重子らと活動を続けた。竹内は晩年にいたるまで「八重子、八重子」と彼女を呼び捨てにして語った。また文壇とも縁があり『人生劇場』の尾﨑士郎とは愛知二中の同期生で、柔道では稽古相手であった。

竹内のライフワークとなる農村改善と舞台研究は、大学入学直後から始まっていた。

農村改善と舞台研究

1922 年、大学卒業後、東京市の公園課に勤務する。彼は早期から公園計画と植栽に関心を示す新しい建築家であった。

1926 年、竹内は新設された三協土木建築事務所に勤務、日本初の公的な住宅供給組織・同潤会（1924 年設立）の日暮里アパート・青山アパート、拓殖大学本館、浅草本願寺などの設計監理に携わったが、その間も民俗学的分野での農村行脚を続けている。

1936（昭和 11）年、同潤会が日本学術振興会の委嘱を受けて東北地方の農山漁村住宅改善の調査研究を始めた際、師今和次郎（こんわじろう）の勧めで同会の技師となり、足掛け 6 年にわたり、東北地方を旅して、当地の住宅の現状を調査し、農村住宅の改善に心血を注いだ。また、早大建築の佐藤功一主任教授と今和次郎助教授から民家調査の指導を受け、民俗学者の柳田国男や渋沢敬三ほかと民家研究を共にした。

1941 年、同潤会解散後は、農地開発公団建築課長、農林省農村工業講習所建築課長などを歴任し、1954 年、東京教育大学農学部教授となったが、その仕事は一貫して農村住宅改善と農村建築のための技術者養成であった。そして、東北の農山漁村調査以来の研究成果は、学位論文「農家の居住性に関する研究」に集大成されている。

竹内は、演劇好きな面から、劇場や農村舞台にも多大な関心を寄せている。1935 年に『日本劇場史』二巻の大著をものにし、後年、中部工業大学（現 中部大学）に迎えられてからは、中部地方を中心に各地の農村舞台を精力的に調査し、大著『野の舞台』を上梓している。

代表作・依佐美（よさみ）送信所本館

竹内芳太郎の設計作品としては、刈谷市の鉄塔として知られた依佐美送信所が代表作である。本館正面最上階の放物線は、竹内の活動が新しい時代であったことを示している。明治以来の古典的な様式建築の時代が去り、建築設計者の個性を表出する時代になっていたのである。

竹内芳太郎の建築作品　依佐美送信所本館絵はがき

著者（水野）が職員として、教えを受けた中部工大での竹内先生は、いたって穏やかな人柄が前面に出ていた。しかし竹内が設計教育を受け、その後、農村改善を続ける生涯は、新しい時代と彼の強い信念が背景になければなし得ない業績であった。

なお、2006年に発行された『愛知県史 別編 文化財1 建造物・史跡』には729ページに複数の送信機器メーカーが掲載されている。しかし「この機械はいずれもドイツのテレフンケン会社のものを輸入していた。（中略）建築はそれに適応した設計にする必要があるので、その仕様書をテレフンケン会社から送ってくる」と、昭和期から竹内自身が幾度も記述している。この機会を借りて明記しておきたい。（水野信太郎）

依佐美送信所本館の最上階の放物線
1998年撮影

ゆかりの地へのアクセス

【依佐美送信所記念館】
➡愛知県刈谷市高須町石山2-1　フローラルガーデンよさみ内

竹内芳太郎をもっと知るために

◉竹内芳太郎『農村住宅の改善』相模書房、1950年
◉竹内芳太郎『年輪の記』相模書房、1978年

榊(さかき) 秀信(ひでのぶ) 1898-1989

名古屋に発明の鬼才あり

国産初の16ミリ映写機の製造

榊文男氏提供

榊 秀信	
1898年	愛知県海東郡大井村（現在の愛西市大井町）で大河内秀信誕生
1911年	大工棟梁の榊治郎吉に弟子入り
1920年	榊家への婿養子で長女栄と結婚
1921年	大工をやめ、榊商会を創立
1922年	写真引伸機を完成。「クイン式引伸機」と称して販売
1925年	名古屋無線電信学校に入学許可され、ラジオの基礎を学ぶ
1926年	玩具「ヒコーキ印35ミリ映写機」を完成して販売
1927年	国産初の16ミリ映写機「エルモ映写機A型」を完成、販売
1930年	完全国産化を達成した「エルモ映写機D型」を完成、販売
1933年	合名会社エルモ社創立
1949年	株式会社に改組、社長就任
1956年	紫綬褒章を受賞
1968年	勲三等旭日中綬章を受賞
1989年	90歳没

生い立ち、大工、榊商会

大河内秀信（のちの榊秀信）は1898（明治31）年に愛知県海東郡大井村（現 愛知県愛西市大井町）で、父虎次郎、母よしのの三男として生まれた。父が2歳の時に他界したのち苦しい生活を送り、兄がタンス店に奉公したのを機会に、母と兄とともに名古屋市古渡町に移住した。小学3年生でカンザシ類製造のカザリ屋に手伝いとして入り、細工物づくりに打ちこんだ。小学校を5年で中退し兄のいるタンス店に丁稚奉公ののち、1911年に名古屋でも人に知られた大工の棟梁の榊治郎吉に弟子入りした。

棟梁はなかなかのハイカラで当時まだ珍しい写真機を所有し、それをいじりまわして得意になっていた。やがて写真機の修理を引き受けるようになり、部品の販売も始める。秀信は大工の傍らそれを手伝い、修理と部品製作に熱中した。適齢に達し1918（大正7）年から2年間兵役に就いたのち、22歳で榊家へ養子として迎えられ長女栄と結婚した。名古屋市中区梅園町に移住し、榊姓を名乗るようになった。棟梁の理解を得て大工をやめることを決心し、写真機の修理や写真用品の製造販売をおこなう榊商会を1921年に立ち上げ、中区西日置町に店舗を構える。翌年には写真引伸機を完成し、「クイン式引伸機」と称して販売を始めた。初めての特許を出願して取得する。

国産初の16ミリ映写機を完成

ラジオ本放送の開始に刺激され、秀信は無線技術の修得を決意して、1925年に名古屋無線電信学校に入学を希望するが、中学卒業でないため許可されなかった。校長を再三訪れ勉学の希望を懇願して、特別に入学を許可される。同校で6カ月間、ラジオの基礎知識を学び、最優秀の成績で卒業した。ラジオに必須の部品バリコン（バリアブル・コンデンサー）を製品化し、ラジオセットの製造販売もおこなうようになった．

この頃、東京方面で出回っている玩具の舶来映写機を偶然に入手したことから、玩具「ヒコーキ印35ミリ映写機」を苦心の末に完成させ販売にいたる。これを端緒に映写機の本格的研究に邁進し、1927（昭和2）年、国産初の16ミリ映写機を完成させ、「エルモ16ミリ映写機A型」として販売した。これは光源反射式で手回し式であった。

さらなる改良を進め、モータや映写電球を国内各社の協力を得て開発し、画期的なフィルム送り機構を開発するなどして、1930年に純国産機といえる「D型」の製品化にいたる。

エルモ社を設立し、海外輸出

1933年には世界に率先して500W電球を採用した「F-500型」を発売し、明るい映写機として定評をえた。また、この年には商品名をとって合名会社エルモ社を設立した。エルモ(ELMO)は、Electricity、Light、Machine、Organizationのイニシャルの組み合わせである。

不世出の名機といわれた「躍進号」を1935年に発売する。光源直射式にして明るさを増すなどの様々

エルモ16ミリ映写機A型　(榊信之氏提供)
日本機械学会による機械遺産第60号に認定されている。

16ミリ映写機の製作に打ち込んでいる榊秀信（榊文男氏提供）
日置工場にてYU型16ミリトーキー映写機を製作中（1934年）

な性能面での改良が施された。1937年には初のトーキー映写機「YUT号」も製品化した。戦前に、エルモ映写機は世界33カ国に輸出され、その優秀さは海外で認められていった。1944年には松坂屋の資本参加を得ている。これは戦後の発展の礎となり、エルモ社は1949年に株式会社に改組され、秀信は取締役社長に就いた。

映画教育、工業教育への貢献

秀信は早くから映画教育（戦後、視聴覚教育と呼ばれる）に強い関心を持っていた。映画教育運動の活発化の機運の中で、エルモ16ミリ映写機A型は、学校教育や社会教育の教具に採用され、映画教育に大きな役割を果たしていった。当時愛知県は最も映画教育の盛んな地方として全国的に注目され、他府県からの視察が絶えなかった。それとともに榊商会への見学者も増加し、応待に苦慮するほどであった。毎日新聞社発行の月刊誌『映画教育』1932年2月号にはエルモ映写機D型の広告が掲載され、これ以降エルモ社の広告は同誌の常連となっていった。『映画教育講座』（四海書房、1942年）に「十六ミリ映写機について」を執筆している。

1938年に三浦幸平によって工業技術教育を実現するために創立された名古屋第一工学校（中部工業大学、中部大学の源流）に、エルモ社の工場を実習工場として提供した。秀信は三浦と昵懇の仲となり、学校法人三浦学園の理事を続け、1975年の三浦の学園葬では葬儀委員長を務めている。中部工業大学の発展を陰ながら支えてきた。

秀信は1956年3月に紫綬褒章を受賞している。受章理由は「早くから小型映写機の研究に努め苦心の末活動写真フイルム送り装置その他幾多これに関連した発明考案を完成しよく小型映写機の普及に寄与し事績まことに著明である」というものであった。その後1968年には勲三等旭日中綬章を受賞した。

エルモ社は戦後高度経済成長期に大きく成長した。秀信の経営理念である「創造と和」を表題する社史が

エルモ映写機Ｄ型の広告 『映画教育』1932年２月号（第48号）に掲載された。

1974年に刊行されている。8ミリ映写機とカメラのトップメーカーとしてもエルモはよく知られ、全盛期の1970年代には、16ミリ映写機や8ミリカメラの国内シェアで4割を占めることもあった。だが家庭用ビデオテープレコーダーなどの登場で映像技術が急速に変化し、経営環境が難しさを増す中、秀信は1989年に90歳で亡くなった。エルモ社は秀信の教育への想いを引き継ぎ、ビデオカメラ技術の活用で第二創業期を乗り切り、2021年に創業100周年を迎えた。（黒田光太郎）

ゆかりの地へのアクセス

【名古屋市博物館】

➡名古屋市瑞穂区瑞穂通1-27-1

2019年まで開設されていた「エルモ歴史館」の光学機械のコレクションのうち93点が寄贈されている。一般公開されていないが、2020年に展示「エルモ社と小型映画」が開催された。（http://www.museum.city.nagoya.jp/exhibition/owari_joyubi_news/elmo/index.html）

榊秀信をもっと知るために

◉エルモ社史編集委員会 編『創造と和―エルモ社五十年の歩み』エルモ社、1974年
◉榊秀信「好きな道に熱中して」、『世に出るまで―私の実業勉強』実業之日本社、1960年、pp.209-222
◉榊秀信「ずい筆　足跡」『教育愛知』11巻7号、1963年、pp.6-11
◉和田宏『築き上げた道程』エルモ社社長 榊秀信氏、中部経済新聞社、1963年
◉『学校法人 中部大学七十年史』中部大学、2009年

内藤正一（ないとうしょういち） 1899-1960

技術者のプライドは高く
ブランドネームに翻弄されたキャブトン

出典：『名古屋オートバイ王国』

内藤正一	
1899年	愛知県中島郡祖父江町に生まれる
1911年	12歳の時、ワシノ商店に奉公にでる
1927年	中川区にエンジン製造会社、合資会社高内製作所設立
1931年	小型四輪自動車「みづほ」を製作
1936年	社名をみづほ自動車製作所に改称。キャブトンを製造する
1945年	空襲で工場を全焼、犬山に疎開
1947年	バイクエンジン36.4ccビスモーター発売
1948年	キャブトンＡＨ型500ccを発売
1953年	年間生産台数２万台。全国統一価格、大幅値下げを実施する
1956年	不渡り倒産、負債総額９億円
1960年	61歳没

生い立ち

1899（明治32）年、内藤正一は愛知県中島郡祖父江（そぶえ）町（現 稲沢市）に生まれた。

内藤は、12歳の時にワシノ商店に奉公にでた。そこで製造、機械加工技術を身につけ、1927（昭和2）年に名古屋市玉船町（現 名古屋市中川区）に合資会社高内製作所を設立した。自動三輪車、オートバイのエンジンの製造を開始し、内藤は、1931年に川真田和汪（かわまたかずお）（本書263ページ）と共同で、日本初の前輪駆動による小型自動車、V型2気筒、排気量500cc、出力18.5馬力の水冷4サイクルエンジンを搭載したローランド号を製作した。ローランド号は、高松宮殿下が御買い上げになるほど好評を博した。内藤は、同タイプの小型自動車「みづほ」を販売した。

国産大型オートバイ・キャブトンの誕生

国産大型オートバイ、キャブトン（CABTON）の車名の由来は「Come And Buy To Osaka Nakagawa」の頭文字で、「大阪の中川商店へ買いに来てください」を意味している。

中川商店は戦前に英国製オートバイのアリエルを輸入販売していた店である。1936年、中川商店はそのアリエルをモデルとした国産オートバイの製造をエンジン製作の実績があった内藤に依頼してきた。

内藤は、みづほ自動車製作所を立上げ、空冷単気筒500ccエンジンはじめ水冷2気筒750ccエンジンまで10種類を超えるえるラインナップを揃えたエンジンメーカーになっていた。

キャブトンは量産体制に入り、アリエル似の国産大型オートバイとして人気を得たのである。

高内製作所　右端の「ローランド号」の看板（1931年）
出典：『名古屋オートバイ王国』

みづほ自動車製作所犬山工場（1953年）
上方に木曽川にかかる犬山橋が見える
出典：『名古屋オートバイ王国』

メグロ、陸王などと並んで、いち早く国産オートバイを製作したみづほ自動車製作所は、名古屋地区では最も古いオートバイメーカーになった。戦時中は海軍の指定工場となった。工場は名古屋市中川区玉船町にあったが、1945年3月の名古屋大空襲で焼失した。工場内にあった自宅も焼け、家族を失い、本人も大やけどを負った。軍によって犬山に工場疎開が決まったことで、戦後、キャブトンの生産再開は犬山工場から始まった。

ダブルネーム「キャブトン」と「みづほ」

キャブトンは戦前に中川商店から約600台が販売された。戦後、内藤はキャブトンの製造を実績に「みづほ（MIZUHO）」の車名で自ら本格的に犬山でオートバイを生産し販売する計画を立てた。キャブトンの発売元は大阪の中川商会であったが、戦時中に販売を中止していた。しかし、大手代理店からすでにキャブトンは戦前に大型高級バイクのブランドイメージが定着していて、車名の

キャブトンRTS　600cc　1955年式
名古屋郷土二輪館蔵

変更はかなわなかった。

みづほ自動車は、戦前にはなかった2気筒の直立600cc RTSから単気筒350ccまで6車種を揃えた。販売は好調で1949年には生産がわずか19台だったが、最盛期の1953年に年間生産台数が2万台を超え、資本金1億円、従業員800名とトーハツ、ホンダに次ぐオートバイメーカーにと急成長した。1952年に先端工作機械をドイツから購入、生産工程にベルトコンベアー方式の採用等、積極的な設備投資と工場拡張で大量生産に入った。広告宣伝にも力を入れ、東宝映画製作の第一作「ゴジラ」(1954年)とタイアップしている。みづほ自動車製作所は知らなくてもキャブトンを知らない人はいないといわれるほどになった。

内藤は売れ続けるキャブトンに対して、どうしても技術者のプライドを捨てきれなかった。キャブトンは当初、英国製アリエルをモデルに製作されているが、内藤自身はドイツ車が好みで、キャブトンをマイナーチェンジするたびにドイツ車似のスタイルに変更していった。タンクマークのキャブトンの字体を小さくしてみづほの「M」を大きく強調した。また、マークに〈騎士〉と〈内藤〉の呂合わせで「KNIGHTLY CABTON」とつけるなど、キャブトンブランドの変更に最後までこだわった。

1953年、オートバイメーカー乱立による競争激化で、キャブトンの販売価格を地域ごとの価格から全国統一価格に設定し直し、同時に排気量に応じて車体価格を5万円から8万円を超える大幅な値下げを実施した。薄利多売の販売戦略を狙ったが、同時に品質低下を招き、市場の信用を失い、ブランド力を急速に低下させてしまった。1956年、みづほ自動車製作所は不渡りを出し負債総額9億円かとも言われる大型倒産となった。
(冨成一也)

ゆかりの地へのアクセス

【名古屋郷土二輪館】

➡愛知県知多郡阿久比町大字草木字栄38　名鉄河和線阿久比駅下車、タクシーで5分

内藤正一をもっと知るために

◉冨成一也『名古屋オートバイ王国　メイド・イン・ナゴヤが駆け抜けた時代』郷土出版社、1999年

五明得一郎（ごみょうとくいちろう） 1899-1983

技術勘の良さは抜群
航空機産業の花形技術者

出典：『愛知機械工業 50 年史』

五明得一郎	
1899 年	名古屋の御器所村に生まれる
1924 年	京都帝国大学工学部機械科卒業。愛知時計電機株式会社に入社
1941 年	英仏和独伊の航空工業を視察
1943 年	愛知航空機株式会社取締役技術部長となる
1947 年	愛知起業株式会社に改称され専務取締役に就任
1949 年	新愛知起業株式会社を設立。取締役社長に就任
1954 年	名古屋商工会議所機械器具部会長
1965 年	愛知機械工業株式会社取締役社長を退任、相談役に就任
1983 年	83 歳没

生い立ち

五明得一郎は、1899（明治 32）年に名古屋の御器所（ごきそ）村（現 名古屋市昭和区）で生まれた。愛知第一中学校、第八高等学校を経て、京都帝国大学工学部機械科を 1924（大正 13）年に卒業、同年、愛知時計電機に入社した。愛知時計電機では、航空機部門を担当した。名古屋人らしく、良い意味で、非常に確実で、模範的な仕事の進め方をした人であった。航空技術者には珍しく、機体の設計に従事しつつ、技術部長として現場の監督、機体製作の管理までおこなった稀有な技術者であった。終戦までに、約 25 種類の飛行機を設計した。1943（昭和 18）年に、愛知時計電機は、航空機増産に対応するために愛知航空機を設立し、五明はその取締役技術部長に就任した。

五明は、戦後、軍用機の生産に特化していた愛知航空機の民需転換という大きな仕事を任される。1949 年に、新会社、新愛知起業株式会社が創立され、代表取締役に就任し、自動車産業への参入を果たし、民業への転換を図った。

1951年、サンフランシスコ講和条約が成立すると、敗戦まで航空機産業であった企業は、航空機産業へ再参集を果たしていた。五明は、経営者の判断として企業として利益の出ない産業への参入を思いとどまった。1965年2月まで社長として難しいかじ取りをおこなった。社長退任後は、相談役として務め、社長在任中から名古屋商工会議所の機械器具部会長として、中部の産業全体の底上げを図ることに心を砕いた。1983年暮れに脳梗塞で逝去した。

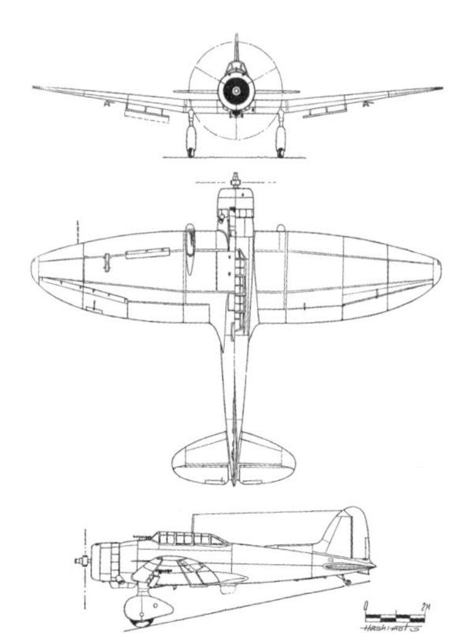

五明が設計した九九式艦上爆撃機
出典：『日本航空機総集２』

抜群の勘で傑作機九九式艦爆を生む

五明得一郎は、航空機の設計者筋では著名であった。当時、高速化が進む飛行機の設計には必要不可欠といわれていた風洞実験室を独自に設計し、1929年に、愛知時計電機船方工場にゲッチンゲン型風洞を導入した。後に傑作機として知られる九九式艦上爆撃機（急降下爆撃機）の開発であった。

この急降下爆撃機というものは、強度計算等が戦闘機よりも難しかった。発注者の海軍でも強度基準が未定であった。海軍の無理な仕様に対しては、五明は、「できないものはできない」と意見を言うほどの確固たる意志を持った技術者であった。

五明は、理論的な感性と、天性の勘とでもいうべき見識を持って設計に臨み、解体強度を理論的に考えて、海軍の提示していた弱い強度基準値を無視して、数倍の強度をもって計算をおこなって設計し、急降下という過酷な条件下での攻撃を成し遂げる九九式艦上攻撃機を作り上げた。

1940年に生産が開始された同機は、太平洋戦争の緒戦で活躍、ある空中搭乗員が、「九九艦爆で、思う存分に活躍できた。同機は我らが誉（ほまれ）」と筆者の祖父宛書簡に書き遺している。

五明は、ある時、一つの機体で、

名機九九式艦上爆撃機　出典：『世界の傑作機』

雷撃、急降下爆撃をおこなう機体設計を要請された。雷撃は、水平爆撃であり、急降下爆撃では機体の強度計算上大きな相違があるが、この非常に厳しい要求を満たして実用化し、「流星改」として採用された。

五明は、常に非常に実利的な面を重視していたので、設計の時点で、航空機の生産を念頭に置いた設計をおこなっていた。愛知航空機は、空技廠設計の機体の受託生産もおこなっていた。生産受託を受けた機体は、理論だけで設計されており生産性を無視していたので、五明は生産性を考慮したものとすべく、全面的な設計見直しを部下に指示した。愛知航空機は、設計から生産までの管理をおこなっていたので、海軍から試作機の発注を受けて、期限前には、機体を納品していた。他社は、遅れるのが当たり前であったから期限までに納めるということは賞賛に値した。

ジャイアント号のカタログ
出典：『国産三輪自動車の記録』

戦後の再出発はオート三輪車の開発

愛知航空機の工場は、終戦前に、大規模な爆撃を受けて壊滅的な打撃を受けた。敗戦で、軍需は消滅したので、民需へ転換が必要となった。そこで、生産できる製品を模索することとなった。自動車産業への参入は、愛知航空機自体が、発動機と機体をつくっていたから、自動三輪車であれば発動機の生産技術、車体の技術も生かせると考えての選択だった。戦前名古屋で生産されていた三輪車「ジャイアント号」製造販売権を帝国精機から買い取り、再生産に関して多くの問題を処理して生産を軌道に乗せ、コニーへ生産販売を移行した。小型車、三輪車としては、同業他社として比較して単価的に不利で、売上げは不振であったが、五明は、常に会社の存続と、従業員の生活の保全を優先的に考えていた。また、国産旅客機YS-11の生産が始まる前に、主翼生産を打診されたが、生産設備投資と、生産量の観点から従業員の生活が守れないとして断っている。（杉山清一郎）

五明得一郎をもっと知るために

◉名古屋技術倶楽部『東海の技術先駆者』第二巻、1984年
◉愛知機械工業50年史編纂委員会 編『愛知機械工業50年史』1999年

高柳健次郎（たかやなぎけんじろう） 1899-1990

一歩先を行く研究を目指して

テレビジョン技術の父

公益財団法人 浜松電子工学奨励会 HP より

高柳健次郎	
1899 年	静岡県浜名郡和田村で生まれる
1921 年	東京高等工業学校付設工業教員養成所電気科を卒業。神奈川県立工業学校教諭
1924 年	浜松高等工業学校電気科助教授に就任、テレビジョン研究を始める
1926 年	送像にニポー円盤、受像にブラウン管を用いて「イ」の字の送像・受像に成功する。浜松高等工業学校にテレビジョン研究棟（電視研究室）完成
1937 年	NHK 嘱託を兼任し、NHK 技研に移る
1946 年	NHK 退職、日本ビクター顧問
1949 年	浜松高等工業学校退職
1980 年	文化功労者として表彰
1981 年	文化勲章授章
1990 年	91 歳没

生い立ち

1899（明治 32）年、静岡県浜名郡和田村（現 浜松市東区安新町）に高柳太作とみつの長男として生まれる。幼い頃は病弱で勉強も運動も苦手だったが、苦手な算数と理科も恩師の指導のおかげで好きになり、やがて教師になることを夢に勉学に励んだ。

静岡師範学校（現 静岡大学教育学部）に進み、物理学、特に電子による蛍光発光に強い興味を持った健次郎は東京高等工業学校（現 東京工業大学）に進学した。高等工業学校では恩師より「10 年先、20 年先を目指した研究をせよ」と励まされ、研究者への道を歩んだ。1921(大正 10)年に高等工業学校を卒業すると迷わず、教師への道を選んだ。

テレビジョン研究へ

神奈川県立工業学校を経て、1924 年、新設直後の浜松高等工業学校（現 静岡大学工学部）の助教授となった高柳健次郎は学校にテレビジョンの研究をしたいと申し出た。

テレビ実験で使われた受像機（レプリカ）
浜松市科学館蔵　2019 年撮影

ブラウン管式テレビでの画像受信に成功した際使われた「イ」の字を記した雲母板
静岡大学高柳記念未来技術創造館

驚かれながらも学校側は研究準備を整えてくれた。ここで「無線遠視法」（健次郎が名づけたテレビジョンのこと）研究が始まった。

苦労の末、1926 年 12 月 25 日の夜、世界ではじめてニポー円板による撮像とブラウン管表示で「イ」の文字を映し出すことに成功した。しかし、健次郎は、機械方式の限界を見抜き、全電子方式に挑戦し、1930（昭和 5）年、テレビ撮像管を発明した。

この頃、テレビジョンの将来性に期待が高まり、1940 年に予定されていた東京五輪をテレビ放送するという計画が国家事業として取り上げられ、研究が加速された。健次郎は1937 年、浜松高等工業学校教授のまま、ＮＨＫ技術研究所に出向し、日本のテレビ技術開発の中心となり、1938 年には現在のテレビ規格に近い走査線数 441 本、毎秒 25 枚の技術を完成させた。その後、第二次世界大戦の勃発でテレビジョンの研究は中断された。

VTR への発展

戦後、健次郎はテレビジョンの研究を進めるために、1946 年、日本ビクター株式会社に入社し、テレビジョンの技術革新とテレビ放送の実用化に尽力した。1949 年にはテレビジョンの放送が始まり、1960 年にはカラーテレビの放送も始まる。この間、健次郎は日本のテレビ開発、テレビ産業技術の指導者として活躍した。

1959 年には世界に先駆けて、2 ヘッド方式のビデオテープレコーダーを完成させ、ホームビデオの世界的普及と VTR 産業の発展に貢献した。このように、健次郎はテレビジョンに関する技術の礎を築き、さらに、テレビ産業として発展する技術の指導者としての役割を果たした。（漢人省三）

高柳健次郎顕彰碑　浜松市中区広沢町西部共同センター前浜松高等工業学校跡地　2019 年撮影
この場所から浜松高等工業学校のテレビジョン研究が始まったことと、研究施設があったことを記念する。

ゆかりの地へのアクセス

【静岡大学高柳記念未来技術創造館】
➡静岡県浜松市中区城北 3-5-1　JR 東海道本線浜松駅より路線バス利用　浜松駅北口バスターミナル 15、16 番のりばからの全路線乗車「静岡大学前」で下車、すぐ
https://wwp.shizuoka.ac.jp/tmh/

【イの字の碑】
➡浜松市牛山公園　NHK 浜松放送局前
静岡県浜松市中区下池川町 35-28　JR 東海道本線浜松駅より路線バス利用　浜松駅北口バスターミナル 16 番のりばから和合西山線乗車「U ホール」で下車、徒歩 15 分
➡浜松市広沢町　浜松市西部協働センター前
静岡県浜松市中区広沢 1-21-1　浜松駅北口バスターミナル 2 番のりばから蜆塚じゅんかん線乗車　「広沢一丁目」で下車、すぐ
➡浜松市城北　静岡大学浜松キャンパス内
上記　静岡大学高柳記念未来技術創造館と同じ

高柳健次郎をもっと知るために

◉村越一哲『幻の東京オリンピック―高柳健次郎伝』（村越一哲戯曲集 2）、門土社、2000 年
◉静岡大学テレビジョン技術史編輯委員会 編『静岡大学テレビジョン技術史―高柳健次郎先生文化勲章受章記念』浜松電子工学奨励会、1987 年

川真田和汪（かわまたかずお） 1901-1984

オートバイを浮かせが口癖！

自動車・オートバイの独創的エンジニア

出典：『名古屋オートバイ王国』

川真田和汪	
1901年	徳島県麻植郡鴨島村に生まれる
1904年	3歳の時、朝鮮に渡る
1923年	日本に帰国
1924年	神戸の輸入オートバイ、OK商会で勤務
1925年	オートレーサーとして米国ハーレーダビッドソンと専属契約
1931年	国産初の前輪駆動四輪自動車ローランド号製作
1949年	刈谷市に株式会社トヨモータースを設立する。資本金300万円
1952年	三輪オートバイトヨライト発売
1953年	経済視察団として欧米を視察。資本金1200万円に増資
1957年	社長を辞任する。昭和区でトーマスオウトユニオン社を発足し新たなエンジン99ccを発表
1984年	83歳没

生い立ち

川真田和汪は、1901（明治34）年、徳島県麻植（おえ）郡鴨島（かもじま）村（現 徳島県吉野市）に生まれた。3歳の時に家族で朝鮮に渡った。

日本に戻ったのは関東大震災の年、1923（大正12）年で、大阪の親類の家に身を寄せ、震災救援のトラックに乗って働いた。その後、川真田は、1924年に神戸の英国製ＯＫ号オートバイ販売店のＯＫ商会に勤務しながらオートレースに出場するようになった。

1925年、大阪の鳴尾（なるお）競馬場でのレースで、その優秀な走行技術を認められ、米国製のオートバイ、ハーレーダビッドソンの会社と契約、専属選手として活躍する。その走りは「冒険的疾走」と騒がれた。川真田はカーブにおいて、オートバイを傾けて後輪を滑らせながらスピードを落とさず曲がる技術を、日本で初めて生み出した選手として知られている。1927年にオートバイ全日本代表選手権を獲得、連戦連勝であった。

ハーレーの選手時代の川真田（左端）1929 年、岐阜市
出典：『名古屋オートバイ王国』

日本初の前輪駆動小型自動車ローランド号
右端が川真田　1931 年、東京芝浦
出典：『名古屋オートバイ王国』

独学で小型自動車を製作

川真田は選手時代から独学で内燃機関の研究に取りくみ、1931 年、30 歳の時に日本初の前輪駆動方式の小型四輪自動車「ローランド号」（V 型 2 気筒 500cc）を製作する。当時、前輪駆動方式の自動車は世界的にみても非常に数少なく、高松宮殿下に買い上げられた。1934 年、エンジンの排気量 750cc に改良し、東京自動車製造から「筑波」として発売された。1938 年までに約 130 台生産された。

刈谷から全国へ販売したトヨモーター

戦時中、川真田はトヨタ自動車工業研究所嘱託勤務を経て、戦後の 1949 年、刈谷市重原町（現 刈谷市神田町）に日新通商（現 豊田通商）の出資と刈谷工機（現 ジェイテクト）などトヨタグループの支援を受けて株式会社トヨモータースを設立した。

自転車の後輪に小型の補助エンジンを付けたバイクモーター（原動機付自転車）「トヨモーター」を生産し、全国のトヨタ自販の代理店を通じて販売した、

1952 年 7 月に石油製品の配給制が解除され、ガソリン、オイルを自由に買うことができるようになった。さらに、同年 8 月にエンジン排気量 60 cc 以下には運転免許が必要でなくなり、許可制で運転できるようになった。これにより、空前のオートバイブームがおこった。戦後復興の時代、オートバイは乗用だけでなく、軽便に商品や生活品を運送、配送する手段として重宝されたのである。作ればすぐ売れ、品不足になるほどの好況で、東京、静岡、愛知、大阪を中心に 200 社ともいわれるオートバイメーカーが乱立した。

トヨモーターは、全国に 47 の特約店を持ち、販売店は約 2000 店にもなり、各地の有力電力会社、銀行、公社、などから大口の納入で盛況を

極め、爆発的に人気を集めた。最盛期の1953年5月には月産1万台を達成している。従業員は設立当初の30名から370名に膨れ上がった。昭和30年代に入ると、トヨモータースはスズキ、ヤマハ等の後発メーカーに市場を奪われるなどして1959年7月に倒産、負債総額は約11億円にもなった。

夢のドリームバイク

川真田は「オートバイを浮かせ」が口癖で、雪国、離島、山間地などの交通不便地で手軽に走行できるオートバイとして、現代のスノーモービルや水上バイクの元となるようなオートバイを研究・試作する。

トヨモーター1号車完成記念・トヨモータース工場（1949年） 右から2番目が川真田
出典：『名古屋オートバイ王国』

雪上バイクは1951年、長野県赤倉高原や岐阜県高山市でテストを繰り返していた。かんじきで雪の中を歩いていた地元郵便局員が駆け寄り、「こんな便利な乗り物、今すぐにでも売ってほしい」と哀願されたと言う。また、より積載能力の高い前2輪の間に荷箱を置き、後輪の横にエンジンを取付けたユニークなスタイルの「トヨライト」を1952年に発売した。エンジンは強制空冷方式2サイクル88cc、3馬力。受注生産で販売は少数に留まった。株式会社デンソーがドイツのボッシュ社の開発したフライホィールマグネットを国産化するにあたり、共同でその研究開発に尽力している。

川真田は、先駆的で独創的なエンジニアとして、日本の自動車・オートバイ史に欠くことのできない人物である。1984年に83歳で亡くなった。（冨成一也）

ゆかりの地へのアクセス

【名古屋郷土二輪館】
➡愛知県知多郡阿久比町大字草木字栄38　名鉄河和線阿久比駅下車、タクシーで5分

川真田和汪をもっと知るために

◉冨成一也『名古屋オートバイ王国　メイド・イン・ナゴヤが駆け抜けた時代』郷土出版社、1999年

林 達夫（はやし たつお） 1902-1992

寝ても覚めても電気炉

日本一の電気炉メーカーを創り上げた技術者

出典：『大同製鋼 50 年史』

林 達夫	
1902 年	鳥取市で誕生、父親は軍人
1920 年	大阪高等工業学校入学
1923 年	東北帝国大学工学部入学
1927 年	株式会社大同電気製鋼所入社
1930 年	大同メタルス式アーク炉を完成
1936 年	10 カ月間欧州視察（社員で最初）
1941 年	朝鮮製鉄常務取締役
1944 年	工学博士（東北帝国大学）
1950 年	大同製鋼株式会社常務取締役
1952 年	レクトロメルト社（米国）と提携
1961 年	大同製鋼株式会社専務取締役
1962 年	ダイドーレクトロメルト式 200 トンアーク炉完成（世界最大）
1964 年	大同製鋼株式会社副社長 日本特殊鋼代表団団長で訪ソ連
1973 年	大同製鋼株式会社相談役
1979 年	日本鉄鋼協会に私財寄贈（林賞）
1992 年	90 歳没

生い立ち、大同電気製鋼所勤務まで

林達夫は 1902（明治 35）年に鳥取市で生まれた。父は軍人で 8 人の子をもうけ、林は第 2 子であった。

父の任地が姫路になり、幼少の頃に転居している。小学校に入る頃から父より心身を厳しく鍛えられたという。

大阪高等工業学校機械科を経て、1923（大正 12）年に東北帝国大学工学部に入学し化学工学を専攻したが、翌年新設された金属工学科に転科した。本多光太郎の指導を受け、卒業の際に「君は経営者向き。大同に就職せよ」と厳命され、名古屋に向かった。1927（昭和 2）年 4 月、大同電気製鋼所に初出社の際に、近所でも名前すら覚えられていない会社であることに直面し、「町工場に投げ込まれた感じで、みじめさがこみあげてきた」と述懐している。

冶金（やきん）屋から電気炉屋に

林が入社した当時の大同電気製鋼所の社長は寒川恒貞（さむかわつねさだ）（本書 215 ページ）、常務取締役は川崎舎恒三（かわさきやつねぞう）（本書

232ページ）であった。林の入社に当たって寒川と本多の間で、5年間は母校の金属材料研究所で研究を続け学位取得後に就業するとの約束ができていた。しかし半年も経たないうち名古屋に呼び戻され、電気炉製鋼現場では昼夜連続の二交替勤務を続けた。製鋼現場で稼働していた当時日本最大のエレクトロメタルス10トン炉は欠陥が多く、川崎舎の指導のもとで改良を加えていった。

その仕事ぶりから川崎舎に電気炉の設計助手に就くことを要請されたが、冶金屋を自負する林はこの要請を断り、仙台に赴いて本多に辞意を相談した。「冶金以外の仕事はするなとは一言も、言っていない。日本でただひとりの電気炉の権威と仕事ができるそんな幸せはない。文句を言わず電気炉屋になれ」と本多に叱咤され、しぶしぶ辞意を思い留まった。林の電気炉との長い付き合いが始まった。

日本一の電気炉メーカー

川崎舎の指導のもと、寝ても覚めても年中無休で図面を書いては試作し改良を繰り返して、自動電流調整装置をアーク炉に併置した大同メタルス式アーク炉を1930年に完成させた。会社の定款の営業目的に電気炉製作工業を追加する変更がおこなわれ、大同はアーク炉製造の独占的地位を確保していった。林は電気炉の開発研究の中心を担い続けるとともに、1936年に社員で初めて10カ月間の欧州視察に赴いている。戦時下で大同も満州朝鮮へ進出し、林は1939年に満州鉱機の取締役となり、1941年には自ら設立を進めた朝鮮製鉄の常務取締役に選任された。このような中で1944年に学位論文「電気炉の設計」を東北帝大に提出し、工学博士を授与されている。戦後に大同製鋼に復帰し、1952年にアメリカのレクトロメルト社と技術提携を結び、ダイドーレクトロメルト（DL）式アーク炉を立ち上げ、

大同メタルス式アーク炉模型
東京上野で開催された「海と空の博覧会」（1930年）に出品。
出典：『大同製鋼50年史』

ダイドーレクトロメルト式200トンアーク炉
1962年に中部鋼鈑に設置され、改造や更新をされながら60年間稼働し続けている。
出典：『大同製鋼50年史』

電気炉の大型化を進展させた。1962年には世界最大の200トン炉を完成している。これはDL式アーク炉を造り始めて100基目の炉であり、その功績が認められて1964年に大河内記念生産賞を受賞した。またこれに先立つ1962年には、電気炉の発明考案で紫綬褒章を受章している。

海外との技術交流そして林賞

1958年、大同製鋼は、ドイツ、アーヘン工科大学のヘルベルト・ゼドラチェック教授から圧延技術の指導を受けた。ゼドラチェックは日本に知己が多く、林も戦前から数回会ってきた。八幡製鉄、富士製鉄、大同製鋼に招聘され、技術指導のための来日であったが、離日直前に名古屋で急逝した。この指導の際に手渡された資料を基に、1960年にゼドラチェック著『圧延機』が林の翻訳で日刊工業新聞社から出版されている。

日中国交回復前の1963年9月、林は中国政府の廖承志（りょうしょうし）（当事外事弁公室首席・日中友好協会会長）の招きにより技術交流を中心に1カ月余り訪中している。1979年に「日中友好の船」で滞日した廖承志は、名古屋の歓迎レセプションで林の姿を見つけ、挨拶の中で「国交正常化前の難しい時期にもかかわらず、林氏から適切な指導を受けた。この場で重ねて感謝したい」と述べ拍手を贈った。

1964年秋、日本鉄鋼連盟の訪ソ日本特殊鋼代表団の団長として、鉄鋼関係の研究所や工場を視察するとともに、特殊鋼について技術交流および経済交流を両国間で促進するためソ連を訪れている。代表団解散後、当時の東欧圏6カ国を巡って帰国して、『鉄鋼マンのみたソ連と東欧』を出版している。“鉄のカーテン”の内幕を垣間見て伝えていると好評を得た。

ソ連の印象はと問われたら……
滞ソ中に飛んだ3人乗り宇宙船、聖歌の大合唱がひびく寺院、街でよく見られる求人広告が描かれている。『鉄鋼マンのみたソ連と東欧』の本文中の林自身による挿絵。

生涯を通じて研究してきた電気炉方面の研究がますます発展することを祈願して、1979年に私財500万円を日本鉄鋼協会へ寄贈した。日本鉄鋼協会は電弧（アーク）炉（フェロアロイ製造炉を含む）の設備、操業に多大な功績のある者の表彰に林賞を贈呈することを続けている。

1992年に90歳で逝去した。

（黒田光太郎）

林賞の盾
一般社団法人日本鉄鋼協会提供

ゆかりの地へのアクセス

【大同特殊鋼知多工場】
東海市観光協会ホームページ
https://www.tokaikanko.com/study/industrial/daido/

林 達夫をもっと知るために

◉林茂生／多田昭夫「鉄の人物史－7　林達夫」ふぇらむ、第5巻9号、2000年、pp.29-32
◉林達夫（副社長）「四十年前の大同製鋼」大同通信（社内報）、1966年4月号、8月号、9月号、10月号、1967年1月号（5回連載）
◉林達夫『鉄鋼マンのみたソ連と東欧』日刊工業新聞社、1965年
◉『大同製鋼50年史』大同製鋼、1967年
◉大同特殊鋼創業100周年特設サイト、http://www.daido-100th.com/（2023年6月1日閲覧）

堀越二郎（ほりこしじろう） 1903-1982

綿密で粘りこくて緻密な男
世界水準を超えた飛行機づくり

出典：『零戦の遺産』

堀越二郎	
1903年	群馬県多野郡で誕生
1927年	東京帝国大学航空学科卒業、三菱内燃機に入社
1934年	九試単座戦闘機（96艦戦）の設計・開発担当
1937年	十二試艦上戦闘機（零戦）の主任設計者
1939年	十四試局地戦闘機（雷電）設計主務者
1942年	三菱重工業名古屋航空機製作所技術部長附、兼第二設計課長 十七試艦上戦闘機（烈風）設計主務者
1963年	東京大学宇宙航空研究所に勤務 防衛大学校、日本大学教授に就任、勲三等旭日中綬章
1982年	78歳没、従四位が特旨を以て位記を追賜

生い立ち

堀越二郎は、1903（明治36）年、群馬県多野（たの）郡（現 群馬県藤岡市）に生まれた。1921（大正10）年、群馬県立藤岡中学校を第4学年で修了し、第一高等学校に進学した。1924年に第一高等学校を卒業、同年に東京帝国大学工学部航空学科に入学した。1927（昭和2）年、航空学科を首席で卒業した。同期には、木村秀正、土井武夫（本書280ページ）らがいる。同年、堀越は三菱内燃機株式会社（現三菱重工業株式会社）に入社した。

零式艦上戦闘機の誕生まで

堀越は、入社4年目の1931年、15カ月に及ぶ欧米の航空機産業の視察に出た。1932年、海軍は、主要機種国産化を目論む「航空技術自立計画」を立案、各種機体の国産化計画に着手し、「七試計画」を、メーカーに伝達した。この時、堀越は、飛行機の設計全体を統括した経験はなかったが、設計主任に抜擢され、七試艦上戦闘機を設計した。試作機は、試験飛行中に墜落し、不採用となったが、

堀越二郎の名機を生んだ三菱内燃機の大江工場
出典:『海に陸にそして宇宙へ　三菱重工業株式会社社史』

九六式艦上戦闘機　出典:『世界の傑作機』

この機体を設計生産したことにより、最新の低翼単葉、片持構造の戦闘機の設計・製造技術に、貴重な資料と経験を得ることができた。

1934年には、九試単座戦闘機の設計開発を進めた。九試単座戦闘機の設計では、堀越の、「綿密で粘りこくて、緻密で、そのかわり要領はよくないが、ひとつの方針をとことんまで貫く性格」から、七試艦上戦闘機の失敗を教訓にして、重量軽減や安定操縦性の研究を加えて、至難とされた高速と格闘戦性能とを両立させる戦闘機の開発を進めた。新技術採用を進め、構造重量の徹底的軽減、機体全体に沈頭鋲(ちんとうびょう)を使用して機体表面の空力的平滑化を追究することと外形の流線化により高速性能を確保し、部材に軽量な超々ジュラルミン材ESD（現JIS規格A7075）を使い、着陸フラップを採用した機体を完成させた。堀越によれば、「過ぎた出来ばえ」の美しい飛行機が誕生した。堀越は自身が設計した戦闘機の中でこの九試単座戦闘機を最も気に入っていた。この機体は完成度型が高く、海軍は、1935年、海軍初の全金属単葉戦闘機九六式艦上戦闘機として採用した。

九六艦上戦闘機は、わが国の実用化最初の低翼単葉片持式全金属製の戦闘機であった。同時代（1930年代）の複葉戦闘機よりあらゆる点で勝っていた。採用後、1940年の秋、零式戦闘機に役目を譲るまで陸海軍を通じての主力戦闘機であった。

1937年、堀越は十二試艦上戦闘機の設計主任となる。堀越に、「海軍の要求はきつかった」と言わしめるほどの相反する性能要求に応える機体設計に携わった。十二試艦戦の機体は、1939年、零式艦上戦闘機として採用され、その誕生は世界に勇名をとどろかせた。この零式艦上戦闘機は、九六艦上戦闘機の正常進化を遂げた姿であった。この2機種は、経験、技術の蓄積の少ない時代に生み出されたために、軍に正式採用後、実戦に投入されると次々と問題が起こり、根気よく改修改良をおこなう必要があった。

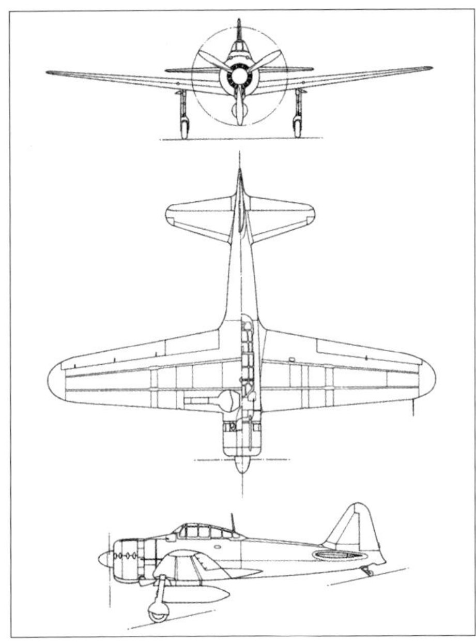

零式艦上戦闘機 21 型
出典：『みつびし飛行機物語』

優れた機体を作っても

1942 年、堀越は零戦設計チームを率いて零戦の後継機として計画された艦上戦闘機、烈風の設計にとりかかる。過去の設計で得た技術を注ぎ込んだ渾身の設計だった。搭載エンジンは、戦争の余波で、工場での生産体制が整わず、既定の出力性能が出ていないエンジンが増えていた。このエンジン使用に海軍が固執したために、「烈風」として制式採用されたものの、生産は軌道に乗ることはなく、評価されることもなかった。

堀越は、戦争の結末について、日本には米本土を攻撃することはできないから、「優れた機体を作っても、最終的に日本は負けるだろう」といっていた。

航空機技術者の少ない時代だったので、戦争中はさまざまな問題点の改修作業に従事しつつ、設計を進めなければならなかった。堀越は、問題改修に従事しながら、十四試局地戦闘機（雷電）の設計にとりかかり、1942 年には、十七試艦上戦闘機（烈風）の設計にとりかかった。そして終戦は、会社が疎開していた松本で迎えた。

戦後は後進の育成に尽力

戦後は、航空機産業の若手の育成に努めた。YS-11 の設計に関与し、また航空機の事故調査委員にも就任した。三菱退職後は、東京大学、防衛大学校、日本大学生産工学部教授に就任している。（杉山清一郎）

ゆかりの地へのアクセス

【大江時計台航空史料室】➡愛知県名古屋市港区大江町 2-15

堀越二郎をもっと知るために

◉堀越二郎『零戦の遺産－設計主務者が綴る名機の素顔』光文社、1995 年
◉前間孝則『技術者たちの敗戦』草思社、2004 年

梅原半二（うめはらはんじ） 1903-1989

原理原則を究めて実用に資する
品質のトヨタの基礎を築く

出典：『創造に限りなく トヨタ自動車50年史』

梅原半二	
1903年	愛知県知多郡内海町に生まれる
1916年	愛知県立第一中学校入学
1920年	東北帝国大学工学部入学
1926年	大学卒業後2年間結核静養
1928年	東北大学講師
1936年	株式会社豊田自動織機製作所自動車部嘱託技師
1945年	論文「熱交換器の研究」にて工学博士
1946年	トヨタ自動車工業株式会社技術部長
1950年	トヨタ自動車工業株式会社取締役
1967年	豊田中央研究所所長
1969年	自動車技術会育成の功により運輸大臣より交通文化賞受賞
1971年	豊田中央研究所名誉所長
1974年	豊田中央研究所顧問
1989年	86歳没

生い立ち

梅原半二は、1903（明治36）年、味噌醤油醸造業「米沢屋」、梅原半兵衛の三男として愛知県知多郡内海（うつみ）町馬場（ばんば）（現 知多郡南知多町）で生まれた。愛知県立第一中学校（現 愛知県立旭丘高等学校）を経て、第八高等学校に入学した。1920（大正9）年、東京帝国大学の入学試験は体調不良のため失敗し、後に補欠募集のあった東北帝国大学工学部機械工学科に入学した。

梅原は在学中、下宿先の魚問屋の石川万兵衛の四女千代子といつしか恋仲になり、結婚した。1925年、二人共に結核に罹患しながらも、後に哲学者になる梅原猛が誕生したが、まだ学業途上であると実家から結婚に対して大反対にあったうえに、千代子は1926年に病没してしまった。

梅原は大学を卒業し、以後約2年間、断腸の思いを抱えて療養、この間に後にトヨタ自動車入りの遠因ともなる遠藤庄蔵の長女トモと再婚した。

1928（昭和3）年、梅原は病から回復し、東北帝大の講師に就任、抜山四郎教授の下で熱伝導の研究に従事した。しかし、大学を辞し、妻トモが経営するバーのマスターとして働くなど、さまざまな想いを抱えた生活を送っていた。

トヨタ自動車で再起

1935年、トヨダA1型試作乗用車でクルマづくりの出発点に立った豊田喜一郎（本書144ページ）は、抜山四郎教授を訪ね、教え子の就職を依頼した。抜山教授は、飛び抜けた秀才として大学を去っていた梅原半二を紹介した。1936年、豊田は抜山教授推薦の梅原をトヨタ自動車工業の前身、株式会社豊田自動織機製作所自動車部の嘱託技術者として採用した。梅原は、東京研究所に勤務し、ラジエータの研究を担当した。しかしこの時、梅原の結核が再発したため、豊田は梅原に東北大学の抜山教授の下で熱伝導・ラジエータ研究を継続させた。豊田の思いやりのある取り計らいに梅原は大いに恩義を感じたであろうことは、豊田の乗用車づくりの志に共鳴した梅原の働きが示している。しかし、その本格化は戦後を待つことになる。

豊田喜一郎の遺志を継ぐ

1945年、梅原半二は「熱交換器の研究」で工学博士の学位を受ける。1947年、梅原は戦後わが国初の本格的小型乗用車SA型の開発に奔走し、また検査部長として梅原は、アメリカを参考に品質管理手法を研究し、統計的品質管理（SQC）の手法を導入していく。1950年、労働争議で経営難となったトヨタはトヨタ自動車工業とトヨタ自動車販売に分離、同時に梅原はトヨタ自動車工業の取締役に昇格した。

初代クラウンの開発を陣頭指揮した梅原半二
出典：『平凡の中の非凡』

1952年3月、豊田喜一郎は社長に復帰内定するが急逝した。公私にわたり面倒をみた恩人の死に梅原は途方にくれていたが、「悠久の生命」という哲学を心に刻んだ。豊田の残した事業は、受け継ぐ人は変わっても悠久に続く。その残された仕事を

TQC を推進する梅原半二　出典：『平凡の中の非凡』

伸ばすことだ、と梅原は悟った。

豊田の遺志を継ぎ、梅原は技術担当重役として初代クラウン開発を陣頭指揮した。1957 年、同様に初代コロナの開発を陣頭指揮した。1960 年、梅原は常務取締役となり、技術部門（量産車開発担当）と品質保証部門を統括した。

1960 年、豊田中央研究所創設のため建設委員長に就任、この頃、副社長豊田英二（本書 160 ページ）と共に全社的品質管理法（TQC：Total Quality Control）を推進し、1965 年、トヨタはデミング賞を初受賞した。「品質は自工程で造り込む」や「総員参加によるQC」などトヨタらしく、TQC は後に Toyota Quality Control と読み替えられた。1967 年、梅原は豊田中央研究所第二代所長に就任、1991 年に同研究所の名誉所長となり、1994 年に顧問となった。

（八田健一郎）

ゆかりの地へのアクセス

【株式会社豊田中央研究所】

➡愛知県長久手市横道 41-1　リニモ長久手古戦場駅より徒歩 10 分（見学には事前に予約が必要）

梅原半二をもっと知るために

◉梅原半二 著／梅原猛 編『平凡の中の非凡』佼成出版社、1990 年
◉梅原半二 編『地球を考える』豊田中央研究所 R & D レビュー特別号、1973 年

安井正義（やすいまさよし） 1904-1990

働きたい人に仕事をつくる
安井兄弟、執念の国産ミシン１号機開発

ブラザーミュージアム提供

安井正義	
1904 年	愛知県愛知郡熱田町に生まれる
1908 年	父兼吉、安井ミシン商会設立
1921 年	ミシンの本場、大阪で修業
1923 年	名古屋白鳥実業補習学校卒業
1925 年	兼吉死去、安井ミシン商会を継承し安井ミシン兄弟商会設立
1928 年	昭三式ミシン完成、発売
1932 年	家庭用本縫ミシン 15 種 70 型（第１号機）完成、発売
1934 年	安井ミシン兄弟商会を改組し、日本ミシン製造株式会社設立
1941 年	ブラザーミシン販売株式会社設立
1948 年	日本ミシン工業会会長
1950 年	日本ミシン製造株式会社社長
1962 年	日本ミシン製造株式会社をブラザー工業株式会社に変更
1990 年	86 歳没

生い立ち

ブラザー工業株式会社の創業者安井正義は、1904（明治 37）年、愛知県愛知郡熱田町（現 名古屋市熱田区伝馬町）に６男４女の長男として生まれた。父兼吉は東京砲兵工廠熱田兵器製造所（後の名古屋工廠熱田兵器製造所）に勤務する職工であったが、無類の機械好きで、自宅の６畳間を改造した小さな修理工場で外国製ミシンの分解・組立・修理などの内職をしていた。1908 年、兼吉が 27 歳の時に、自宅に「安井ミシン商会」の看板を掲げて独立し、ミシンの修理販売業に専念することとなった。ところが兼吉は体が弱く、そのうえ、腕ひとつで 10 人の子供たちを養わなければならず家計は楽ではなかった。

正義は、父兼吉を助けて９歳の頃から仕事場に立ち、ミシンの技術を覚えた。正義が小学校５年生の頃になると、父は寝たきりの生活となり、家業を助けるために学校をかなり休まなければならなかった。正義は、尋常小学校卒業と同時に家業を継ぎ、ミシンの修理を一人前にこなして、

麦わら帽子製作用水圧機
2016年撮影

麦わら帽子環
縫用の昭三式
ミシン
2016年撮影

家計と幼い弟妹を支えた。

大阪でミシン国産化を決意

第一次世界大戦後の1919（大正8）年の不況は、ミシンが一台も売れず、修理の仕事もない手持ちぶさたの状態であったので、正義は将来のために未知の機械の仕事について勉強したいと思った。いろいろと探して日本車輌・熱田工場に採用内諾を得たが、不況で企業整備を理由に採用を断られた。「働きたくても仕事のない無念を正義は痛切に感じ、働きたいという意思と能力のあるものに、何か仕事を与えなければならない。そのために日本の工業を発展させなければならない。同時に、正義自身で何としても工業を興したい」という気持ちをもつようになった。

1921年、17歳の時、安井正義は大阪のミシン修理業を営む松原商会へ修業に出た。当時、大阪はミシンの本場であったが、出回っていたのは95％がアメリカのシンガーミシンで、残りはドイツとイギリスのものだった。当時、シンガーは、技術力、資本力で日本市場を独占していた。ミシン国産化の努力も積み重ねられていたが、外国製品には歯が立たず、国産品は出ても市場から消えていく状況であった。正義は、大阪での修行と見聞から、「自分の手で何とかしてミシンを国産化したい」、その国産ミシンで、「輸入産業を輸出産業にしたい」という決意を心に期した。

麦わら帽子製作用水圧機で資本づくり

正義は、2カ月後に名古屋に帰り、さっそくミシンの国産化に取り組もうとした。資金もなくミシン国産化に取り組むのは夢物語に等しく、父兼吉は仰天して反対した。正義は、「金も学問もなく、あるものは十人の兄弟姉妹の労力とミシンへの情熱ばかりだ。資本は大切だが、すべて自分たちの労力でやれば金はなくともよい」と、ミシン国産化に乗り出した。

ミシンをつくるには機械や工場設備が必要である。正義は、そのミシンをつくる機械、旋盤やボール盤などの工作機械を購入しなければならないが、その資金がなかった。まずは、資金づくりから始めた。ミシン修理の顧客の大部分が麦わら帽子製造にミシンを使っていた。その業者は、麦わら帽子を伸ばすために水圧機と金型をつかい、帽子を成型していた。この水圧機に目を付けて、これを設計製作し、売りに出したところ、この水圧機は飛ぶように売れた。また、資金づくりのために麦わら帽子も製造販売した。これはミシンを使うので、ミシンによる縫製の研究のためでもあった。

ミシン国産化への挑戦

1921年、安井正義は、事業をやるには数字に明るくなければならないと、近くの名古屋白鳥実業補習学校の夜学に簿記や経理を学ぶために通った。学校では、自分が知りたいと思う内容の学科のみに集中することにした。正義にとって、昼間は機械部品の製図から木型づくりまですべて一人でやらなければならず、仕事で手一杯で、復習する時間などもなく、学校を休んだこともあった。夜学での勉学の傍ら、ミシンの研究も一生懸命続けていた。その中でシンガーミシンの部品は、材料は非常に柔らかいが表面が硬くなっているこ

ミシンの組立工場　ブラザーミュージアム提供

とに気づいた。ケース・ハードニング（表面焼入れ）である。これによって、摩耗に強く、衝撃にも強い製品を生み出すことができる。あるとき夜学の理科の授業でケース・ハードニングの科目が出てきた。正義は、さっそく教師に質問したが、教科書に書いてあるだけの説明で、それ以上は教えてもらえなかった。そこで家に帰り、炉をつくって実験をしてみることにした。実験を繰り返し、1年ほどたって、ケース・ハードニングに成功し、これならいける、とミシン開発に乗り出した。

1925年、正義は社名を安井ミシン兄弟商会と改称し、麦わら帽子製造用環縫ミシンの国産化に取り組んだ。その1号機は、1927（昭和2）年に完成した。発売を開始した1928年の年号から「昭三式ミシン」と銘打って、初めて「BROTHER」の商標で世に出した。しかし、家庭用ミシンの国産化には最も重要な部品となるシャトルフック（中釜）の開発、量産化という技術課題を克服しなければならなかった。正義・実一（四男）兄弟が中心となって、シャトルフック製造用の機械設備を自作し、悪戦苦闘の末、1932年夏にドイツ製を上回る製品を完成させた。その頃、会社の機械設備は家庭用ミシンの試作機ができるまでになっていた。その試作機に改良を重ね、1932年の暮れ、悲願の家庭用ミシン1号機（家庭用本縫ミシン15種70型）が完成した。正義が国産化を決意して11年目のことであった。

家庭用本縫ミシン第1号機（15種70型）
2016年撮影

正義は、「とかくもうかる仕事には波がある。もうかる仕事より損をしない仕事をせよ」と会社経営は慎重にして緻密であったが、断を下せば勇猛にして果敢な積極的経営をおこなった。その後、安井ミシン兄弟商会は、日本ミシン製造株式会社を経て、今日のブラザー工業株式会社へと発展した。（石田正治）

ゆかりの地へのアクセス

【ブラザーミュージアム】➡名古屋市瑞穂区塩入町5-15　名鉄名古屋本線堀田駅より徒歩2分（見学には事前に予約が必要）

安井正義をもっと知るために

◉安井正義『無言の信念』ダイヤモンド社、1965年

土井武夫（どいたけお） 1904-1996

やってみなさい、失敗してもいい
飛行機の設計試作は経験を積むことが大事

1992年石田正治氏撮影

土井武夫	
1904年	山形県に生まれる。
1927年	東京帝国大学工学部航空学科卒業、川崎造船所飛行機部入社
1931年	航空機技術取得のため欧州滞在
1934年	川崎航空機株式会社岐阜工場試作部設計課長就任、飛燕、五式戦等の設計業務に従事
1946年	川崎航空機株式会社退職
1957年	川崎重工業（株）岐阜工場 技術顧問、国産旅客機YS-11の開発プロジェクトに参加
1958年	名古屋大学工学部非常勤講師
1961年	川崎重工業PXL研究室発足、副室長に就任
1966年	名城大学理工学部教授就任
1989年	航空功績賞受賞、川崎重工業株式会社航空事業本部技術顧問
1996年	92歳没

生い立ち

土井武夫は、1904（明治37）年、山形県山形市香澄町に教員の子として生まれた。父は早世し、母親の経営する荒物店を手伝いながら学業に励んだ。

1924（大正13）年、山形高等学校（現 山形大学）を卒業後、同年、東京帝国大学工学部航空学科に進学した。同期に堀越二郎（本書270ページ）、木村秀正らがいる。1927（昭和2）年、土井は、東京帝国大学航空学科を卒業し、同年4月、川崎造船所飛行機部（後の川崎航空機）に入社した。川崎造船所では、リヒャルト・フォークト博士の厳しい指導のもとに、航空機設計者となった。フォークト博士と土井の師弟関係は生涯続いた。

経験を積むことが一番重要

1931年、土井は、技術習得のために欧州へ出張し、欧州各地の航空機工場を訪問し、技術の習得に務めた。フォークト博士は、自分で図面も引き、計算もした。土井には、そういう行動が非常に役に立った。この時、フォークト博士との話題として、設計者にとって必要なことは、「自ら設計試作の経験を積むことが一番重要」という結論を得た。エンジニアは計算も色々するけれども、本当にその思想を表すのは図面である。図面は、自分の計算力、人生観までも表す。自ら図面を書くということは、失敗を恐れず自分の考えを表現するという姿勢である。その姿勢を戦前、戦後を通して若手に伝えるようにした。

飛燕　各務ヶ原航空宇宙博物館収蔵機体

1932年、欧州より帰国、1933年には日本軍発注のキ5型戦闘機の設計を、フォークト博士の指導の元で土井がおこなった。1934年に陸軍機初の片持ち翼式低翼機として1号機は完成したが、採用はされなかった。フォークト博士自身は、離日前に、土井を後継者と言明した。

スマートな高性能機「飛燕」の設計

土井は、主に陸軍機の設計に従事、生涯で、単発機、双発機、爆撃機、輸送機、など総数24機の開発、改良に従事した。

1934年、土井は、キ10試作戦闘機から単独の設計主務に就任した。この当時、川崎航空機の経営状況は危機的状況にあり、この試作が採用されなければ川崎航空機の存続が危ぶまれていた。先のキ5試作1号機が失敗作となった反省もあって、運動性、安定性を重視して九二式戦闘機を大幅に改良し、再設計したキ10試作機は、九五式戦闘機として陸軍に採用された。

1934年、土井は試作部設計課長に就任し、キ48試作機（後の九九式双発軽爆撃機）の機体設計を開始した。この機体には沈頭鋲（ちんとうびょう）を採用し、機体全体が平滑に仕上げられた。同機の主翼の基本設計は大変優れており、後の二式複座戦闘機屠龍（とりゅう）（キ45改）の主翼にも採用された。九九式双発爆撃機と二式複座戦闘機屠龍とは多くの部品を共通化しており生産設備も小変更だけで流用可能で、その生産性の向上に貢献した。主翼の構造は、キ96、キ102、キ108にも受け継がれており、川崎の双発戦闘機の原点ともいえる優秀な設計だった。

土井の設計した中で最も著名な機体は、1943年に、陸軍が三式戦闘機飛燕として採用した試作機キ61である。

当時の日本では空冷星形エンジン搭載が主流で、外見はスマートでなかった。液冷式の細長いハ40（発動機）を搭載した飛燕は、流線型の外形で見るからに高性能な機体に仕上がっていた。

1944年、三式戦闘機のエンジン換装改良型の五式戦闘機等の設計業務に従事しつつ、創意工夫と最先端技術も追及し、二重反転プロペラ機キ64の設計試作に従事していた。

YS-11　個人撮影

失敗してもいいんだよ

戦後、川崎航空機を退職後は、一時航空機からは離れたが、1952年川崎航空機KAL機設計試作指導に従事した。1957年から航空機設計者として本格復帰し、川崎重工業株式会社岐阜工場技術顧問に就任した。1957年、初の国産旅客機YS-11の開発プロジェクトに参加、経験を生かした指導でYS-11のFAA（The Federal Aviation Administration連邦航空局）の審査は、合格となった。1960年、最後の航空機設計の仕事は、対潜哨戒機P2V-7のP-2Jへの改良設計であった。

1966年、名城大学理学部交通機械学科教授に就任、材料力学の講座を担当した。1968年、同大学学生部長就任、1977年の退官まで、後進の技術者養成に尽力した。大学での授業は厳しく、企業に入ってからも身になる学問を教えることに重点を置いた。まず、「どのように思い、考えるか」、「考えて実行するためにはどうしたらいいのか」、そうして、「やってみなさい。失敗してもいいんだよ」と、考える力と、失敗を恐れず、実行することでしか得られない経験を重視した授業をおこなった。歯切れのよい語り口、記憶力抜群の名物教授であった。

その後は川崎航空本部の技術顧問に再復帰し、1989年には回想録『飛行機設計50年の回想』を執筆している。（杉山清一郎）

ゆかりの地へのアクセス

【岐阜かかみがはら航空宇宙博物館】➡岐阜県各務原市下切町5-1

土井武夫をもっと知るために

●土井武夫『飛行機設計50年の回想』酣燈社、1989年

本田宗一郎（ほんだそういちろう） 1906-1991

技術と格闘した男

世界のホンダの礎を築く

出典：『ホンダ50年史』

本田宗一郎	
1906年	静岡県磐田郡光明村に生まれる
1919年	二俣尋常高等小学校に入学
1922年	アート商会に丁稚奉公
1928年	アート商会浜松支店設立し独立
1935年	小学校教員磯部さちと結婚
1937年	東海精機重工業株式会社設立
1945年	東海精機重工業の全株式売却
1946年	浜松に本田技術研究所創設
1947年	A型自転車用補助エンジン開発
1948年	本田技研工業株式会社設立
1957年	本田技研、スーパーカブ発売
1961年	マン島TTレースで完全優勝
1964年	F1グランプリに参入、第9位
1971年	低公害のCVCCエンジンを開発
1973年	社長を退任、取締役最高顧問
1983年	本田技研工業、終身最高顧問
1989年	米国の自動車殿堂入りを果たす
1991年	84歳没

生い立ち

本田宗一郎は、1906（明治39）年に静岡県磐田（いわた）郡光明（こうみょう）村（現 静岡県浜松市天竜区）に、鍛冶屋の本田儀平と妻みかの長男として生まれた。

本田は子供の頃から手先が器用でものづくりと機械いじりが大好きな少年であった。8歳の時に村で初めて見た自動車に感動し、11歳の時は浜松まで自転車で行き、アート・スミスの曲芸飛行を見学、飛行機という乗り物と初めて出会い感銘を受けた。

1922（大正11）年に東京の自動車修理工場のアート商会（現 アート金属工業株式会社）へ丁稚奉公をはじめた。はじめは赤ん坊の子守りであったが、半年たち、会社の仕事が特に忙しかったある日、自動車修理の仕

本田宗一郎が浜松で見たアート・スミスの曲芸飛行　本田宗一郎ものづくり伝承館蔵

事を手伝うことになった。「私が初めて自動車修理をしたときで、この時の感激は一生忘れることができない」と、本田は『私の履歴書』で語っている。転機が訪れたのは、1923年9月の関東大震災の発生であった。諸方から上がった火の手は、アート商会にも迫り、従業員一同、手分けして修理工場にあった自動車を避難させることになった。本田は、この時、初めて自動車を運転した。本田にとって何にも替え難い喜びであり機会であった。

本田技術研究所の設立

本田宗一郎は、アート商会に6年間勤め、修理工としての技術を修得した他、自動車の構造や運転をマスターした。ホンダの二代目社長河島喜好は、「おじさんは、それこそ現場・現物・現実で（自動車の技術を）学んだでしょうね。知識だけじゃなく、溶接から鋳造から、何から何まで名人級」と評している。

1928年、アート商会から暖簾分けの形で、本田はアート商会浜松支店を設立して独立した。浜松支店での自動車修理業は繁盛したが、自動車修理の仕事には限界があると、1937年、東海精機重工業株式会社を設立、ピストンリングの製造に着手した。ヒストンリング製造は、当初は失敗続きで、製作に成功したのは9カ月後であった。1945年、浜松地方に地震があり、工場は倒壊し機械は壊れた。そして終戦となりピストンリング製造はお手上げとなり、本田は会社を株主のトヨタに売却した。

雌伏の時を経て、1946年、本田は浜松に本田技術研究所を設立、通信機用エンジンを改良した自転車用補助エンジンを開発した。自転車に小型エンジンをつけたモーターバイクは、大当たりで飛ぶように売れた。次に目指すはもっとスピードの出るオートバイであった。

1948年、浜松に本田技研工業株式会社を設立、本格的なオートバイ開発に乗り出した。翌1949年にホンダD型エンジンが完成し、これを搭載したオートバイ・ドリーム号を発売した。二輪車メーカー、ホンダの誕生であった。1955年に二輪車生産台数で国内一となる。1958年には、小型バイクのスーパーカブを発売、大ヒットとなり、二輪車のトップメーカーとなった。1962年に初の4輪車のスポーツカーS360を開発、小型車市場に進出を決め、1963年にスポーツカーS600を発売、1967年には軽自動車N360を開発、N360は発売3カ月で販売台数1位となった。

スピードへの飽くなき挑戦

本田宗一郎は、スピードに魅せられた男でもあった。

1954年、本田はオートバイレースの世界最高峰であるマン島TTレースに参加の宣言をした。当初成績は振るわなかったが5年後の1959年、マン島TTレースで、ホンダチームは優勝を果たした。1962年には、エンジン排気量125cc、250cc、350ccクラスで優勝、ホンダのオートバイはついに世界の頂点に立った。

本田宗一郎のＦ１レース参戦の宣言は1963年で、多くの人が「参加して勝てる」と思えるような状況ではない時に、決断している。彼の口癖は、「やってみもせんで、何が分かる」ということだった。1964年に初挑戦、3戦に出場した成績はふるわなかった。翌年の最終メキシコＧＰでは、当地の標高が高く、燃焼のための大気中の酸素が薄くエンジンの出力がでなくて、他チームも苦しむ中、ホンダは優勝をするが、1968年にＦⅠ休止宣言を出した。

革新の低公害エンジンの開発

1960年代後半、車の排気ガスによる公害が世界中で問題となっていた。レースではエンジン性能の極限までの開発が要求される。それがホンダの若い技術者たちを育てた。レースで鍛えられた彼らが、低公害

本田宗一郎とＦ１
本田宗一郎ものづくり伝承館蔵

ホンダの転機となった
CVCCエンジン
2017年撮影

エンジン開発に投入された。特に、極限状況でも燃焼効率の良いエンジンを必要とするF1の経験が、他の自動車メーカーよりもエンジンの革新的な燃焼技術をホンダに蓄積させていた。その蓄積が見事に生きたのが、1972年のCVCCエンジンの開発であった。希薄燃焼によって画期的な低公害を実現したエンジンで、ホンダの小型乗用車を世界の舞台に立たせる原動力となった。一方でこのCVCCエンジンの開発では、若い技術者たちの時代となったことを本田は悟った。1973年、本田技研工業社長を退任し、取締役最高顧問となって後進に夢を託した。

（二宮健壽・石田正治）

ゆかりの地へのアクセス

【本田宗一郎ものづくり伝承館】
➡静岡県浜松市天竜区二俣町二俣1112　天竜浜名湖鉄道天竜二俣駅より徒歩20分

本田宗一郎をもっと知るために

◉本田宗一郎『本田宗一郎　夢を力に　私の履歴書』日本経済新聞社、2001年

晝馬輝夫（ひるまてるお） 1926-2018

できないと言わずにやってみろ
2人のノーベル賞受賞者を支えた技術力

浜松ホトニクス提供

晝馬輝夫	
1926年	静岡県浜松市で生まれる
1947年	浜松高等工業学校卒業
1953年	堀内平八郎とともに浜松テレビ株式会社を設立
1978年	浜松テレビ株式会社社長
1981年	光電子倍増管試作成功
1983年	浜松ホトニクス株式会社に社名変更。カミオカンデ運用開始
1987年	ニュートリノ観測に成功
1996年	スーパーカミオカンデ運用開始
2002年	小柴昌俊、ノーベル物理学賞受賞
2004年	浜松ホトニクス株式会社会長
2015年	梶田隆章、ノーベル物理学賞受賞
2018年	92歳没

生い立ち

晝馬輝夫は1926（大正15）年、静岡県浜松市の生まれで、1947（昭和22）年、浜松工業専門学校（現 静岡大学工学部）機械科卒業した。1953年、浜松工業専門学校の先輩、堀内平八郎（創業者）の下で同窓生たちと浜松テレビを立ち上げた。晝馬輝夫はその後、1978年に浜松テレビの社長を引き継ぎ、1983年に浜松ホトニクスに改名した後も、2004年会長になるまで第一線で指揮を執り続けた経営者である。

浜松ホトニクスの設立

浜松ホトニクスは早くから光センサー等、光関連の電子機器に特化していたが、一般に有名になったきっかけは、2002年にノーベル物理学賞を受賞した東京大学の小柴昌俊教授から陽子崩壊観測実験に使用するための25インチ光電子倍増管の作成を依頼されたことからだった。

陽子崩壊観測実験は、陽子が崩壊した際に発せられる高エネルギーの荷電粒子によって発するチェレンコ

スーパーカミオカンデ　出典：「東京大学宇宙線研究所 神岡宇宙素粒子研究施設」

フ光を光電子増倍管で捉えようとするものである。当時、世界中を見渡しても8インチの開発が始まったばかりであり、25インチの開発は無謀ともいえるものであった。ところが、当時社長であった晝馬輝夫は「とにかくやってみろ」と社内に指示を出した。案の定、開発は難航し、多くの試行錯誤があったが、1981年、出来上がった試作管は早期の段階から要求スペックをクリアし、極めて異例な成功を遂げた。

25インチ光電子倍増管は岐阜県神岡市の旧神岡鉱山の地下深くに建設されたカミオカンデと呼ばれるニュートリノ観測のための施設に使用された。カミオカンデの運用開始は1983年で、4年後の1987年3月超新星爆発によるニュートリノの大量噴出を捉えることが出来た。この観測が契機となり小柴教授のノーベル賞に結実したことは良く知られるところである。

その後、1996（平成8）年、スーパーカミオカンデにバージョンアップされた施設は、さらに、東大の梶田隆章教授の「ニュートリノ振動」の発見をもたらし、2015年のノーベル物理学賞に結実するが、これにも一役を担った。

光電子増倍管の開発

光電子増倍管は光検出器の中で特に際立った高感度と高速応答など優れた特性をもっている。1955年初頭になると、光電子増倍管を使用した化学分析機器が作られるようになり、国内での需要も増えてきたが、主に輸入品が使用されていた。そのよう

20インチ光電子倍増管　浜松市科学館蔵　2019年撮影

なおり、ある取引先から言われた「光電子増倍管を作れたら浜松テレビ様と呼んでやるよ」との言葉が、開発の必要性を痛感していた技術者を奮起させ、光電子増倍管の開発に着手した。さまざまな困難を克服して開発された光電子増倍管は、他社を凌駕する性能を持っており、この製品によって、浜松ホトニクスは光技術企業として基盤を固めることになった。（漢人省三）

ゆかりの地へのアクセス

【静岡大学高柳記念未来技術創造館】

➡静岡県浜松市中区城北3-5-1　JR東海道本線浜松駅より路線バス利用　浜松バスターミナル15、16番のりばからの全路線乗車「静岡大学前」で下車、すぐ
https://wwp.shizuoka.ac.jp/tmh/

【浜松科学館　みらい〜ら】

➡静岡県浜松市中区北寺島町256-3　JR東海道本線浜松駅より徒歩10分
https://www.mirai-ra.jp/

第3章

産業基盤の革新者

都築弥厚（つづきやこう） 1765-1833

私財を投じた大用水計画
豊かな碧海大地を夢見た男

都築弥厚銅像（弥厚公園）

都築弥厚	
1765 年	碧海郡和泉村に生まれる
1808 年	用水の開削計画を決意
1812 年	根崎陣屋の代官になる
1822 年	石川喜平の協力を得て用水の測量を始める
1826 年	測量を完成させる
1827 年	幕府に新田開発の許しを願い出る
1829 年	幕府普請役によって用水路実地検分がおこなわれる
1832 年	再び実地調査がおこなわれる
1833 年	幕府から計画の一部開発が許される。68 歳没
1915 年	明治川神社にまつられる

生い立ち

都築弥厚は1765（明和 2）年、碧海（へきかい）郡和泉（いずみ）村（現 安城市和泉町）に生まれた。生家は豪農で、酒造業や新田経営で成功し、弥厚は裕福な中で育てられた。用水建設に没頭するが、完成前の 1833（天保 4）年 9 月 69 歳で亡くなる。

不毛の大地を美田とする用水計画

碧海台地は、水に乏しく酸性粘土質地帯であったため、農民は常に水不足に悩まされ、水争いが絶えなかった。弥厚はこの現状に心を痛め、用水の開削計画をたてることを決意する。しかし、矢作川の水を引き入れるとかえって水害を招くおそれがあると考えた農民から反対を受け、現地測量もできずに計画はなかなか進まなかった。弥厚は酒造業や田畑の資産をつぎ込み、計画実現に向け尽力をする。測量に関しては算術家の石川喜平らに協力を依頼した。農民の反対運動や妨害も乗り越え、弥厚と喜平が測量図を完成させたときには、4 年の歳月が経っていた。

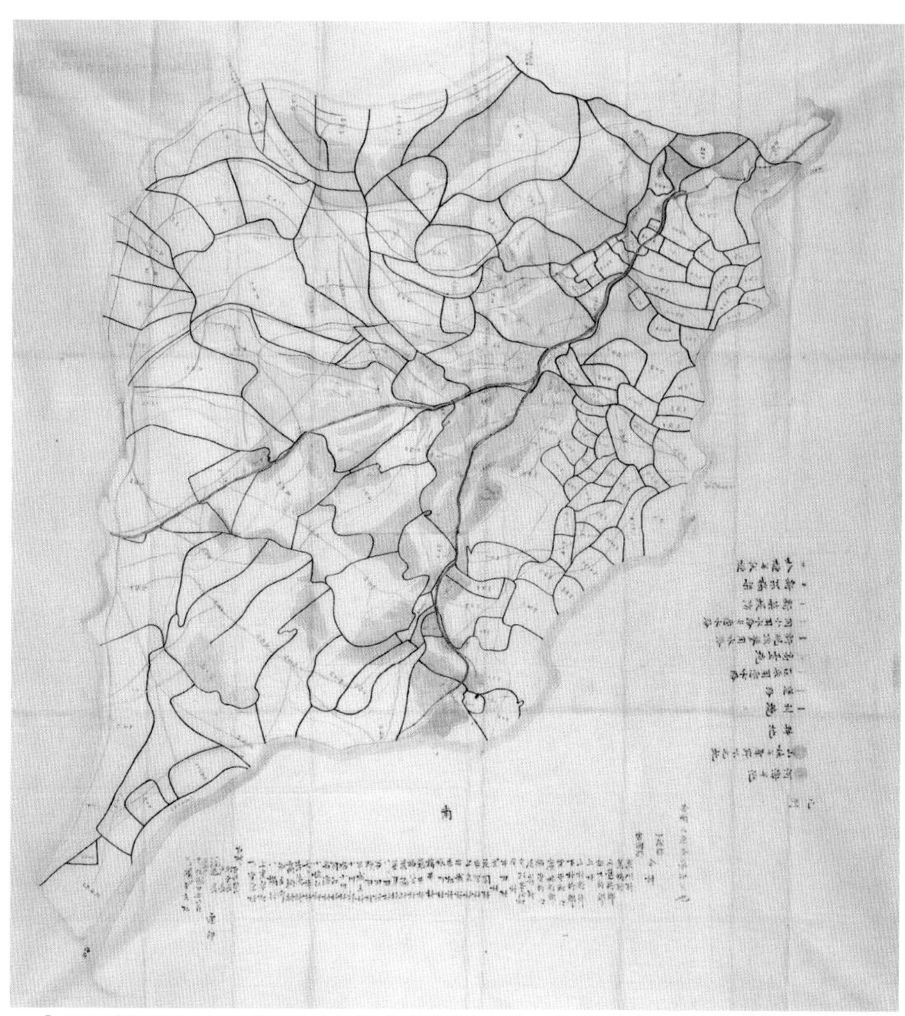

「三河国碧海郡新用水路掘割納得全図」県令安場保和により、内務省に出された願書に添付された図
出典：安城市歴史博物館『特別展明治の三大用水－安積疏水・那須疏水・明治用水』

1827（文政10）年に「三河国碧海郡新開一件願書」を幕府勘定奉行に対し提出する。1833（天保4）年、待ち続ける弥厚に許可の知らせがもたらされるが、完成を目にすることはできなかった。

弥厚の夢が実現した明治用水

弥厚が没して39年後の1873（明治6）年、岡本兵松と伊与田与八郎によって、弥厚の遺志が引き継がれた。明治用水の開削は1879年に始まり、翌1880年に中井筋・東井筋の開削工事が完成した。1880年に通

都築弥厚の協力者、石川喜平が用いた測量器具「見盤」
明治用水記念館蔵　石田正治氏撮影

水したその水路は「明治用水」と名づけられた。

日本デンマーク

明治用水は、矢作川を水源とし、安城、岡崎、豊田、知立、刈谷、高浜、碧南、西尾の西三河地域8市をうるおす農業用水となった。水路の延長は、幹線88km、支線342km、その他の小用水路は約1000kmにわたる。大規模な用水としては愛知県下最古の用水である。完成後は碧海台地の農業発展の一翼を担い、"日本丁抹(デンマーク)"と呼ばれる農業先進地へと導いた。

（朝井佐智子）

ゆかりの地へのアクセス

【弥厚公園】
➡愛知県安城市和泉町宮前92　名鉄西尾線南桜井駅より徒歩54分
【安城市歴史博物館】
➡愛知県安城市安城町城堀30　名鉄西尾線南安城駅より徒歩15分

都築弥厚をもっと知るために

◉安城市歴史博物館『特別展台地を拓く―都築弥厚の夢』2015年
◉安城市歴史博物館『特別展明治の三大用水―安積疏水・那須疏水・明治用水』1991年
◉田中覚「都築弥厚と明治用水―弥厚生誕二百五十年に寄せて」『安城歴史研究』第40号、安城市歴史博物館、2014年

安場保和（やすばやすかず） 1835-1899

愛知県の殖産興業の司令塔

明治用水開削・官設愛知県博覧会の開催

愛知県公文書館蔵

安場保和	
1835 年	肥後国に生まれる
1849 年	横井小楠の小楠塾に学ぶ
1869 年	胆沢県大参事に任命される
1872 年	岩倉使節団に参加し渡米
1873 年	福島県令となる
1875 年	愛知県令となる
1880 年	元老院議官となる
1886 年	福岡県知事となる
1892 年	貴族院議員に勅撰される
1897 年	北海道庁長官となる
1899 年	64 歳没

生い立ち

安場保和は、1835（天保 6）年、肥後藩士安場源右衛門の長子として生まれ、青年時代は幕末の儒学者横井小楠（よこいしょうなん）に師事した。官軍東征の際は江戸城の引き渡しに立ち会った。

明治維新後、1869（明治 2）年、胆沢（いさわ）県（現 岩手県南部、宮城県北部）の大参事となって官界入りし、そのとき給仕として採用した後藤新平（のちの内務大臣・東京市長）を見出し、のちに愛知県病院の医師として招いて、衛生行政（コレラ対策）に当たらせた。酒田県大参事（現 山形県）、熊本県小参事、大蔵大丞租税権頭（ごんのかみ）を歴任、大久保利通の信頼を得て、1872 年、岩倉具視特命全権大使欧米使節団に随行し、帰国後は福島県令となり、安積疏水（あさかそすい）事業など勧業施策を推進した。

1875 年には地租改正事業の遅れから難治県と言われていた愛知県令に就任し、1880 年 3 月までの約 5 年間県政を担当した。愛知県令を辞した後は、元老院議官、福岡県知事、貴族院議員、北海道庁長官などを歴任し、1899 年 5 月に逝去している。

愛知県令としての勧業施策

愛知県令として、安場は懸案となっていた地租改正問題の解決に辣腕を振うとともに、旧物破壊の風潮から無用の長物視され、東京博物館・宮内庁に移管されていた名古屋城金鯱の復旧（1879年）に尽力した。当時大きな政治課題となっていた貧窮士族対策として、大久保内務卿の進めた勧業政策の推進に力を注ぎ、1878年に全国に先駆けて勧業課を設置して勧業奨励に尽力した。以下安場県政の多岐にわたった勧業関係の事業について見ていく。

まず、大規模潅漑事業として知られる明治用水の重要性を認めて、岡本兵松、伊与田与八郎が別個に進めていた2つの事業を一本化させ、県と地元とが協力しながら素封家を懇諭して資金を募り、溜池底地の発起人への無代償下げ渡しを許すなど、強力に事業を推進した。黒川治愿（くろかわはるよし）（本書300ページ）を責任者として抜擢し、1879年1月に着工、県主導で工事が進められた。県の直轄工事は1885年6月に完成し、不毛だった碧南台地を水田地帯へと変貌させていった。

1878年9月には、「広ク四方工産物ヲ蒐集シ大ニ工業ノ裨益（ひえき）ヲ起サンガ為メ」、有志者の寄付金および県資金をもって、大須の総見寺境内（名古屋門前町）で愛知県官設博覧会を開催し、明治天皇の行幸を仰いだ。このときの施設の一部（博覧会の品評所）が熱田神宮境内に龍影閣（りょうえいかく）として残っている。また博覧会施設を利用して、1881年名古屋博物館（のちに愛知県博物館、商品陳列館等と名称変更される）が設けられ、愛知の産業振興の拠点となった。

博覧会の品評所、現在熱田神宮龍影閣
2020年撮影

1877年9月、士族授産の施策として、名古屋久屋町（現 名古屋市中区）に織工場を設け、幅広小倉綿フランネルや結城縞（ゆうきじま）等の機抒（きじょ）（機織り）の伝習をおこなった。当初の織機数は

愛知県商品陳列館　出典：『愛知県写真帖』

久屋織工場跡　2005年撮影

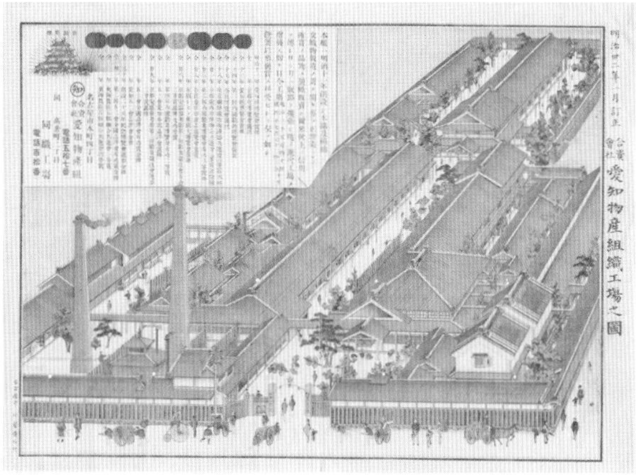

合資会社　愛知物産組織工場之図　熱田区歴史資料室蔵

わずか10機余だったが、1878年5月に旧藩主徳川慶勝から、士族救済の一助として年額2千円の寄納があり、設備の拡充がはかられた。その後、就業生の制度化、分工場の設置、協力工場との提携など、士族授産事業の柱となった。

愛知物産組は、祖父江(そふえ)源次郎等によって、1878年1月、貧窮士族就産の一助として設立された。縞木綿、絹綿交織物を生産し、県織工場を卒業した士族婦女子を雇用した。当初は損失を出したので、1879年9月に安場の尽力により内務省から資金2万円が貸与された。以後発展をとげて愛知県を代表する織物会社となった。このほか、陸軍の制服などに使用された広幅小倉織を製織する興益組や名古屋名産の七宝焼製品を海外に販売した七宝会社等の民間事業への支援をおこなった。

1875年、安場は愛知郡東二葉(ふたば)町（現 名古屋市東区）に植物園を整備し、同園と関連づけて東外堀町に桑園を設け、全国から良桑を収集・栽植し、養蚕業の普及をはかった。翌1877年には七曲(ななまがり)町（現 名古屋市東区・中区）に養蚕場を設けて、群馬県から教師を招聘し、養蚕法を伝習させた。同場内には製糸場が併設され、士族および平民の婦女に座繰(ざく)り製糸の方法が教授された。

（浅野伸一）

安場保和をもっと知るために

◉安場保吉『安場保和伝 1835 ～ 99―豪傑・無私の政治家』藤原書店、2006年
◉『愛知県聖跡誌』愛知県庁、1878年
◉愛知県 編『愛知県史』1939年
◉新修名古屋市史編集委員会 編『新修名古屋市史』第5巻、2000年

西澤眞蔵（にしざわしんぞう） 1844-1897

心血を注ぐも前途なお遠し
枝下（しだれ）用水の開削に尽力

1904年　福満寺蔵

西澤眞蔵	
1844年	近江国愛智郡八木庄村野野目に生まれる
1883年	大阪銀行設立の発起人となる
1887年	名古屋の時田光介らとともに枝下用水事業に共同出資する。三河疏水理事長に就任する県から正式に許可、用水工事着手
1890年	枝下用水幹線・東井筋竣工。用水開削の経費がかさみ愛知県が撤退
1891年	濃尾大地震で枝下用水の石堤が大破する
1892年	枝下用水中井筋竣工。枝下用水西井筋開削開始
1894年	枝下用水西井筋竣工。堀内信に起業権を委付する。枝下川神社創建
1896年	枝下用水の起業権を再取得する
1897年	54歳没。滋賀県神崎郡の瓦屋禅寺に埋葬

生い立ち

西澤は、1844（弘化元）年、近江国愛知（えち）郡八木荘（やぎのしょう）村野野目（ののめ）（現在の滋賀県愛知郡愛荘町）のいわゆる近江商人の家に生まれた。家業を継ぎ、麻布や綿布を扱うなかで大阪・長崎に出店し、販路を拡大した。愛知県は綿布の仕入れ先であった。1883（明治16）年、大阪銀行設立の発起人となり、製糸工場、洋服会社、雑貨商（アメリカ・サンフランシスコに輸出）などの事業を手がけた。

枝下用水の開削

西澤は、豊田市南西部を灌漑する農業用水「枝下用水」の開削事業に尽力したことで知られる。1887年、西澤は、名古屋の時田光介（ときたみつすけ）（山口県出身）らとともに同事業に共同出資したが、資金面の難渋や濃尾地震などの災害で計画が難航するうちに他の出資者らが手を引き、同事業への出資者は西澤一人となった。苦しい運営のなか受益地内の有力者らの協力を得て工事を続行し、1894年には枝下用水の主要部分が完成したが、

開削当初の枝下用水路（現在の豊田市朝日ケ丘付近）　出典：『しだれ用水』

自己資金をすべて使い果たし、同年12月、偕楽園（豊田市豊栄町で開拓を進めていた大農園）の園長・堀内信に起業権を譲渡した。1896年、西澤は起業権を再取得したが、翌年3月1日、病のためその生涯を終えた。

現在の枝下用水路　2016年撮影
越戸ダムから取水し、幹線水路は開渠となっている。

枝下用水とは

枝下用水は現在は豊田市越戸町内で矢作川から取水して、同市の南西部を中心とする約1508ha（2021年4月1日現在）を灌漑する農業用水で、水路の延長は、幹線・支線合わせて約110kmである。枝下用水の開削は、1876年頃から計画され、1883年に着工。1890年に幹線水路と東井筋が、1892年に中井筋が、1894年に西井筋が完成して、現在の枝下用水

枝下用水旧用水路（第二樋門） 2016 年撮影

の原形が整った。

当初は半官半民の事業であったが、県が工事から手を引き、1890 年以後は民間事業としておこなわれた。その開削により、1920（大正 9）年までの間に、約 1200ha の土地が新たに開墾されたり畑から変換され、水田になった。

水神になった西澤

豊田市平戸橋町にある「澤流後世」碑（1899 年建立）には、西澤が枝下用水に投入した金額は「二十余万円」と刻まれている。他の出資者らが手を引くなか、西澤がこの事業を続けたのは、国を富ませるという明治期の思想とともに、「私的な利益を社会に還元させる」という近江商人由来の経営理念があったからとも言われている。

西澤が心血を注いだ枝下用水の開削によって、台地である越戸、上郷、高岡の各地において、利水が困難であった地域の水田を中心に約 1508ha が矢作川の豊かな水の恵みを得ている。受益者は、それぞれの地域で西澤をはじめ開削者を祀り、枝下用水の顕彰碑を建てて用水への感謝を今に伝えている。冒頭の西澤像は、金谷農事組合（豊田市）での「西澤講」法要で掛けられる肖像である。

その後の枝下用水

枝下用水旧用水路　第二樋門下流　2016 年撮影

枝下用水は、取水源を同じくする明治用水と水争いを繰り返したが、越戸ダム（1929年完成）の建設計画をきっかけに、1926 年、両用水は合併した（のちに分離し、枝下用水は枝下用水土地改良区となり、現在は豊田土地改良区枝下用水地区となっている）。越戸ダムの完成後、枝下用水は矢作川下流の同ダムから取水することとなった。

枝下用水旧用水路第二樋門（前ページ写真）は、西澤の没後、事業を引き継いだ枝下疏水開墾株式会社が人造石工法を用いて竣工した（竣工年次は不詳）。その銘鈑には「石工伊藤重吉」とある。

越戸ダム湖（三水湖）右岸にある枝下用水旧取水口、第二樋門、旧用水路（上写真）は長い間木々に覆われていた。しかし近年、これらは近代化遺産として再び注目され、枝下用水資料室や有志による清掃活動が毎月おこなわれている。（小西恭子）

ゆかりの地へのアクセス

【三水湖にある「偉哉疏水業」碑】
➡愛知県豊田市勘八町　名鉄三河線平戸橋駅より 2km、徒歩 30 分

【「澤流後世」碑】
➡愛知県豊田市平戸橋町　名鉄三河線平戸橋駅より 800m、徒歩 10 分

【枝下用水旧取水口および第二樋門】
➡とよたおいでんバス「枝下」下車。ここから旧取水口は徒歩 1 分、第二樋門は徒歩 15 分

西澤眞蔵をもっと知るために

◉「しだれ用水」編集委員会 編『しだれ用水』豊田土地改良区、1988 年
◉枝下用水一三〇年史編集委員会『枝下用水史』風媒社、2015 年
◉平成 28 年度豊田市近代の産業とくらし発見館企画展パンフレット「枝下用水 130 年史　偉なる哉疏水業」豊田市近代の産業とくらし発見館、2016 年

黒川治愿　1847-1897

立国の本は農、農は治水にあり

愛知の河川土木の礎を築いた県官僚

黒川治愿顕彰会提供

黒川治愿	
1847 年	美濃国厚見郡佐波村に生まれる
1867 年	京都遊学
1875 年	愛知県職採用
1877 年	黒川用水完成
1878 年	明治天皇巡幸に際し流失した豊川の橋修復
1880 年	愛知県土木課長。明治用水落成
1885 年	愛知県を辞職
1897 年	50 歳没

生い立ち

黒川治愿は、明治用水や黒川用水の開鑿をおこない、愛知県の治水潅漑事業に大きな足跡を残した県の土木官僚である。黒川のおこなった事業は、愛知県のものづくりの基盤となり、産業経済の発展に貢献した。

黒川は、1847（弘化 4）年 4 月、美濃国厚見郡佐波村（現 岐阜市）の大庄屋川瀬文博の次男に生まれた（幼名 鎌之助）。1868 年、20 歳のとき京都に遊学し、1870 年新政府に出仕（宮内省内舎人局）、同年黒川敬弘の養子となった。その後、香川県吏を経て 1875 年愛知県勧業課土木係に赴任した。

黒川用水の開鑿

黒川は、県令安場保和（本書 293 ページ）から、堀川の水量が少なく舟運に支障を来しているとしてその対策を命じられ、尾張藩時代に開削された新木津用水を拡張して木曽川の水を庄内川へと導き、それを堀川に引き込む計画を立てた。途中で横断する矢田川は天井川であったので、

庄内川から導水した黒川樋門　2016年撮影

河床下に水路（伏越樋）を設けている。1876（明治9）年11月に着工、翌1877年10月に工事を終えた。木曽川から堀川へ導水することによって、水運の便を高め、潅漑を利するという二つを目指す事業であった。掘川と庄内川を結ぶ新水路は、黒川の功績を称え、1877年に「黒川用水」と名づけられた（黒川は地下鉄名城線の駅名にもなっている）。

治愿の一夜橋

1878年10月、明治天皇の東海道ご巡幸のおり、大雨によって豊川が氾濫し、豊川に架かる豊橋が28間にわたり流失したが、ご巡幸の御用係を命じられていた黒川は、一夜にして仮の橋を完成し、巡行は無事実施された。人々は黒川の能力を称え、この働きにより宮内省から金員が下賜され、同年12月に「技術練熟、事務勤勵致シ格別ノ御用相成候」として、黒川は6等職から1等進級している。

明治用水の開鑿

1879年1月、安場保和県令から長年の懸案であった明治用水の開鑿工事を黒川に命じられた。黒川は専心この任にあたり、それまで事業を進めてきた地元の伊与田与八郎、岡本兵松等と協力し資金集めや関係村落の合意づくりにあたった。工事は県主導で進められ、費用8万円をかけて、1880年3月、僅か16カ月の工期で完成した。翌4月には、松方正義内務卿参加のもと、現地で成業式が華やかに催された。新用水路は、1881年4月、明治を代表する世紀の大事業として「明治用水」と

故黒川治愿之碑（平和公園内）　2022年撮影

明治用水旧頭首工　2022 年石田正治氏撮影

名付けられた。明治用水の完成により、3300ha の荒蕪の地が沃野と化し、その恵沢は 70 ヶ村に及んだ。1885 年 6 月には、県から自主組織である明治用水連合水利土功会に管理運営が移されている。黒川が開削した当初の導水路は、加茂郡山室村で取水し、矢作川の流れを分派して築いたものであったが、1901 年 12 月にその下流に矢作川を横断する人造石の堰堤が築かれて、廃止された。2022 年、中部産業遺産研究会の会員によって遺構の残っていることが再確認された。

その他治水潅漑事業

1880 年に黒川は初代土木課長に昇進する。土木課長として彼の関わった事業には、大雨の度に被害をもたらしていた立田輪中（現愛西市）の約 400 m におよぶ築堤と新川開鑿（1879 年）、1868 年の大氾濫の後、改修半ばとなっていた丹羽郡入鹿池放水口の修築（1880 年）、1882 年に決潰し 69 ヶ村に被害を与えた三河額田郡の乙川の改修（1885 年）、丹羽、葉栗、中島、海東、海西の 5 郡を潅漑する宮田用水原樋増築（1884 年）など多方面に及んだ。このように大きな業績をあげながら、黒川は 1885 年 3 月に県職を辞している。木曽川筋で実施した工事が岐阜県側を刺激したとか、立田輪中の排水路工事で内務省からクレームが寄せられたなど、諸説あるもののはっきりしていない。いずれにせよ、38 歳というあまりに早い辞任であった。

1887 年 7 月に再び就任を求められたが、固持して受けなかったという。

その後は名古屋市南久屋町（現 名古屋市中区）で過ごし、1897年5月、50歳にして病没した。

愛知県吏員としての黒川の10年は、安場県令に見出され、若き技術官僚としてその才を縦横に発揮し、愛知県の治水事業に大きな足跡を残した。黒川の死後、1899年5月に「故黒川治愿之碑」が矢場町の政秀寺に建立（現在は名古屋の平和公園内に移設）された。当時北海道庁長官となっていた安場保和は、「君の材能を重んじ、君の嘉績は蒼黎に恵施して不朽」と述べ、次いで「立国の本は農　農は治水にあり」と撰文を寄せ、黒川の功を今日に伝えている。

（浅野伸一）

【庄内用水元杁樋】

庄内用水元杁樋（もといりひ）（名古屋市守山区瀬古）は、庄内川から黒川用水へと水を引くために、1910（明治43）年5月に改築された樋門で、当時は船運にも使用された。水路は南に下り矢田川を越えるときは、矢田川の河床が高いのでサイフォンで下をくぐり（矢田川伏越（ふせこし））、黒川樋門を経て黒川用水へと流れ込んでいた。庄内用水元杁樋や伏越個所には、服部長七の発明にかかる人造石が使われており、産業技術史的にも貴重な遺構である。矢田川伏越出口の下手には黒川用水や志賀水用等に分水するための貯水場が設けられ、「天然プール」として子どもたちが水遊びを楽しんだが、現在は三階橋ポンプ場となっている。

庄内用水元杁樋　2022年撮影

ゆかりの地へのアクセス

【庄内用水元杁樋】

➡名古屋市守山区瀬古二丁目 庄内川左岸、水分橋南側、県道102号線東側

黒川治愿をもっと知るために

◉『名古屋市史』人物編、1934年
◉黒川治愿顕彰会 編纂『愛知県治水土木の功労者　偉人　黒川治愿伝』2021年
◉岐阜県郷土偉人伝編讃会 編『岐阜県郷土偉人伝』1933年

奥田正香（おくだまさか） 1847-1921

名古屋の渋沢栄一
近代産業の数々を名古屋に創設

出典：『社史 東邦瓦斯株式会社』

奥田正香	
1847 年	尾張国に生まれる
1877 年	奥田新田（104 町）完成
1887 年	尾張紡績社長就任
1893 年	名古屋商業会議所会頭に就任。 名古屋株式取引所理事長就任
1896 年	日本車輌製造社長就任 明治銀行頭取就任
1906 年	名古屋電力社長就任。名古屋瓦斯社長就任
1907 年	三重紡績社長就任
1913 年	実業界引退
1921 年	74 歳没

生い立ち

奥田正香は明治期の名古屋を代表する実業家である。名古屋商業会議所の会頭を 20 年間務め、新規事業を次々に起こし、名古屋の渋沢栄一と呼ばれた。奥田は 1847（弘化 4）年 3 月、尾張国春日井郡鍋屋上野（なべやうえの）村（現 名古屋市千種区）の和田家に生まれ、のちに尾張藩士奥田主馬（おくだしゅめ）に引き取られて育てられた。幼少より学問を好み、維新の際は尾張勤王派の丹羽賢の下で国事に奔走、その功により賞典禄 90 石を賜った。1870（明治 3）年 11 月から名古屋県（現愛知県）、翌年からは安濃津（あのつ）県（現三重県）に赴任した。

1872 年、上京して司法省に入ったが、辞して帰郷、名古屋区内で味噌溜製造を営む一方、1874 年から幡豆（はず）郡小栗新田地先（矢作川河口部）の海岸埋立事業（奥田新田）に着手し、1877 年に奥田新田 104 町歩、1887 年に西奥田新田 42 町歩を開墾した。

1880 年 10 月には県会議員、1881 年 2 月には名古屋区会議員に当選、各々議長も務めた。その後尾張紡績、名古屋倉庫、日本車輛製造等を設立して、名古屋の実業界で頭角を現わした。1893年7月に名古屋商業会議所会頭、同12月に名古屋株式取引所理事長に就任する。商業会議所では、日本銀行名古屋支店の誘致（1897年）、調査報告「日清戦争後の名古屋の商工業に対する影響」（1896年）の発表などその活躍は目覚ましく、名古屋地区経済界のリーダーとして絶大な影響力を持つようになった。奥田の関わった事業は、名古屋3大銀行の1つ、明治銀行の創設から、釜山（ブサン）沖海岸埋め立て事業をおこなう朝鮮起業など多岐にわたっているが、以下主としてものづくりに関連する4事業を紹介する。

日本車輛熱田工場　出典：『驀進』日本車輛製造株式会社

尾張紡績会社　出典：『尾張名所図絵』

尾張紡績と日本車輛製造

1887年6月に、名古屋の有力財界人を糾合して尾張紡績を設立し、社長となった。同社は先行した名古屋紡績と共に、名古屋地域を代表する近代的紡績業として発展した。1891年10月の濃尾地震で工場が全壊したが、この危機を乗りこえて翌年には再建を果たしている。1905年10月には、小規模紡績業の統合を主唱して、名古屋紡績と共に三重紡績に合併し、1907年1月には同社社長に就任している。

1896年7月には、鉄道ブームのなか日本車輛製造を設立して社長となる。名古屋は木材の集散地で、鉄道車両用材料の確保に恵まれた環境にあった。笹島仮工場での操業を経て、1897年12月に熱田本工場を完成する。日清戦争後の不況で車輌の注文が激減し、ライバル会社（鉄道車両製造所）が解散に追い込まれたのに対し、同社はこれを乗り越えて発展した。

名古屋電力と名古屋瓦斯（がす）

日露戦後の1906年に奥田は二つのエネルギー関連会社を相次いで設立する。一つは、1906年10月、東京・名古屋財界の協力で設立された名古屋電力で、奥田は社長に就任した。かねて名古屋が産炭地から遠く工業用動力源である石炭利用に不利

名古屋電力八百津発電所
旧八百津発電所資料館提供

名古屋瓦斯本社　出典：『社史 東邦瓦斯株式会社』

であるのを憂いていた奥田は、木曽川八百津（やおつ）（現 岐阜県加茂郡八百津町）に水力発電所を建設し名古屋地区の工場への電力供給を計画した。しかし着工したものの工事が難航し、日露戦後の不況で資金調達に苦しみ、1910年10月、名古屋電燈と合併した。八百津発電所は、1911年11月、名古屋電燈のもとで運転開始した。

名古屋のガス事業は、日清戦争後、山田才吉（本書44ページ）等によって計画されたが、事業化できないままに過ぎていた。1906年11月、奥田はこれを引き継いで名古屋瓦斯を設立して社長となった。後に社長となる岡本櫻（本書122ページ）を技師長に抜擢し、照明分野（ガス灯）は電灯に譲ったものの、熱用需要を中心に順調に発展した。ガス事業が有望だとわかると、豊橋、浜松、一宮、知多など各地にガス会社を創設し、これら4社では社長を務めた。

奥田は、愛知県知事深野一三（ふかのいちぞう）、名古屋市長加藤重三郎と「三角同盟」と呼ばれる親密な関係を築き、奥田の息のかからぬ新規事業は名古屋では成り立たないといわれた。奥田は豪胆で専制的といわれたが、時代の変化を読み取って新規事業を次々立ち上げ、名古屋に欠けていた外部資本の導入や外部人材の登用をはかり、近代名古屋の経済・産業の発展に貢献した。その功績により、1911年、藍綬褒章受章、没後正六位に叙せられた。1913（大正2）年10月、政財界を揺るがせた稲永事件に関連して実業界を引退し、1921年、74歳で没している。（浅野伸一）

ゆかりの地へのアクセス

【奥田正香墓碑】➡名古屋市天白区天白町大字八事裏山　八事霊園

奥田正香をもっと知るために

◉「奥田正香功績調書」『新修名古屋市史』資料編近代1、2006年
◉「奥田正香墓碑」『愛知県金石文集』上、1942年
◉鈴木恒夫／小早川洋一／和田一夫『企業家ネットワークの形成と展開』名古屋大学出版会、2009年

服部太郎吉 1860-1941

職人技と技術で富を築く その富を地域の福祉・教育事業に

服部公益福祉財団蔵

服部太郎吉	
1860年	額田郡岩津町大門に中根利喜造の二男として生まれる
1871年	岡崎町の鍋釜を業とする服部佐助の養子になる
1876年	服部ゆきと結婚、養父の事業を継承。鋳造技術を鋳物師安藤金得のもとで修行
1885年	安藤金得死去、鍋釜や風呂釜、機械鋳物などの製造開始
1909年	岡崎市羽根町に工場を移転、三州釜を海外にまで販売
1912年	伊豆原甚之助が私立工業学校を創設
1918年	服部公益財団設立
1919年	服部鋳造株式会社設立
1924年	私立工業学校が廃校危機に際し服部公益財団が財政的援助、岡崎工業学校として開校
1940年	服部工業株式会社に社名変更
1941年	81歳没

生い立ち

服部太郎吉は、1860（蔓延元）年に額田郡岩津町大門（現 愛知県岡崎市）で中根利喜造氏の二男として生まれた。

1871（明治4）年、12歳の時に、額田郡岡崎町（現 愛知県岡崎市）両町に住む鍋釜及び仏具類修繕を業とする服部佐助の養子となり、鋳物師の修業に入った。

その後、太郎吉は岡崎藩の御用鋳物師安藤金得のもとで仕事を学び、26歳の時（1885年）に安藤家の家業を引き継いだ。

服部太郎吉が使用した鋳掛けふいご
服部公益福祉財団蔵

三州釜　2022年撮影

三州釜特約店の看板　2022年撮影

服部鋳造株式会社の設立

服部太郎吉は、当初、安藤家の工場を借用し、職工1名、徒弟2名の小さな町工場、服部鋳造所を設立した。太郎吉の卓抜した技能と経営手腕により、服部鋳造所は次第に隆盛となり、1909年に岡崎駅前の広い敷地（岡崎市羽根町）に移転した。

太郎吉は、移転した工場での鋳造業で成功し、1919（大正8）年には、従来の個人経営から社員ならびに職工や徒弟などの従業員を含めて株主に参加させ、服部鋳造株式会社（現服部工業株式会社）を設立した。昭和初期には、従業員が550人にまで発展した。この工場で生産された釜は「三州釜（さんしゅうがま）」と名づけられて、急速に生産額をあげていった。この背景には、出来上がった鋳物の釜を砥石で研磨し、鏡面のように磨き上げ、見た目の美しさだけではなく、釜の厚さの不均一やひずみを取り去ったというような製品の改善と、第一次世界大戦後にアルミニウム製の醸造用大釜（「軽銀大釜」と当時呼ばれた）の製造販売をいち早くおこなったことにあった。さらに、研磨作業を研磨機械によっておこなう特許を取り、鋳物釜の大量生産、品質向上、コスト低減を実現していったことにあった。そのことは当時各種博覧会に出品された製品が賞を何度も獲得したことに示されている。

服部公益財団の設立

太郎吉は熱心な仏教信者で、1918年10月に「服部公益財団」を設立して、慈善事業を始めた。その契機となったのは、前年の1917年7月に開催された「市制施行一周年記念講演会」において、当時著名な山下信義氏による「富と人生」と題する講演を聞いたことであった。「人は富を作るという事だけでは立派なる人とは言えぬ。その作った富をいかに有効に使うかということで決まるものである」という話に感銘を受けた太郎吉は、講演後に直接山下に進むべき道を尋ね、慈善は財団法人を作れとのアドバイスを得た。1919年2月6日に服部公益財団は内務省より認可を受けるが、その際にこの財団の「目的」と「事業」を以下のように規定している。「第二条　本法人ハ失業者保護、事業資金無利子貸与、公共事業ノ施設竝助成ノ他慈善救済ノ為ニ微力ヲ致シ兼テ寄付者ノ子孫ヲシテ永久ニ其ノ志ヲ継承セシムルヲ以テ目的トス」「第三条　前条ノ目的ヲ達セン為本法人ニ於テ行フ事業ノ概目次ノ如シ　一、勤勉ナル起業家、職工等ノ為ニスル事業資金ノ無利子貸与　二、事業ノ失敗、一家主働者ノ傷病等ニ基ク起業家、職工ノ家計援助　三、祭、宗教、慈善、学術、技芸其ノ他公益ヲ目的トスル事業ノ助成　四、貧困者ノ救済、慰安」ここに見られる精神は、現在まで形を変えて、引き継がれている。

岡崎工業学校校舎（1924年）
出典：『岡工50年記念誌』

岡崎工業学校の再建

服部公益財団の事業の一つが岡崎工業学校に対する援助であった。1912年2月に碧海郡知立町（現 愛知県知立市）に伊豆原甚之助が創設した私立愛知工芸学校が1920年3月に岡崎に移転したが、経済的に困難をきわめて廃校の危機に陥っていた。それを聞いた太郎吉が、学校の敷地となる土地（岡崎市羽根町）を寄付し、新築校舎を建設し、運営費を援助して、1924年、岡崎工業学校を創立した。この学校はのちに愛知県に寄付され、現在の愛知県立岡崎工科高等学校となっている。

岡崎工科高等学校の正面玄関前に服部太郎吉の銅像が設置されているが、服部公益福祉財団事務所の玄関にも同じ銅像が設置されている。

（横山悦生）

ゆかりの地へのアクセス

【服部公益財団事務所】
➡愛知県岡崎市羽根町　JR岡崎駅より徒歩5分

服部太郎吉をもっと知るために

◉山下勝「清酒蒸米用和大釜・三州釜」、『日本醸造協会誌』98巻3号、2003年

黒田豊太郎（くろだとよたろう） 1861-1918

名古屋港の生みの親

第一期工事を設計した技術官僚

「名古屋新聞」1907年11月23日

黒田豊太郎	
1861年	美濃国厚見郡加納に生まれる
1886年	帝国大学工科大学土木科を卒業。技術官僚となり各地を廻る
1897年	愛知県の熱田築港担当課長に就任
1898年	熱田築港の設計変更を担当。第一期工事計画成る
1907年	名古屋港が開港。名古屋築港工事長（築港課長兼務）に就任
1911年	退職
1918年	57歳没

生い立ち

黒田豊太郎は1861（文久元）年、美濃（みの）国厚見（あつみ）郡加納（現 岐阜県岐阜市）に生まれた。実家は加納藩士の家であった。

豊太郎は1886（明治19）年に帝国大学工科大学土木科（現 東京大学工学部）を卒業、鉄道局（現在のJR）に勤務したのち、内務省に転じて富山県の技手に採用された。その後、土木技師として各地を廻り、第一区（関宿）土木監督署において利根川の運河工事監督を務め、第三区（新潟）土木監督署では信濃川の改修工事に従事するなど、河川工事を中心に技術官僚としての経験を積んでいった。

築港事業の責任者に就任

近世以来の熱田の港（宮の渡し）には大型の洋式船舶（蒸気船）が入港できなかったため、名古屋地方に出入する物資は三重県の四日市港が窓口となり、小舟や鉄道に積み替えて各地に回送されていた。このため時間的・経済的な損失が大きいとして、熱田の沖合に近代的な港を建設すべしという世論が名古屋の実業界を中心に盛り上がった。

こうした動きを受けて、愛知県知事の時任為基（ときとうためもと）は1896年度から県の事業として名古屋港の建設に着手したが、風水害が発生したり、物価・賃金の上昇によって工費が高騰したりして築港事業は開始早々行き詰まってしまった。事業主体の愛知県は、本件には国家的な重要性があるとして政府に対し協力を要請したが、国から補助金は得られなかった（名古屋港に対する国庫補助金の支出は大正時代半ば以降まで遅れることになる）。また、愛知県会では巨額の財政負担を嫌った議員たちの反対運動にも直面することになった。

こうしたなか1897年8月に辞任した江森盛孝技師の後任として黒田豊太郎が愛知県に転任、県庁の内務部に新設された築港事業を担当する第六課長に就任し、実務上の責任者を務めることになった。

大胆なアイディアで港の基礎を築く

時を同じくして、時任知事に代わり愛知県に赴任してきた江木千之（えぎかずゆき）知事は、築港事業の根本的な立て直しを決意した。従来の埋立地の売却に頼った財政計画をやめて県債を発行して賄うように変更するとともに、豊太郎に命じて名古屋港の設計変更を進めた。

江木知事の命を受けた豊太郎は、東西両突堤の位置を変更して港内の面積を拡大するなどの大幅な設計変更をおこなった。また、最新の機械を導入して浚渫（しゅんせつ）や埋立てを効率的に進めるなど工事方法の改善にも努めた。

一方で工費を節減するため、当時まだ高価であったセメントに代えて服部長七（ちょうしち）（碧海郡棚尾村出身、本書180ページ）の考案した人造石「長七たたき」を護岸や突堤の築造に使用することにした。「たたき」とは風化し

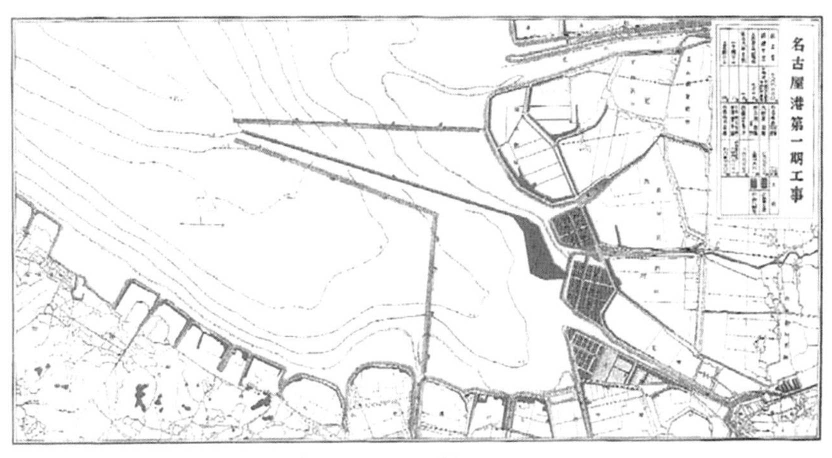

名古屋港第一期工事の図面　出典：『名古屋港史』建設編

開港当初の鉄桟橋　名古屋港管理組合蔵

た花崗岩の真砂土と石灰を水に混ぜて練り固めたもので、すでに樋管工事等で使用した実績があった。人造石工法はその後も昭和戦前期まで用いられた。コンクリートの護岸に替わった現在でも、名古屋港にはその遺構が多く残っており、産業遺産として高く評価されている（ただし、明治期に施工された部分は大正から昭和期にかけて改修が加えられており、竣工当初の状態とは異なる）。

名古屋港が開港

その後も愛知県会では築港反対運動が続き、名古屋港建設の道のりは決して平坦なものではなかったが、豊太郎の設計した第一期工事計画（1898年）はほぼその通りに施工されて開港となり、現在の名古屋港の中心部分（一号地～五号地）となっている。その功績は大きく、開港時の新聞（『新愛知』1907年11月23日）にも「築港と黒田氏、黒田氏と築港と呼ばるゝ如く名古屋築港に最も縁故を有し」と紹介されている。

その後、豊太郎は1907年から1911年まで名古屋築港工事長（築港課長兼務）を務めて退職。1918（大正7）年に死去した。（真野素行）

ガーデンふ頭入り口に展示されている人造石護岸　2022年撮影

ゆかりの地へのアクセス

【ガーデンふ頭にある人造石護岸の展示と鉄桟橋跡地の看板】

➡愛知県名古屋市港区港町1　名古屋市営地下鉄名城線名古屋港駅1番出口すぐ

黒田豊太郎をもっと知るために

◉奥田助七郎『名古屋築港誌』名古屋港管理組合発行、1953年
◉名古屋港史編集委員会編『名古屋港史』港勢編・建設編、名古屋港管理組合、1990年
◉名古屋港開港100年史編さん委員会　編『名古屋港開港100年史』名古屋港管理組合、2008年
◉愛知県教育委員会生涯学習課文化財保護室　編『愛知県の近代化遺産』2005年

上田敏郎(うえだとしろう) 1864-1912

英知と判断力で仕事を成し遂げる

名古屋の近代水道の創始者

名古屋市上下水道局提供

上田敏郎	
1864年	江戸で生まれる
1886年	帝国大学工科大学土木工学科卒業
1889年	名古屋市上水道は不良水が7割の状態
1893年	バルトンに上下水道布設調査を委嘱
1899年	愛知県技師となる
1902年	名古屋市は上田に上水道布設調査事務を委嘱
1903年	上田は報告書提出。上下水道布設の件を市会に諮問
1906年	名古屋市上下水道技師長嘱託となる。上水道・下水道敷設の件は議会で可決
1909年	名古屋市水道技師長となる
1910年	名古屋市は上水道工事に着工
1912年	工事半ばで倒れ、47歳没

生い立ち

上田敏郎は、1864（元治元）年、江戸で生まれた。東京帝国大学土木工科大学で衛生工学を学び、1886（明治19）年に土木科を卒業した。静岡県技師を経て、1899年に愛知県技師となる。1902年、名古屋市上水道布設調査事務を委嘱され、1909年に名古屋市水道技師長となる。

上田は、英知と判断力で困難な時代に着実に仕事を成し遂げ、「断水のない水道」、「美味しい水」をつくった、名古屋の近代水道の創設者である。

名古屋市の近代水道建設の動き

1889年、名古屋市制後の上下水道の実態は、人口が年と共に増加し、飲料水の市内各所の井戸水には下水が混入し、7割強が不良水になっていた。下水の排除は急務で看過できない状態であった。名古屋市は1893年、近代水道の建設について、内務省衛生局顧問W.K.バルトンに上下水道布設の調査を委嘱した。バルトンは、将来の人口を27万人と

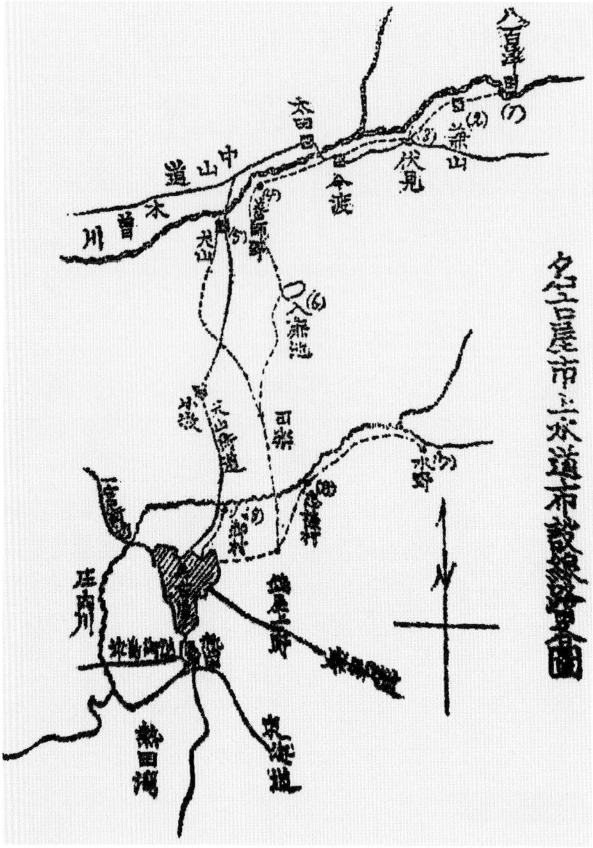

出典：『新愛知』1903年12月9日

見込み、水源を入鹿池と考えた。翌年6月に「名古屋市給水工事ニ関スル意見書」を提出した。ただ、この報告書に基づく水道建設は、財政面から見送られた。

豊富な木曽川の水を引用した先見性

その後、名古屋市の発展と人口が約28万人にまで増加したことで、上水道の整備が急がれた。市は1902年、愛知県技師の上田敏郎に上下水道の調査を依頼した。翌年12月、上田は報告書を提出した。調査報告を基に諮問案「上下水道布設ノ件」は、1903年12月、市会に提出されたが、日露戦争で審議未了となる。1906年に市会は議案「上下水道敷設施行ノ件」、「下水道敷設施行ノ件」を予算も含め可決した。

報告書の要旨は以下のようである。①人口増加を考えて十分な大きさとする。予定人口を60万人と計画、水量は東京市を標準にした施設。②水源と水道敷設路線の4案を比較検討し、水量は豊富で水質は佳良な木

鍋屋上野浄水場の
赤レンガポンプ場

曽川を水源とする案が最適である。

上田は、報告に基づき犬山町（現犬山市）から木曽川の水を引き、鍋屋上野浄水場でろ過した水を、赤レンガ造りのポンプ場から愛知郡東山村の山頂の配水池に圧送し、各戸に配水する計画を立てた。これを基に上水道の工事を1910年に着工、1914（大正3）年から給水を開始した。

浄水場の緩速ろ過方式が名水をつくることになり、100年後の現在も利用されている。1988（昭和63）年に緩速ろ過池の整備工事で、技師長上田敏郎他5名が刻まれたコンクリート製の銘板が発見された。

上田は病気で倒れ、「事業の大成を祈る」を遺し、工事完成前の1912年47歳で逝去した。（大橋公雄）

上田敏郎ほかの名前が刻まれた銘板

ゆかりの地へのアクセス

【鍋屋上野浄水場】

➡愛知県名古屋市千種区宮の腰町　名古屋市営地下鉄砂田橋駅より500m、徒歩5分

【水の歴史資料館】

➡愛知県名古屋市千種区月ケ丘1-44
https://www.water.city.nagoya.jp/shiryokan/index.html

上田敏郎をもっと知るために

◉名古屋市上下水道局『名古屋市水道百年史』2014年

しばた さいいちろう

柴田才一郎 1864-1945

にんにく

寛容忍辱能く教え能く導き

愛知県立工業学校の初代校長

出典：『愛知県立工業学校　創立二十周年記念誌』

柴田才一郎	
1864 年	信濃国安曇郡会染村に生まれる
1881 年	松本中学校卒業
1886 年	東京工業学校化学工芸科卒業 和歌山県の中学校教員
1888 年	足利にて染色講習の指導
1892 年	東京工業学校助教授
1895 年	ドイツ、オーストリアに留学
1897 年	ベルギー、イギリス、アメリカを視察して帰国。東京工業学校教授
1901 年	愛知県技師に着任
	愛知県県立工業学校初代校長
1905 年	名古屋高等工業学校機織科科長を兼務
1923 年	米沢高等工業学校校長
1928 年	米沢高等工業学校退職
1945 年	81 歳没

生い立ち

柴田才一郎は、信濃国安曇（あづみ）郡会染（あいそめ）村（現 長野県北安曇郡池田町）の旧松本藩邸で 1864（元治元）年に生まれた。1881（明治 14）年に松本中学校を卒業し、東京職工学校（東京工業学校、東京高等工業学校を経て現在の東京工業大学）へ進学し、1886 年に化学工芸科を卒業した。卒業後、和歌山県中学校の教員として 2 年間勤めた。その後、栃木県足利郡（現 足利市）の染織工場で染色技術の指導をしていた柴田は、東京工業学校の手島精一校長より呼び寄せられ、同校に助教授、教授として 10 年間務めた。同校に赴任して程なくドイツを中心とする欧米に留学することを命ぜられ、ドイツのロイトリンゲン織物学校で 1 年、ウィーンの織物学校で 1 年間学び、ベルギー、イギリス、アメリカの業界を視察して帰国した。

愛知県立工業学校初代校長に就任

1901 年、愛知県立工業学校の設置認可がおりると、工業学校新設を推進した沖守固（おきもりかた）知事は、手島精一校長に対し、柴田の校長就任を強く要請した。愛知県は綿織物、絹織物の盛んな繊維産業地であったが、当時は品質の不良が業界の不信を招いていた。県知事や実業家たちは、その挽回のために紡織・染織技術の権威者であった柴田を求めた。

校長に就任することになった柴田は、新設の工業学校を機織と染織の繊維系の学校とすることとし、当初は予科と本科（染織科・図案科）としてスタートさせ、2年後に本科を機織科、色染科、図案科に改めた。その後、1911年に機械科を増設して一般の工業学校に近づけた。

愛知県立工業学校は、1901年10月1日に開校したが、この時は仮校舎（名古屋市武平町）であった。1904年に愛知郡御器所（ごきそ）村（現 名古屋市昭和区御器所町）に新築校舎の一部が完成し、予科、普通科一部の授業を移した。翌1905年に全校舎が完成し、全面移転した。この時、色染機械や力織機などの実習設備は隣接の名古屋高等工業学校の実習工場に据え付け、共用となった。

名古屋高等工業学校の創設

柴田は、愛知県立工業学校の創設に尽力したのみならず、名古屋高等工業学校の創設にも関わり、文部省が当初に予定していた土木科、建築科、機械科に加えて機織科と色染科の2学科を設けることを提言し、承認させている。柴田自身は、県立工業学校校長のまま、名古屋高等工業学校の講師となり、機織科の科長として機織実習を担当した。

御器所時代の本校舎　出典：『愛知県立工業学校 創立二十周年記念誌』

繊維機械や染織技術の第一人者である柴田が名古屋に来たことは、地元の繊維業界に大きな影響を与えた。とりわけ、尾西の毛織物業の創業、発展には、柴田の指導があったからこそであった。教え子によれば、自由民主的思想で教育し、人に対しては寛容忍辱能く教え能く導きために、子弟より父母のごとく敬慕されたという。

工業学校の基礎固めを終えた柴田は、1923年に米沢高等工業学校の校長に転じた。64歳のとき後進に道を譲り退官、晩年は学校近くの名古屋市御器所町で過ごしたが、第二次世界大戦中は岐阜県中津川畔に疎開し、81歳で没した。（石田正治）

柴田才一郎をもっと知るために

●愛知県立愛知工業高等学校 編『愛工五十年史』愛工創立五十周年記念会、1955年

大岩勇夫（おおいわいさお） 1867-1955

親しみやすい「市民市長」
昭和戦前期にモダンな国際都市建設を目指す

愛知県公文書館蔵

大岩勇夫	
1867年	三河国加茂郡花本村に生まれる。
1891年	東京法学院（現 中央大学）卒業
1899年	名古屋に転居し、名古屋弁護士会に加入
1910年	名古屋市会議員に初当選。以後、連続当選
1915年	衆議院議員（愛知郡部選出）に当選。市会議員を兼務
1927年	名古屋市長に就任。以後、3期務める
1938年	市長を辞任
1955年	88歳没

生い立ち

大岩勇夫は1867（慶応3）年、三河国加茂（かも）郡花本（はなもと）村（現 愛知県豊田市猿投町）に生まれた。1888（明治21）年、東京法学院（現 中央大学）に入って法律学を専修、在学中に代言人試験に合格し、1891年に卒業すると同時に東京で代言人組合に加入した。のち弁護士法が制定されると東京弁護士会に所属した。

1899年に名古屋に転居して名古屋弁護士会に所属。同年に郷里の西加茂郡から愛知県会議員に選出された。翌年に立憲政友会が結成されると愛知支部の幹事に就任した。

その後、1910年に名古屋市会議員に初当選、以後当選を続け、1927（昭和2）年に市長に就任するまで5期17年在職、市会議長にも3回就任し、名古屋市政界の重鎮となった。また、立憲同志会～憲政会～立憲民政党の地方組織の中心として県支部長などを務め、1915（大正4）年には郡部から衆議院議員に選ばれて1期務めた。

このほか、名古屋弁護士会会長（1911年より1年間）、名古屋商業会議所特別議員（1911年より12年間）、同顧問（1928年より10年間）など要職を歴任した。鈴木摠兵衛の後援で会社経営にも従事し、1917年から愛知セメント株式会社専務取締役を務めた。

性格は、温厚で社交的、勤勉で知られた。体格は小柄であったが声量は豊かであり、議場では雄弁家ぶりを発揮した。宴席で義太夫を謡うのが唯一の趣味であったという。

市民市長として実績を残す

大岩は1927年に名古屋市会での選挙を経て市長に就任し、1938年まで3期・11年半の長期にわたり市政を担った。県知事経験者等が「天下り」した形の市長ではなく、現職の市会議長から市長に就任し、「市民市長」と呼ばれて親しまれた。

その市政については、「資性英邁、人格闊達円満であつて、すぐれた見識と強固な決断心とを以つて事に当り、地方政界の指導者として一般の尊敬をあつめ、地方自治の振興、産業の発展に多大の貢献をした」「昭和二年市長就任以来、全国に類を見ない市公会堂の建設、中川運河の開さく、下水処理場及び市民病院の建設、増区の実施、西部下水幹線築造、教育施設の拡充、市庁舎の建設、乗合自動車事業の創設、名古屋汎太平洋平和博覧会の開催、東山動植物園の開園、産業、保健、社会事業、都市計画事業等その偉大なる事業は、今日の大名古屋市が近代都市として躍進的向上発展の基礎を築かれて、その功績は誠に甚大なものであります」（名古屋市市政資料館蔵「叙勲綴」より）と評価されている。

大岩市政の特徴

大岩勇夫は、任期途中で辞任した田阪千助市長のあとを受けて市長に

名古屋市役所（絵葉書）『大名古屋十六景』 愛知県図書館蔵

東山動物園鳥観図と開園記念観覧券
名古屋市市政資料館蔵

就任した。当時、大都市の市長の再選は稀であり任期半ばの辞任も多かったが、名古屋では地元の事情に精通した大岩が堅実な市政運営を展開し、長期安定政権となった。

大岩市長はモダンな国際都市を目指して都市経営を着実に進めた。東山公園の整備では、市が財政難のなか、大岩が自ら現地へ赴いて地元地主と交渉した結果、公園用地のほとんどを地主からの無償提供で賄うことができた。

名古屋の人口は1935年の国勢調査で108万人に達し、国内第3位の大都市としての地位を確立した。

名古屋汎太平洋平和博覧会（絵葉書）
伊藤正博氏蔵

国際的にみても上位30位以内の都市規模となり、「世界の名古屋」が意識されるようになった。国際都市に成長するには市役所と地元財界の連携が必要だったが、大岩はとくに名古屋商工会議所副会頭の青木鎌太郎（政府要人に対する陳情などに活躍し「名古屋の青木大使」の異名をとった。のち会頭、本書105ページ）と親しく、その全面的な協力を得たことで名古屋汎太平洋平和博覧会などの大事業を成功に導くことができた。

市長辞任とその後

その後、大岩は1938年末に高齢や病気を理由として市長を辞任した。

植物園　出典:『大名古屋十六景』
愛知県図書館蔵

名古屋汎太平洋平和博覧会会場
出典：『名古屋汎太博絵葉書』
愛知県図書館蔵

当時、市の外郭団体にかかわる市職員の不祥事が発生し、市会でも激しく追及されたことが背景にあり、事実上の引責辞任であった。また、当時の時代風潮も「市民市長」には逆風であった。後任市長には内務官僚出身の県忍(あがたしのぶ)が就任し、戦時体制の構築へと向かうことになった。

戦後は、名古屋市教育委員（1948年より4年間）を務めた。1955年に88歳で死去すると、正五位に叙せられ勲三等・旭日中授章が授与された。（真野素行）

ゆかりの地へのアクセス

【名古屋市市政資料館（市の公文書や行政資料を所蔵・公開している）】
➡愛知県名古屋市東区白壁1-3　名古屋市営地下鉄名城線名古屋城駅より徒歩8分

大岩勇夫をもっと知るために

◉亀田忠男『大岩勇夫と大名古屋』地域問題研究所発行、2001年
◉真野素行「戦間期の大都市における市民市長　名古屋・大岩勇夫市政を事例に」（『近代日本の地域と文化』羽賀祥二編、吉川弘文館、2018年所収）
◉新修名古屋市史資料編編集委員会 編、『新修名古屋市史』資料編 近代3、2014年
◉愛知県史編さん委員会 編『愛知県史』通史編 近代3、2019年

奥田助七郎（おくだすけしちろう） 1873-1954

港こそ「おのがいのち」
名古屋港の発展に生涯を捧げた技術官僚

ガーデンふ頭の奥田助七郎胸像

奥田助七郎	
1873年	京都府愛宕郡修学院村に生まれる
1900年	京都帝国大学理工科大学土木科を卒業。愛知県に採用され熱田築港事業に従事
1906年	ろせった丸の寄港を実現
1920年	名古屋港務所長に就任。欧米に出張して港湾事情を視察
1940年	名古屋港務所を退職
1953年	『名古屋築港誌』を刊行
1954年	81歳没

生い立ち

奥田助七郎は、1873（明治6）年、京都府愛宕（おたぎ）郡修学院（しゅうがくいん）村（現 京都市）に生まれた。生家は造り酒屋で、助七郎はその四男だった。家は裕福だったが親は上級学校への進学を好まず、親に内緒で受験して旧制第三高等学校（現 京都大学）に合格した。親は怒ったが助七郎の熱意に負けて入学を許した（のち金沢の第四高等学校に転校）。

1897年に京都帝国大学理工科大学土木科に進んだ。真面目な努力家でカイゼル髭を生やした風貌からあだ名は「仁丹」。書道を嗜み「烏渓」と号した。運動や趣味はとくになかったが、学友とよく山に遊んだ。旅行中は書をものして「この書を長く蔵し置けば、必ずや価値が出るであろう」と宿の主人に与えて、宿泊費を安く上げたという。

1900年に京都帝国大学を卒業すると教授の紹介で愛知県庁に採用され、熱田築港事業に従事することになった。

奥田助七郎の業績と評価

愛知県で進められていた熱田築港事業は、1898年に江木千之(えぎかずゆき)知事のもとで財政計画と港湾設計が変更されて第一期工事がスタートしたが、奥田助七郎は黒田豊太郎(第一期工事を設計した技師で築港事業の責任者、本書310ページ)とともにその重責を担った。

1907年に名古屋港が開港し、1911年に黒田豊太郎が退職した後は、第二期から第四期の拡張工事を担当した。助七郎は人造石工法(黒田豊太郎の項を参照)の研究のほか、貯木対策(1912〔大正元〕年の台風の際に貯蔵してあった木材が散乱して多大な被害が発生していた)のため全国に先駆けて港内に県営貯木場を築造した。1920年には名古屋港務所長に就任、欧米出張を命ぜられて各国の港湾を視察して廻り研究を重ねた。1940(昭和15)年に退職するまで港の発展にその生涯を捧げ、従四位・勲四等に叙され瑞宝章を授けられた。責任感は強いが頑固な性格で融通性に富む人ではなかったが、座右の銘とした「必遂其終」の通り、一旦着手すれば徹底的に遂行する強い意志の持ち主であった。家庭生活は円満で、休日になるといつも家族揃って出かけたという。

退職後は名古屋港務所の顧問となり、後進の指導に当たるとともに自ら筆を執り『名古屋築港誌』の編纂を進めた。助七郎は名古屋港の歩みを『名古屋港の今昔』と題した冊子に纏(まと)めていたが、今回は貴重な史料をふんだんに使用した本格的なものとなった。同書は1953年に刊行さ

入港した「ろせった丸」　名古屋港管理組合蔵

「ろせった丸」歓迎アーチと訪れた見物人　名古屋港管理組合蔵

れたが、それに安堵したのか翌1954年に死去した。

1957年、開港50周年を機に助七郎の功績を称え、胸像が設置された。胸像は港を見守るように海に向かい建てられている。台座には「この人を見よ」から始まる詩文が刻まれており、本項の表題「港こそ『おのがいのち』」はその一節から採ったものである。

ろせった丸の誘致と林治定船長

奥田助七郎の功績として広く知られているのは、1906年9月、大型のクルーズ船ろせった丸（3876トン）をまだ開港前の名古屋港に寄港させたことであろう。

ろせった丸は1880年にアイルランドのハーランド・アンド・ウルフ社が建造したもので、1906年に日本初のクルージングとされる朝日新聞社主催の満韓巡遊に就航し、同年9月からは報知新聞主催の巡航博覧会船として各地を巡っていた。同船は本来、武豊港と四日市港に寄港する予定となっていたが、助七郎は船長の林治定に熱田築港への寄港を要請した。建設中の港への大型船の入港は座礁などのリスクが大きかったが、林船長は築港の現況を良く知る助七郎が自ら水先案内人を務めることを条件として、入港を受諾した。

この林治定は熊本県生まれで、彼の母の矢嶋楫子は「婦人矯風家」として著名な教育者であった。また、有名な徳富蘇峰・蘆花兄弟とは従弟の関係になる。林は「熊本バンド」

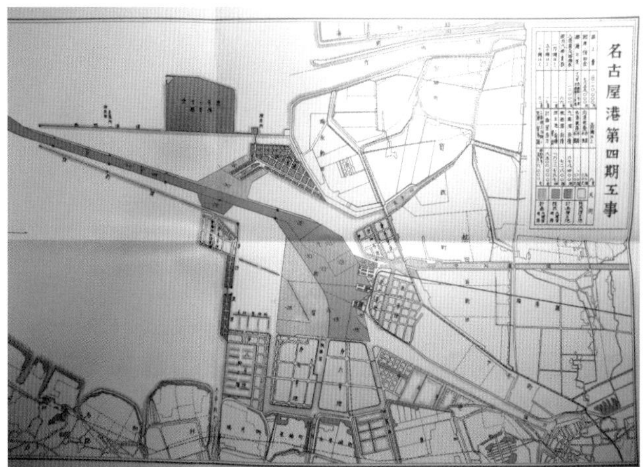

名古屋湊第４期工事図
出典：『名古屋港史』建設編

『名古屋築港誌』と『名古屋港の今昔』
2022年撮影

に入信したクリスチャンで、熊本洋学校・同志社で学んだのちに心機一転、船乗りを志し、1884年に東京商船学校航海科を卒業した、異色の経歴の持ち主であった。

ろせった丸の入港にあたっては、鉄桟橋が完成していなかったため、土運船を並べて臨時の桟橋として繋留した。十数万人が観覧のため来船したといわれる。当時は築港の成否を不安視して反対も少なくなかったが、大型船の入港に成功したことが新聞で報じられるなどして大きな話題となり、名古屋市民の築港事業に対する理解を進めることになった。（真野素行）

ゆかりの地へのアクセス

【ガーデンふ頭入口に建つ奥田助七郎の胸像と、貴重な写真や文書を所蔵し公開している名古屋港情報センター（名古屋港管理組合本庁舎６階）】

➡愛知県名古屋市港区港町１　名古屋市営地下鉄名城線名古屋港駅１番出口すぐ

奥田助七郎をもっと知るために

◉奥田助七郎『名古屋港の今昔』昭和毎夕新聞社、1932年
◉奥田助七郎『名古屋築港誌』名古屋港管理組合、1953年
◉粟田亀造「港の人柱 奥田助七郎」（『熱田風土記　中巻』池田長三郎ほか著、久知会、1980年所収）
◉名古屋港史編集委員会 編『名古屋港史』名古屋港管理組合、1990年
◉田村伴次『名古屋・みなとまちづくり』伊勢湾フォーラム、2007年
◉名古屋港開港100年史編さん委員会 編『名古屋港開港100年史』名古屋港管理組合、2008年

渋沢元治（じぶさわもとじ） 1876-1975

捕雷役電を座右の銘として
名古屋帝国大学初代総長は電気技術者

出典：『名古屋大学五十年史』通史 1

渋沢元治	
1876 年	埼玉県榛沢郡血洗島村に生まれる
1888 年	上京、府立中学に入学
1894 年	第一高等学校に入学
1897 年	東京帝国大学工科大学電気工学科に入学
1900 年	東京帝国大学卒業、伯父栄一に伴い渡鮮、中野工兵隊に入隊
1902 年	海外留学（主に独、スイス、米）
1906 年	帰国、逓信技師として電気試験所勤務
1911 年	工学博士
1919 年	逓信省電気局技術課長兼東京帝大教授
1937 年	電気事業界を離れる
1939 年	名古屋帝国大学総長
1946 年	名古屋帝国大学総長辞任、郷里血洗島村に帰る
1955 年	文化功労者受章
1975 年	98 歳没

生い立ち

渋沢元治は1876（明治 9）年、埼玉県榛沢（はんざわ）郡血洗島（ちあらいじま）村（現 埼玉県深谷市）の豪農渋沢家の長男として生まれた。「資本主義の父」と呼ばれる渋沢栄一とは伯父と甥の関係にあたる。

高等小学校卒業後、親に反対されるも進学を決意する。ただ、尋常中学校は当時の埼玉にはなかったために上京し、渋沢栄一の娘婿である大蔵省の阪谷芳郎邸で書生をしながら、一旦成立学舎に入学、1888 年 12 月に東京府尋常中学校の合格が決まり、同校 2 年次に編入学した。尋常中学校卒業時、第一高等中学校への推薦が叶わず、日本中学 5 年次入学した。その後、受験勉強に励み、1894 年に第一高等学校（高等中学校から高等学校に改組）に入学した。

学生時代の体験

1897 年、第一高等学校から東京帝国大学工科大学に進み、電気工学を学ぶ。大学 3 年の時の小田原馬車鉄道会社の電化工事現場での実習

回転変流機　渋沢元治が設計した回転変流機、1900年に石川島造船所が製作
出典：『電界随想』1963年

にて、海外文献を頼りに、回転変流器の据付・運転を体験している。この時、極性変移の理論を考え出すなど電気についての強い探求心を持った青年であった。続いての石川島造船所での実習では回転変流機の設計を小田原馬車鉄道会社での知見をもとにおこない、完成した国産第一号回転変流機は東京高等工業学校で学生実験用として関東大震災で焼けるまで活躍した。

（注：回転変流機は、回転機の一種で一組の界磁と回転子により交流を直流に変換する。鉄道の直流電化の初期において、交流電動機で直流発電機を回して直流を発生させるよりも効率のよい回転変流機が用いられた。）

電気事業初期における電気行政の確立

渋沢は、東京帝大を1900年に卒業、1年間の兵役後、伯父栄一の勧めで欧米に留学し、その中でドイツのジーメンス社やアメリカのゼネラル・エレクトリック（GE）社にて工場実習をおこなった。帰国後、持ち帰った世界最高の技術を基に、1906年逓信省に入り、当時まだ電気というものに不慣れな時代であった日本の電気行政を確立した。官僚をおこないながらも自らの研究の研鑽を重ね、論文テーマ「同期電機」にて工学博士の学位を取り、東京帝大教授、電気学会会長（1924年度）となる。自宅の書斎には座右名として、「捕雷役電」なる扁額を掲げていた。これは「様々な電気現象を把握し、広く社会の役に立てる」という意味である。東京帝大工学部長を3年間務めた後、東京帝大教授兼逓信技師を1937年に定年退官し、電気事業界を離れる。翌年、帝国学士院会員となる。

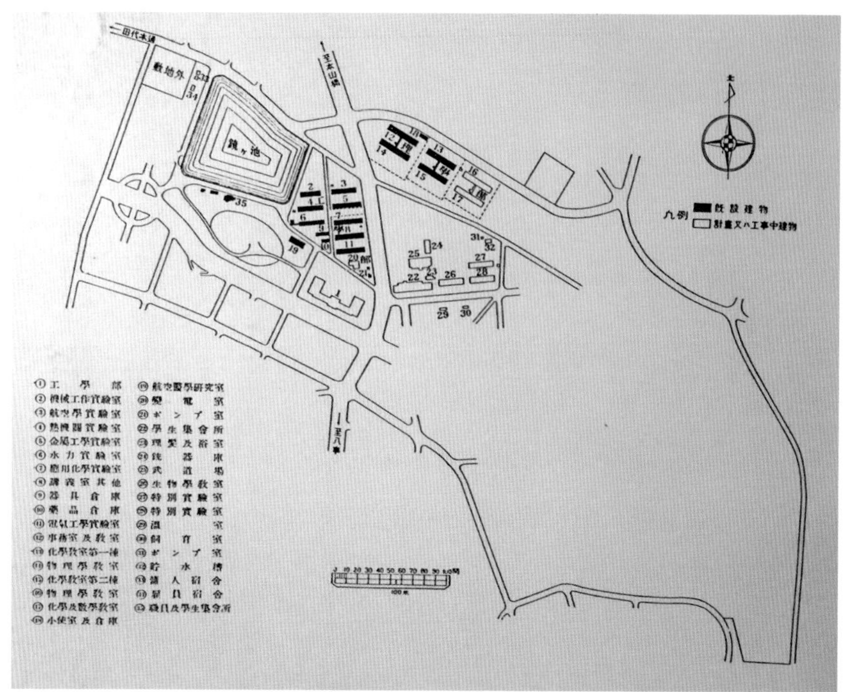

名古屋帝国大学の創設時の敷地と建物　出典：『名古屋大学の歩み』

名古屋帝国大学初代総長として活躍

渋沢は退職後、のんびり海外視察でもしたかったところであろうが、当時の日本は臨戦態勢であったのでそれは不可能なことであった。1939年、名古屋帝国大学（名古屋帝大）の創設が議会で決議されて、同年2月に文部次官から、総長就任を要請されるが固辞する。その直後に東北帝国大学総長の本多光太郎の来訪を受け、熱心に説得されて引き受けた。名古屋帝大設置1カ月前のことであった。

医学部と理工学部の2学科で出発した名古屋帝大だが、理工学部はまだ名前だけで、東山キャンパスには何もなく、これから施設を整備し、教官を集めなければならないところであった。渋沢が任じられたのは、理工学部の創設に電力技術者としての高い学識や声望を期待されてのことであった。

渋沢は、戦時体制下の物質欠乏のきびしい時期の中で、大学創設のため、関係方面を駆け回って建設に、また、教授陣の整備に努力し、1940年には理工学部を発足させた。さらに、1942年には理学部と工学部を分離独立させることに成功している。

第二次世界大戦後、渋沢は戦災で荒廃した大学の復興の基盤造りに尽

総長懇談会にて　出典：『1942年工学部卒業アルバム』

力した。GHQによる航空医学研究所廃止にあたっては、文部省にその存在を請願し、環境医学研究所への改組を申請していたので、附置が実現した。

1946年1月、渋沢は体調を崩して総長を辞任することになり、「退任に際して学生諸君に告ぐ」を遺した。その中で、大学建設にあたり主張してきた、「進吾往也」、「以和為責」を餞別の辞として遺している。

1955年に電気分野で初めて文化功労者に選ばれ、これを記念して電気保安に優れた業績を上げた方々に贈られる渋沢賞が日本電気協会に設けられたことは、晩年の渋沢には、何よりも喜びであった。1946年に故郷に帰った渋沢は、穏やかで幸せな老後を過ごした。（藤田秀紀）

ゆかりの地へのアクセス

【名古屋大学中央図書館】

➡名古屋市千種区不老町 名古屋大学東山キャンパス　名古屋市営地下鉄名古屋大学駅前（中央図書館には、渋沢元治『電界随想』など関係資料が多数収蔵されている。）

渋沢元治をもっと知るために

◉渋沢元治『電界随想』コロナ社、1963年

◉渋沢元治『五十年間の回顧』1953年

◉永塚利一『渋沢元治』電気情報社、1969年

◉名古屋大学史編集委員会 編『名古屋大学五十年史』通史1、1995年

茂庭忠次郎（もにわちゅうじろう） 1880-1950

患苦は池を玉成す

名古屋下水道の礎を築く

名古屋市上水道局提供

茂庭忠次郎	
1880 年	仙台市に生まれる
1901 年	東京帝国大学工科大学土木工学科入学
1903 年	東京市の創設下水道計画参画
1904 年	同大学土木工学科卒業
1907 年	名古屋市水道技師に赴任
1908 年	鉄筋混凝土管試作場を設置
1910 年	鉄筋混凝土管を使用始める
1913 年	工務課長兼下水管製作所長
1914 年	下水道布設事務所長
1917 年	名古屋市を退職
1918 年	内務省技師となる
1919 年	鉄筋コンクリート管の研究で工学博士号受ける
1927 年	顧問業で 80 都市を指導
1950 年	69 歳没

生い立ち

茂庭忠次郎は、1880（明治 13）年、仙台市に生まれる。宮城中学校の修学旅行で監督教官の不穏当な処置にストライキを指導し、無期停学となり退学した。茂庭の人間性を伝えるエピソードである。正義感が強く、喧嘩早い一面娑婆気も大きかった。

1901 年、東京帝国大学工科大学土木工学科に入学、同郷の先輩中島鋭治の衛生工学を大学院で専攻、中島との師弟の絆は生涯を貫いた。

茂庭は在学中の 1903 年、中島から東京市下水道設計調査主任に推されて、東京市の創設下水道の計画、設計に参画した。茂庭の衛生工学を駆使した東京市下水道計画は、わが国の下水道の草分けであった。東京市で実務体験をした茂庭は、中島の推挙で 1907 年、名古屋市水道技師に赴任、工務課長兼下水管製作所長、下水道敷設事務所長を歴任し、1917 年に退職した。名古屋時代の茂庭は、創生期の下水道を実質的に計画し基礎を固めた。後に内務省技師、顧問業として各都市を指導した。1950 年、69 歳で逝去。

分流式か合流式かで上司と衝突

茂庭は名古屋に赴任早々、下水の排除方式で上司の上田敏郎（本書313ページ）技師長の分流案か合流案かで衝突した。分水法（分流式）は、雨水を在来の溝渠（こうきょ）（水を流すみぞ）を修築利用し、汚水管だけを築造しようした案である。これに対し、茂庭の混水法（合流式）は、汚水と雨水を同一管により完全に排除する案で、在来の溝渠は埋没して市の面目を一新させることができるものであった。茂庭の自叙伝に、「上司上田はバルトンの分流式を踏襲したが、在来溝渠は雨水を完全に排除する能力を備えるもの殆ど皆無、分流式は本市の実情に適さず」、「上田技師長と共に上京し中島顧問と内務省当局の断を求めた。余の主張入れられて合流式に変更、工事費減額のため鉄筋混凝土（コンクリート）管の研究開発で苦労した。“患苦は池を玉成す”」と述べている。

鉄筋混凝土管の研究で博士号

1908年、鉄筋混凝土管試作場が名古屋市伊勢山町で実施された。茂庭の研究と実験の成果は1909年2月の工学会誌に「鉄筋混凝土下水管荷重試験成績」として発表された。鉄筋混凝土管は1910年から名古屋市下水道に使用された。

伊勢山町製管工場の風景
名古屋市上下水道局提供

茂庭は、鉄筋混凝土管を試作し、強度試験、管の寸法、鉄筋量の節減などをおこない工費を縮減した。1919（大正8）年に鉄筋混凝土管の研究論文「名古屋市下水道工事、特ニソノ用材ニ就キテ」で工学博士号を受けた。ヒューム管の先駆けである鉄筋混凝土管の内径4.5尺（136cm）の工場製作は日本初で世界的レコードとなり、各都市の下水道で採用された。また当時の下水用陶管は不統一であったので、寸法・形状・品質・強度など全国で初めて規格化した。陶管の規格の統一には、業界に製品規格の仕様で発注がおこなわれ、歴史的に評価された。（大橋公雄）

ゆかりの地へのアクセス

【水の歴史資料館】
➡愛知県名古屋市千種区月ヶ丘1-44　https://www.water.city.nagoya.jp/shiryokan/

茂庭忠次郎をもっと知るために

◉門脇健『近代上下水道史上の巨人たち』日本水道新聞社、1971年

下出義雄（しもいでよしお） 1890-1958

裸の心を持つ人

実業界と教育界に新しい風を吹き込む

1935年撮影　学校法人東邦学園提供

下出義雄	
1890年	大阪市に生まれる
1913年	神戸高等商業学校卒業
1915年	東京高等商業学校専攻科卒業。東京海上保険株式会社入社、社長秘書
1917年	株式会社電気製鋼所支配人兼取締役
1918年	東海電極株式会社常務取締役
1919年	矢作水力株式会社取締役
1920年	名古屋紡績株式会社専務取締役
1929年	愛知電機鉄道株式会社取締役
1923年	関東大震災により下出書店全焼。東邦商業開校（中京法律学校内）
1931年	株式会社大同電気製鋼所社長
1934年	東邦商業学校校長
1937年	経済使節団日本代表と欧米訪問
1942年	衆議院議員に当選
1958年	67歳没

生い立ち

下出義雄は、下出民義の長男として1890（明治23）年、大阪市に生まれた。愛知県立第一中学校へ入学、その後神戸高等商業学校へ進み、卒業後の1913（大正2）年には東京高等商業学校へ進学、1915年7月、26歳のとき貿易科専攻科を卒業する。

実業界と教育界での活躍

卒業後の1915年に東京海上保険に入り、各務鎌吉（かがみけんきち）の秘書として2年間勤務したのち、1917年9月の木曽川電力支配人を皮切りに、大同電気製鋼所取締役に就任、1918年には、父・民義が創業した東海電極、1919年矢作水力に入社、1920年名古屋紡績専務取締役、1922年豊国セメント入社など次々と企業経営に参画している。その後も、実業界ばかりでなく、教育界、政界で活躍をし続ける。「企業関係45（大同電気製鋼所、木曽川電力、名古屋紡績、名古屋鉄道、東海電極製造、名古屋観光ホテル、鈴木バイオリン等）、教育関係3（東邦商業学校、金城商業学校、大同工業学校）、

大同電気製鋼所の下出義雄
学校法人東邦学園提供

公職関係9（衆議院議員、名古屋商工会議所副会頭、名古屋株式取引所理事長など）合わせて57の事業経営に係わったことが分かっている」との記述もあり、名古屋にとって重要な役割を果たす人物として活躍をしていく。

政界進出と戦後の姿

1942（昭和17）年4月におこなわれた第21回衆議院議員総選挙に当選し、政界進出を果たした。終戦後、公職追放が実施されるにあたって、大同製鋼、東海電極など実業界ばかりでなく、東邦商業（現東邦高等学校）や大同工業学校（現大同大学・大同高等学校）などの教育界の職をからも辞し、名古屋証券取引所理事長を除いてほとんどの職を辞任した。1958年1月20日、義雄は名古屋市昭和区天白町の自宅にて病気療養中に肺炎を併発し死去した。（朝井佐智子）

下出義雄（左）と校主下出民義（右）
学校法人東邦学園提供

【実業界出発の原点・下出書店】

下出書店は、義雄の実業界デビューともなった出版社である。所在地は東京であったが、初めての出版物は、1921（大正10）年4月10日発刊の武者小路実篤著『友情』であり、1921年から1923年までのわずか2年の間に、56冊の出版をした。義雄は、研究者として学問を続けることを望んでいたが、父・民義は、長男である義雄に自分が手掛けてきた事業を継承してほしいと願っていた。この下出書店も残念ながら1923年9月の関東大震災のときに火災にあい、出版物と拠点の焼失により廃業へと向かうことになった。このときの経験が、名古屋に戻ったあと、教育界、実業界での活躍の原動力となった。

下出義雄をもっと知るために

◉愛知東邦大学地域創造研究所『下出義雄の社会的活動とその背景』唯学書房、2018年
◉小松史生子 編著『東海の異才・奇人列伝』風媒社、2013年

池田篤三郎（いけだとくさぶろう） 1890-1963

仕事には厳格だが鷹揚な人柄
名古屋上下水道の基礎を築く

名古屋市上下水道局提供

池田篤三郎	
1890年	大阪府泉南郡に生まれる
1914年	東京帝国大学工科大学土木工学科卒業
1922年	大阪市技師・水道拡張調査
1923年	岡山市水道拡張工事課長
1925年	名古屋市水道拡張事務所工務課長
1927年	名古屋市水道拡張事務所長
1928年	名古屋市初代水道部長
1929年	欧米各国に出張、翌年帰朝
1935年	下水汚泥処理技術で工学博士
1936年	名古屋市初代水道局長、在職中拡張事業の実施を主導
1939年	水道局長を辞任
1947年	東京量水器工業取締役社長
1950年	日本鋼管株式会社鶴見造船所嘱託
1958年	水道顧問技師会初代会長
1963年	72歳没

生い立ち

池田篤三郎は、1890（明治23）年、大阪府泉南郡に生まれた。1914（大正3）年、東京帝国大学工科大学土木工学科を卒業、北海道炭鉱汽船に入社した。その後、大阪市技師、岡山市水道拡張工事課長となった。

名古屋市は1923年、東京帝国大学草間偉（くさまいさむ）と東京市の米元晋一を下水道の顧問に委嘱した。米元は名古屋市長田阪千助（たさかせんすけ）から拡張水道の主任担当技師に優秀有能な人物を引き抜いてほしいと頼まれ、名古屋市は池田を1925年に岡山市から迎えた。

人口100万都市を目指した水道事業

名古屋で給水が開始されたのは1914年で、その普及率は1.8%に過ぎなかった。1921年、隣接16町村が名古屋市に編入され、人口は約62万人の大都市となり、給水を必要とする地域に配水管の拡張が急がれた。1922年の「上水道拡張計画大綱」は、給水人口100万人を目指した。大綱を基に第3期拡張事業案が計画され、1925年、水道拡張事

堀留処理場　名古屋上下水道局提供

務所を開設した。

池田は、工務課長、水道拡張事務所長、初代水道部長、初代水道局長を歴任した。池田は厳格さで仕事や技術については一歩も譲らず、多くの人材を育てた。部下には上下水道各方面の仕事に経験を積ませ、将来、いずれの方面にも役立つ水道技術家の養成に心掛けた。

1939（昭和14）年水道局長を辞任、各種水道関係の役職を経て日本鋼管の技術顧問となる。池田は多くの功績・発明・考案など残し、1963年72歳で逝去した。

活性汚泥法と鉛管製造法の実用化

大正時代、名古屋の堀川や新堀川は下水の放流で衛生上から放置できない状態であった。1925年、熱田抽水場構内に処理施設を置き、活性汚泥法による下水処理の実験をおこない、成功をおさめた。活性汚泥法とは、下水に空気を送り微生物の働きで、汚れを分解して浄化する方法で、英国で開発された。これらを受け池田は、名古屋市の水道拡張工事のために1925年に赴任、1928年水道部長となる。1930年、名古屋市は、堀留と熱田処理場に、次に露橋、熱田東分場に活性汚泥法を導入した。

高所の配水池からの高水圧を利用し、最も経済的に鉛管を製作する方法を池田が考案し特許を得た。鍋屋上野浄水場構内での給水用鉛管製造は1957年まで続いた。

池田は、鳥居松沈澱池より鍋屋上野浄水場に至る、長大な新旧鋳鉄管路や市内の新旧大小の配水管内の通水量を詳細に測定した。各種材料の管路の使用年数に応じて、管路内に錆瘤ができたことで流量が減ずることを究明し、管の流量公式を1933年に発見、管路の交換時期を明らかにした。この流量公式は、今も使用されている。（大橋公雄）

ゆかりの地へのアクセス

【水の歴史資料館】

➡愛知県名古屋市千種区月ヶ丘1-44　https://www.water.city.nagoya.jp/shiryokan/

池田篤三郎をもっと知るために

◉門脇健『近代上下水道史上の巨人たち』日本水道新聞社、1971年

◉『池田篤三郎氏追憶集』水道顧問技師会、1964年

清水勤二（しみずきんじ） 1898-1964

僕は前に進むだけだ
名古屋科学館を創った名工大初代学長

出典：『名古屋工業大学八十年史』

清水勤二	
1898 年	山口県佐波郡防府町に生まれる
1923 年	京都帝国大学電気工学科卒業。名古屋高等工業学校講師
1924 年	名古屋高等工業学校教授
1932 年	ドイツ、イタリア、アメリカに留学
1934 年	留学から帰国
1941 年	文部省督学官を兼務
1944 年	明治工業専門学校校長
1945 年	文部省科学教育局第一部長
1946 年	東京科学博物館館長事務取扱を兼務、文部省科学教育局長
1948 年	名古屋工業専門学校校長
1949 年	名古屋工業大学初代学長
1962 年	市立名古屋科学館館長
1964 年	66 歳没

生い立ち、ドイツ留学を経て文部省へ

清水勤二は、1898（明治31）年、山口県佐波（さば）郡防府（ほうふ）町（現 山口県防府市）に生まれた。1923（大正12）年、京都帝国大学電気工学科を卒業後、名古屋高等工業学校機械科の電気実験室担当の講師として赴任した。機械科に籍を置く清水は、翌年、教授となり電気科設置の準備を進めた。1929（昭和4）年4月、電気科が発足、清水は初代科長に就任した。

1932～34年、清水は電気工学研究のためにドイツ、イタリア、アメリカに留学した。とりわけドイツ滞在は清水に大きな影響を与えた。ミュンヘン滞在中に訪れたドイツ博物館は、清水に大きな影響を与え、それは後年の市立名古屋科学館誕生の基となった。

帰国後、1941年に文部省督学官を兼務、1944年に明治工業専門学校校長、1945年に文部省教育局に入り第一部長に就任した。第二次世界大戦後、1946年に東京科学博物館館長事務取扱を兼務し、同年、文部省科学教育局長に昇任した。

名古屋工業大学初代学長に就任

清水勤二は、文部省教育局長を退任後、1948年8月、名古屋工業専門学校（名工専）の第7代校長に就任した。

1949年、国立大学設置法が公布され、名古屋工業大学が設置された。国立新制大学学長は同年6月2日に発令され、清水は名古屋工業大学初代学長に就任、同時に名古屋工業専門学校校長を兼務した。

当時、名古屋帝国大学が新制名古屋大学となったが、その際に愛知県内各地にあった旧制官立学校を名古屋大学に併合する動きがあり、名工専も名古屋大学工学部に統合させる案があった。この時、断固反対したのが清水であった。

1951年、国立学校設置法の一部改正により、名工専は廃止、愛工専（愛知県立工業専門学校）も施設を国に移管し廃止された。

名古屋工業大学開学時のキャンパス
出典：『名古屋工業大学八十年史』

名古屋工業大学開学時のキャンパス
出典：『名古屋工業大学八十年史』

市立名古屋科学館の創設

清水勤二は、晩年、教え子の鈴木光彦（当時、名城大学教授）に自身の業績は、「まず（名工専に）電気科を創ったこと、次に名古屋工業大学を創ったこと、第三に科学館を創ったこと、いずれも青少年に将来の希望を持たせ、創造というものを育成する、ということに力を尽くした」と語っている。

その科学館の建設計画は、1957年、名古屋市教育委員会に設置された科学博物館計画運営委員会のもとで、既存の博物館や理科教育施設を参考に計画案が検討されたが、議論の過程で、清水が招かれ意見を求められた。清水は、「産業科学の振興と発明発見の昂揚」のコンセプトを提示し、委員会に加わった。委員会は理科教育の振興を軸とする小規模案と、技術の発展を企図する大規模案を提示して閉会となった。翌1958年、名古屋市総務局に置かれた科学館建設調査委員会では、最終的に清水がまとめたミュンヘンのドイツ博物館を基にした大規模な科学博物館計画が科学館建設案として策定された。後に、中部電力社長の井上五郎（本書154ページ）は、「科学館は名古屋市が清水学長の計画に賛同して生まれた」と述べている。

科学館の建物と運営職員は名古屋市が提供し、展示計画は名古屋大学と名古屋工業大学の理工系学部教官が立案、およそ2億円の資金は地元財界が負担して産学協同の科学館が誕生した。また、井上五郎が中心となり、科学館の資金管理団体として、財団法人中部科学技術センターが設立された。

清水は、1962年に市立名古屋科学館の初代館長に就任した。科学館の全施設が整い開館したのは1964年11月であるが、「科学・産業・技術の最高傑作品」を斬新な展示方法で展示する世界最大のドイツ博物館を範としてつくられた市立名古屋科学館の全容を見ることなく、同年1月に清水は亡くなっている。

（石田正治）

1980年頃の市立名古屋科学館
出典：「市立名古屋科学館案内」

名古屋工業大学構内にある
清水勤二銅像

ゆかりの地へのアクセス

【名古屋市科学館】
➡名古屋市中区栄2-17-1 白川公園内　名古屋市営地下鉄東山線伏見駅より徒歩5分

【清水勤二銅像】
➡名古屋市昭和区御器所町 名古屋工業大学内　JR中央線鶴舞駅より徒歩7分

清水勤二をもっと知るために

◉『東海の技術先駆者』第二巻、名古屋技術倶楽部、1984年
◉『東海の誉れに―名古屋工業大学70年史』名古屋工業大学、1972年
◉馬渕浩一「清水勤二の科学技術教育改革と市立名古屋科学館の誕生」、『科学史研究』53巻、2014年

久野庄太郎（くのしょうたろう） 1900-1997

大欲（おおよく）の精神で幸せを築く

文化営農の基盤、愛知用水を造る

出典：三祐コンサルタンツ『50年の歩み』

久野庄太郎	
1900年	愛知県知多郡八幡村に生まれる
1910年	愛知県知多郡八幡村立八幡小学校卒業
1926年	父の弟久野惣太郎の次女・はなと結婚
1936年	愛知県知多郡八幡村販売購買組合を設立。優秀農家として有栖川宮農業功労賞を受賞
1945年	安城農業試験場において御前講義を実施。
1948年	農村同志会結成で愛知用水実現の運動。久野庄太郎と濱島辰雄が現地調査。森信蔵半田市長が開発期成会会長に就任。吉田茂首相に愛知用水の建設を陳情
1962年	不老会の設立、会長に就任
1997年	96歳没

生い立ち

久野庄太郎は1900（明治33）年、愛知県知多郡八幡（やわた）村（現 知多市八幡町）の農家の長男として生まれた。八幡村立八幡小学校卒業後、農業に専念した。農閑期の冬は正月前後、知多の伝統芸能尾張万歳の出稼ぎに行った。

1926（大正15）年、叔父・久野惣太郎の次女、はなと結婚した。農業に専念する傍ら、強い向上心から農学、遺伝学、植物学など良師を求めて学び、自己研鑽に努めた。さらに知多郡農村研究員、米穀改良委員、拓殖研究員として、農村問題に取り組み、農業経営の改善、稲作の改良などに努力した。

1936（昭和11）年、愛知県知多郡八幡村販売購買組合を設立、地元特産馬鈴薯（ばれいしょ）、ネギ類の出荷統制員会を設立し委員長に就任。公的卸売市場設立の礎石を作り、一方特産地形成に努力、その後の愛知園芸農産物の出荷体制の基礎を築いた。また、1936年に優秀農家として愛知県知事賞、有栖川宮農業功労賞、1943年に勤労顯功賞（農林大臣）を受賞した。

1945年、天皇陛下ご行幸の際、安城農業試験場において御前講演をして、陛下より「このうえとも食料増産をしっかり頼むように」とお言葉を賜った。

愛知用水事業の推進

愛知県の知多半島の地は、温暖な気候に恵まれた穏やかな丘陵地帯で、平地は狭く、大きな川もなく、毎年のように干ばつに悩まされていた。人々は、大小さまざまなため池を谷間につくってかんがいに努めてきた。水さえあれば皆が幸せになれるという思いから木曽川から取水する計画を決心したのが、知多市の篤農家久野庄太郎と、当時、安城農林高校教諭の濱島辰雄（本書346ページ）であった。

運命の出会い　出典：『愛知用水概説』

1948年、二人は意気投合して行動を開始、岐阜県八百津町兼山（標高：94.5 m）の地点から踏査した。

木曽川は長野県木祖村の鉢盛山(標高2446 m)南方が水源である。御嶽山から流れ来る王滝川を合わせ、寝覚ノ床などの木曽渓谷、中津川から恵那峡、蘇水峡などの峡谷を流れ、美濃加茂市と可児市の境界で飛騨川と合流する。可児市から愛知県犬山市の犬山城付近までは日本ラインと呼ばれ、濃尾平野から伊勢湾に注ぐ総延長229km、流域面積5275㎢の大河である。

愛知用水の水源は、木曽川最上流部の旧三岳村と大滝川にまたがる地点に新たに建設した牧尾ダムである。そして、中流部の岐阜県八百津町にある兼山取水口で取水し愛知県に入る。

愛知県内では犬山市、日進市から、みよし市と東郷町にまたがる愛知池に入り、名古屋市緑区、豊明市を経て知多半島に入る。知多半島では大府市、東海市、知多市にある佐布里池を経て、阿久比町、常滑市、美浜町を縦断して美浜調整池に達する。そこから海底導水管を通して篠島、日間賀島、佐久島に送られている。

久野庄太郎は濱島辰雄との運命的な出会いから現地調査を終え、地元、農林省や当時の吉田茂首相

牧尾ダム　出典：リーフレット「愛知用水」

佐布利池畔の愛知用水神社と水利観音堂
2022年撮影

をはじめ政治家などへの陳情をおこなった。1952年に愛知用水事業基本計画の概要が告示された。名古屋に本部を置く愛知用水公団が設立された。そして世界銀行からの融資を受け、米国からの技術者と最新設備を導入し建設が進められた。このように二人三脚のスタートから13年後の1961年9月30日に愛知用水が完工、通水式が挙行された。

愛知用水は農業用水をはじめ、上水道、工業用水、地域の環境保全など多目的に貢献している。

実践躬行の人生観

久野は大欲の精神で実践躬行の人生観を持った人であった。ここでいう大欲とは自分だけでなくみんなが幸せになることで、その考えで愛知用水を建設した。その工事中に犠牲者となった56名の冥福を祈るとともに、用水の安全と平和な暮らしを祈念して、愛知用水の要所から原土を集め愛知用水水利観音像180体を建立した。その後、知多市にある佐布里池湖畔に愛知用水神社、愛知用水水利観音堂を建立し、犠牲者を合祀した。

また、勝沼精蔵名古屋大学総長から医学用解剖遺体不足の話を聞き、献体で医学に貢献をしたいという思いで、わが国初の献体運動を始め、1962年、「不老会」を創設した。

（寺沢安正）

ゆかりの地へのアクセス

【愛知用水神社と水利観音堂】➡愛知県知多市 佐布里緑と花のふれあい公園内

久野庄太郎をもっと知るために

◉久田健吉『愛知用水の父久野庄太郎』ほっとブックス新栄、2020年
◉機関誌『水の文化』36号「愛知用水50年」愛知用水概説
（ウエッブサイトにPDF版あり）
◉水資源機構・愛知用水総合管理所リーフレット「愛知用水」

榊 米一郎 1913-2014

大きいことはいいことだ 超高圧電顕
豊橋技術科学大学初代学長は電顕屋だった

名古屋大学工学部長の頃

榊 米一郎	
1913 年	京都市で生まれる。父親は榊亮三郎京都帝国大学教授
1932 年	東京帝国大学工科大学電気工学科入学
1935 年	卒業論文「電子顕微鏡」を提出し同上卒業、沖電気入社
1939 年	名古屋帝国大学嘱託、学術振興会第 37 小委員会同伴出席のちに委員
1940 年	名古屋帝国大学助教授（理工学部）
1952 年	名古屋大学教授（工学部）
1967 年	名古屋大学工学部長
1974 年	豊田工業高等専門学校校長
1976 年	豊橋技術科学大学学長
2014 年	100 歳没

生い立ち、東京帝大、名帝大助教授

榊米一郎は1913（大正 2）年に京都市で生まれた。父は梵語学の京都帝国大学教授・榊亮三郎。1932（昭和 7）年に東京帝国大学工学部電気工学科に入学、卒業論文「電子顕微鏡」を提出し、1935 年に卒業した。最初の電子顕微鏡は1931 年にドイツのノール（M. Knoll）とルスカ（E. Ruska）によって開発されたばかりなので、早い時期の卒論であった。

卒業後に沖電気に勤務していたが、新設が決まった名古屋帝国大学の初代総長・渋沢元治（もとじ）（本書 326 ページ）に乞われて、1939 年 5 月に嘱託として迎えられる。榊が学生の頃、渋沢は電気工学科の教授であった。理工学部の開設準備にあたり、翌年 4 月の開設とともに助教授に就任した。1939年設置された学術振興会(学振)第 37 小委員会（電子顕微鏡の総合研究）に初めは委員長の瀬藤象二（せとうしょうじ）東京帝大教授の同伴者として参加し、ほどなく委員となる。1942 年 12 月に日立製作所で開発された HU-2 型製電子顕微鏡（電顕）二台のうち一台が名帝大に納入され、榊はこの電顕

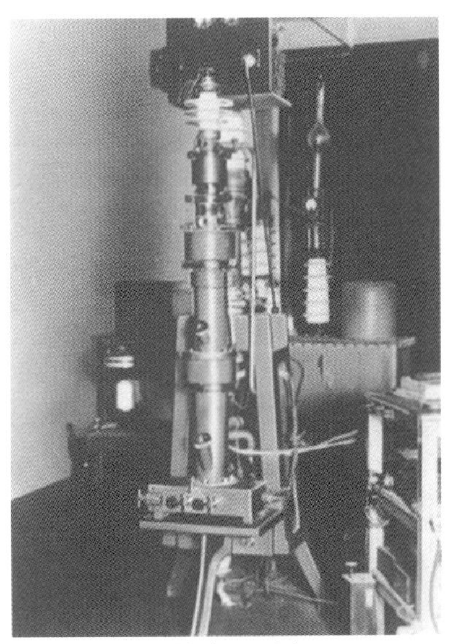
HU-2 型電子顕微鏡（1942 年）
出典：第２回「でんきの礎」小冊子

の管理運営を担当し、1943 年 8 月の学振 37 小委員会で撮影写真を提示して成果報告をした。HU-2 型電顕は名古屋大学博物館に展示されている。この電顕はその後大きく発展する名古屋大学の電子顕微鏡学研究の源流であった。

超高圧電子顕微鏡の開発

学振 37 小委員会は戦時中も活動し、1948 年に閉じられたが、後継の研究組織で朝日新聞の奨学金を得て、高い加速電圧の電顕の試作が始められた。榊は 1952 年に教授に昇任している。当時は加速電圧 5 万ボルトの電顕が普通であったが、1954 年に名古屋大学・日立製作所グループはヴァンデグラフ起電機を高圧電源に用いた 30 万ボルト超高圧電子顕微鏡の運転に成功している。榊はその開発研究を率いた。

その後、理学部の上田良二教授と工学部の榊のグループは日立製作所と共同で 1965 年に 50 万ボルト超高圧電顕の開発に成功し、商用機への目途をつけた。1968 年に OECD がおこなった戦後開発された主要技術 139 の最初に企業化した国別の調査において、日本から 5 件しか入らなかったが、超高圧電顕は、安価なトランジスタテープレコーダー、トランジスタ FM ラジオ、列車自動制御装置（新幹線技術のこと）、ポリビニルアルコールとともに選ばれた。高度経済成長の真っただ中のこの頃、テレビからは「大きいことはいいことだ。……」というチョコレートの CM ソングが流れていた。

30 万ボルト超高圧電子顕微鏡（1954 年）
出典：丸勢進講演発表資料「超高圧電子顕微鏡開発での産学官協力」

50万ボルト超高圧電子顕微鏡（1965年）
出典：丸勢進講演発表資料「超高圧電子顕微鏡開発での産学官協力」

超高圧電顕は高さが5m以上、重さが10トン以上もある大型装置で、3階建ての高さの専有建屋を必要としたが、従来観察できなかった厚い試料を観察できる、高い分解能を有するなどの特長があった。日本のメーカーがその商業化を成し遂げたことがOECD調査で評価された。

豊橋技術科学大学初代学長に

榊は1967年から2年間名古屋大学工学部長を務め、1974年4月に豊田工業高等専門学校の2代目校長に転出している。この頃、高専卒業生の進学が課題となっていて、それを受入れる技術科学大学の設置が豊橋市に決定した。豊橋から声を掛けられていた榊は、高専校長をやりながら大学設置準備をすることになった。1976年10月に豊橋技術科学大学が開学し、榊は初代学長に就いた。エネルギー工学、生産システム工学、電気・電子工学、情報工学、物質工学、建設工学の6課程からなる豊橋技科大の第1回入学式は1978年4月に挙行された。榊は1984年3月まで学長を続けた。

榊の妻・文子は1980年に東邦学園短期大学学長に就任し、全国的にもめずらしい学長夫婦の誕生として話題を呼んだ。文子は下出義雄（本書332ページ）の長女で、子息の佳之、裕之、直樹もそれぞれ豊橋技術科学大学、豊田工業大学、愛知東邦大学の学長を務め、東海地区の高等教育に貢献している。

マイクロビームアナリシスの基礎・応用研究やその技術的発展に優れた功績を挙げた研究者を顕彰する榊賞が1995年に設けられ、榊はこの賞を手渡しで授与することを心がけていた。矍鑠たる人生を歩み、2014年に100歳で亡くなった。

（黒田光太郎）

東邦学園短大学長の榊文子さん、ご主人も豊橋技科大の学長
『中部読売新聞』
（1980年5月2日）

記事に「文子学長は旧制県立第一高等女学校（現在の明和高校）を経て十六年に聖心女学院専門部（現在の聖心女子大）の英文科を卒業。卒業の翌年、当時名大工学部助教授だった米一郎氏と結婚。そのまま家庭の主婦に。……」とある。

女性学長ハッスル

東邦学園短大の榊文子さん

「有能な女性育てたい」

ご主人も豊橋技科大の学長

東邦学園短大（名古屋市名東区平和が丘、学生七百六十人）の五代目学長に先月一日付で榊文子学長(六三)（女子秘書学）が就任、同短大初の女性学長として奮戦中だ。「キャリアウーマンの養成のため、全力投球でぶつかるだけです」と張り切る新学長だが、榊さんの夫は榊米一郎・豊橋技術科学大学長(七七)。全国でもめずらしい〝おしどり学長〟の誕生に文部省も「おそらく初めてのケースでしょう」と驚いているが、専業主婦の立場から一挙に学長にスカウトされた文子さんは「学長職は主人の方が大先輩。同格に扱われては困ります」とややテレ気味。とはいえ、まもなく創立六十周年を迎える同学園関係者たちは、その手腕に期待を寄せている。

東邦学園は大正十二年、文子さんの祖父、下出民義氏（故人）が東邦商業高校（現在の東邦高校）を創立したのがスタート。同短大は四十年に開学、商業科の中には女子秘書、会計・税務、経営管理、商業デザインの四コースが設けられている。

榊文子東邦学園短大学長

文子学長は旧制県立第一高等女学校（現在の明和高校）を経て十六年に聖心女学院専門部（現在の聖心女子大）の英文科を卒業。卒業の翌年、当時名大工学部助教授だった米一郎氏と結婚。そのまま家庭の主婦に。「少なくとも子供が三歳をすぎるまでは、母親は子育てに責任を持たなくては」とい

榊米一郎豊橋技術科学大学長

ゆかりの地へのアクセス

【名古屋大学博物館】

➡名古屋市千種区不老町、地下鉄名城線名古屋大学駅下車

1942年に日立製作所から納入された電子顕微鏡HU-2型が常設展示されている。この電子顕微鏡は電気学会によって「でんきの礎」として顕彰されている。

【名古屋大学超高圧電子顕微鏡施設】

➡名古屋市千種区不老町

「でんきの礎」に顕彰された30万ボルト超高圧電子顕微鏡の資料が展示されている。

榊米一郎をもっと知るために

◉榊米一郎「電子顕微鏡今昔物語日本編（その1）（その2）」『表面科学』10巻、1989年、pp.71-72、212-213

◉榊米一郎「小さな大学の一つの夢」『応用物理』53巻（3）、1984年、p.176

◉榊米一郎「大学における工学教育のカリキュラムについて」『工業教育』8巻（2）、1971年、pp.22-30

濵島辰雄（はまじまたつお） 1916-2013

愛知用水建設に賭けた半生

地域住民の汗・涙・血の結晶を地図に

濵島十志雄氏提供

濵島辰雄	
1916 年	愛知県愛知郡豊明村に生まれる
1935 年	愛知県安城農林学校卒業
1939 年	三重高等農林学校農学科卒業。南満州鉄道調査部に入社
1944 年	名古屋陸軍幼年学校教官を拝命
1946 年	愛知県田口農林学校教諭。愛知県安城農林学校教諭
1948 年	愛知用水概要図を作成
1952 年	教職を退職し愛知用水事業推進に専念
1957 年	水源の牧尾ダム建設工事着工
1961 年	愛知用水完成、通水開始
1962 年	三祐コンサルタンツインターナショナル設立、代表取締役
1965 年	工業用水用の佐布里池完成
2013 年	97 歳没

生い立ち

濵島辰雄は、1916（大正5）年、愛知県愛知郡豊明村（現 愛知県豊明市）の裕福な農家の5男として生まれた。

1935（昭和10）年に愛知県安城農林学校、1939年に三重大学農学部の前身である三重高等農林学校農学科を卒業した。

卒業後、南満州鉄道に入社、調査部に配属され、ダムの建設計画作成に従事した。その後、名古屋陸軍幼年学校教官などを務めた。

戦後、愛知県田口農林学校を経て、母校の愛知県安城農林学校（現 愛知県立安城農林高等学校）の教諭となった。

愛知用水概要図の作成

1948年7月18日の「中部日本新聞」に、「発展する知多の夢～その名も愛知用水」の記事を読んだ濵島辰雄は、久野庄太郎（本書339ページ）を訪ね、意気投合し、愛知用水開削に向けての行動を開始した。

二人は、まず水路の設計から始め

濵島辰雄が描いた愛知用水概要図
愛知用水土地改良区蔵

た。水がゆっくり流れるようにするためには、平均勾配が3000分の1（3kmごとに1m下がる割合）である。そのためには取水口の標高は90m余となり、岐阜県加茂郡八百津町兼山の地点（標高：95.5m）を取水地点に定め、そこから知多半島先端まで歩いて現地調査をし、図面を作り始め、1948年に愛知用水概要図を完成させた。

現在、大府市にある愛知用水土地改良区で保管されている愛知用水概要図は、縦3.6m、横1.6mで、縮尺2万5000分の1の地形図に記載された。現在の愛知用水と比較しても基本的には大差ないものである。ルートは兼山取水口から愛知県に入る。愛知県内では、犬山市から愛知池（東郷調整池）を経て知多市にある佐布里池に入る。

ここから名古屋南部工業地帯コンビナート工業用水として利用されている。さらに知多半島先端の美浜調整池に達する。最終的に海底導水管を通して篠島、日間賀島、佐久島に送水されている。

愛知用水事業の推進

1948年、知多半島の1市25町村すべてが参加した愛知用水開発期成会が設立された。有志15名で農林省や吉田茂首相に陳情し、翌年から農林省による現地調査が始まり大きく前進した。濵島辰雄は1952年に教師を退職、愛知用水事業に専念した。

1952年に愛知用水事業で建設された施設の維持管理をおこなう組織

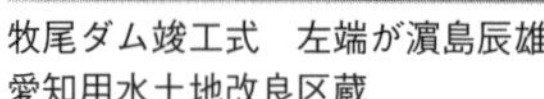

牧尾ダム竣工式　左端が濵島辰雄
愛知用水土地改良区蔵

工業用水用の佐布里池　2021 年撮影

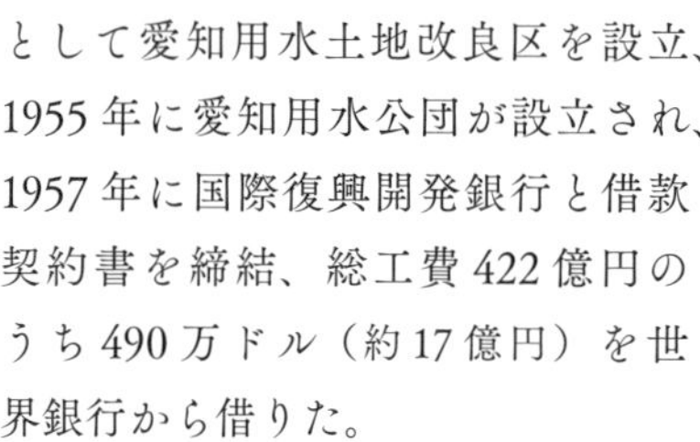

として愛知用水土地改良区を設立、1955 年に愛知用水公団が設立され、1957 年に国際復興開発銀行と借款契約書を締結、総工費 422 億円のうち 490 万ドル（約 17 億円）を世界銀行から借りた。

愛知用水事業はわが国初の大規模総合開発事業で、木曽川総合開発事業の一環として始まり、1957 年、水源となる牧尾ダム建設工事に着工、併せて幹線・支線水路などの建設に着手した。その後、苦難の工事が続いたが工事開始わずか 5 年後の 1961 年 9 月に通水が開始され、知多半島はかんがいの恵みに浴する地域になった。

また、愛知用水通水後の 1965 年に知多浄水場の近くに佐布里池が建設された。これにより名古屋南部工業地帯のコンビナート群に工業用水が送水され、愛知県の工業化に大きく貢献した。

開発途上国の農業・水資源開発に貢献

愛知用水完成直後の 1962 年、久野庄太郎と濵島辰雄は、国内と海外の開発途上国の農業・水資源開発に貢献するため株式会社三祐コンサルタンツインターナショナルを設立した。代表取締役社長に久野庄太郎、代表取締役に濵島辰雄が就任した。1972 年、株式会社三祐コンサルタンツに商号変更し、愛知用水で受けた恩恵を海外に広めていった。

（寺沢安正）

ゆかりの地へのアクセス

【愛知用水土地改良区本所・大府事務所】

➡大府市中央町 3-6-1　JR 東海道線大府駅より徒歩 4 分

濵島辰雄をもっと知るために

◉愛知用水公団／愛知県 編『愛知用水史』1968 年

おわりに

本書は、「はじめに」に述べられているように、2019年～2022年に名古屋市都市センターで開催されたパネル展「ものづくり中部の革新者たちⅠ、Ⅱ、Ⅲ」で取り上げた人物113名の生涯と仕事について、人物事典風にまとめたものである。

本書出版の構想は、そのパネル展の中に萌芽としてあった。中部産業遺産研究会では、2019年度のパネル展企画案を検討する中で、テーマを「ものづくり中部の革新者たち」と決め、はじめに人名リストを作成することに着手した。これまでのパネル展に登場した人物に限っても43名あったが、その後、会員から寄せられた人物リストを集約した結果、人名リストは91名となった。パネル展のパネル枚数は最大40枚であったので、リストから初年度にパネルにする人物40名を選び、残りは次年度に回すこととした。40名を「1. 革新実業家」、「2. 技術の革新者」、「3. 基盤の革新者」のカテゴリーに区分けし、各カテゴリーで生年順に配列し、パネル展示とした。

2020年度のパネル展「ものづくり中部の革新者たち　Ⅱ」(第Ⅱ回)では、前年度の積み残し分50名に新たに43名を追加し、計93名の人名リストを作成した。最終的に36名を抽出してパネル展とした。この中には、堀越二郎、土井武夫、五明得一郎の3名の航空技術者が入った。この3名は、いずれも戦闘機・爆撃機の機体設計者として知られている。パネルの編集においては、軍事技術を賛美するものではなく、すぐれた航空技術者としての人物像を描くことに努めたが、後に本書の編集段階で航空機技術者の関わる軍事技術の記述に議論があり、記述を書き改めた。読者の皆さまが、当研究会が戦果を評価せず、軍事技術を賛美してはいないことを読み取っていただけることを願っている。

2020年12月、パネル展の成果を本にすべく、出版検討委員会が開かれた。すでに76名のパネルができているので、これに24名を加えて100名として、A5版約400ページの本を出版する出版企画案を作成した。2021年度の研究会総会で企画案と編集委員会設置は承認された。

2022年度パネル展「ものづくり中部の革新者たち　Ⅲ」（第Ⅲ回）は、2022年8月下旬に開催となっていた。その第Ⅲ回のリストは、第Ⅱ回の積み残し分49名に新たに蟹江一太郎と遠藤斉治朗の2名を追加し、計51名の中から37名を抽出し、パネルとした。

出版編集委員会では、出版検討委員会の企画案を継承し、パネル展（Ⅰ、Ⅱ）の76名に加え、第Ⅲ回のパネル40枚から24名を抽出し、100名を取り上げることとした。パネル原稿を補訂するとともに、「略年譜」、「人物ゆかりの地へのアクセス」、「○○をもっと知るために」を付けたサンプル原稿を作成し、このレイアウト案について検討した。2022年5月、出版編集委員会でまとめられた人名リストをもとに、各著者に原稿を依頼した。

当初、1人物に付き4ページ立てと2ページ立てで編集することとしたが、3ページ立てが適当なものが少なからずあった。ページ数にゆとりが生じたため、当初はずしていた13名を追加し、パネル展で取り上げた113名全員が収録となった。

本書は、2000年に刊行した中部産業遺産研究会編『ものづくり再発見－中部の産業遺産探訪』に継ぐもので、中部産業遺産研究会会員のたゆまぬ地道な活動の集大成の1冊である。これまで中部産業遺産研究会では、主として産業遺産や産業技術史を研究対象としてきたが、本書はそれらものづくり技術に関わった人物に焦点を当てている。産業遺産研究の視座から描いた各著者の思いを込めた人物紹介になったのではないかと思う。本書が斯界の研究に裨益するところがあれば望外の喜びである。

そして本書の出版と制作を担当していただいた風媒社の林桂吾氏に出版編集委員会を代表して心からお礼を申し上げる。

（出版編集委員長　石田正治）

人名索引

あ

藍川清成 100, 102
アインシュタイン 57
青木鎌太郎 105-107, 320
青木義雄 223
青柳栄司 52, 222, 223
県忍 321
秋山正八 121
朝倉仁右衛門 187
浅野吉次郎 54, 55
浅野清 211
浅野甚七 96
浅野文六 54
飛鳥井孝太郎 108
跡田直一 101
甘利鉄吉 56
アンウィン，レイモンド 244, 246

い

飯野逸平 110
池田篤三郎 334, 335
伊沢修二 35, 56
石井邦猷 42
石川栄耀 244, 246
石川喜平 290, 292
石河正龍 12-15, 25
石坂周造 173-175
石田退三 88
伊豆原甚之助 307, 309
井関盛良 37
伊藤小左衛門 10, 11, 40-42
伊藤三郎 211
伊藤重吉 299
伊藤省吾 160
伊藤次郎左衛門祐民 106, 125-127
伊藤次郎左衛門祐昌 23, 37
伊藤伝七 40-43
伊奈長三郎 138-140
稲葉三右衛門 16, 17
伊奈初之丞 138-140
井上五郎 154, 155, 338
伊原五郎兵衛 128, 129
今井五介 27, 28, 60, 61
今井真平 61
今井太郎 60
今西卓 222-225
今村幸太郎 238
井元為三郎 103, 104
伊与田与八郎 291, 294, 301
岩倉具視 293
岩崎清七 124

う

上田帯刀 176
上田敏郎 313-315, 331
上田良二 343
宇都宮三郎 176-179, 197
梅沢岩吉 116
梅原猛 273, 275
梅原半二 161, 273-275

え

江木千之 311, 323
エジソン 196-198
江副孫右衛門 109, 110, 226, 227
榎本武揚 192
江森盛孝 311
エンゲルホン 85
遠藤斉治朗 135-317
遠藤庄蔵 273

お

大岩勇夫 121, 142, 246, 318-321
大岡正 192-195
大喜多寅之助 65
大久保利通 293
大隈栄一 89-91, 121
大倉和親 19, 21, 108-110, 123, 138
大倉喜八郎 74
大倉四郎兵衛 20
大倉孫兵衛 19-21, 108-110
大鳥圭介 179
大島理三郎 146
大橋幡岩 36

大藤高彦 52
岡田令高 191
岡本櫻 122-124, 306
岡本松造 119-121
岡本清三 98
岡本徳松 120
岡本直次郎 120, 121
岡本兵松 291, 294, 301
岡谷清治郎 39
岡谷惣助 22, 23, 37-39, 106
沖守固 316
奥田助七郎 322-325
奥田正香 23, 122, 190, 304-306
尾﨑士郎 248
尾崎善光 39
尾沢金左衛門 27
落合兵之助 84, 85
オッタマ 127
小渕志ち 186-189

か

カールメルク 85
貝塚卯兵衛 132, 133
貝塚栄之助 132-134
貝塚茂樹 134
臥雲辰致 183-185
各務鎌吉 332
梶田隆章 287
鹿島万平 24
片岡春吉 46, 47, 92-95
片岡孫三郎 46, 47, 92, 93
片倉兼太郎 27-29, 60
片山東熊 209
勝海舟 177
勝沼精蔵 232, 235, 341
勝間田稔 31
加藤重三郎 306
上遠野富之助 98
蟹江一太郎 115-118
金子堅太郎 125
兼松熙 62, 63, 230
神野金之助 30-33, 96, 106
河合喜三郎 35
河合小市 36, 236, 237
河合滋 237
川上貞奴 235
川口音海 212
川越庸一 141-143
川崎舎恒三 232-235, 266
河島喜好 284
川真田和汪 254, 263-265
菅隆俊 146, 228-230

き

岸敬二郎 110, 215
鬼頭幸七 126
城戸久 211
木村秀正 270, 280
清川八郎 173

く

クーヘン 85
草間偉 334
久野庄太郎 339-341, 346, 348
久保田長太郎 220, 221
隈部一雄 144
黒川治愿 294, 300-303
黒田豊太郎 310-312, 323

こ

鯉江方救 170
鯉江方寿 170-172
小坂利雄 137
越寿三郎 74, 75
小柴昌俊 286
児玉隼槌 196
後藤十次郎 152, 153
後藤新平 293
小堀遠州 99
五明得一郎 257-259
小柳与吉 89
近藤重三郎 193
コンドル, ジョサイア 210
コンプトン 196
今和次郎 247, 248

さ

西園寺公望 197

斎藤尚一 161
斎藤恒三 42
榊治郎吉 250
榊秀信 250-253
榊文子 344, 345
榊米一郎 342-345
榊亮三郎 342
阪谷芳郎 326
佐々木綱雄 133
佐藤功一 210, 248
佐藤杉右衛門 116
佐野利器 210
寒川恒貞 215-217, 232, 266

し

品川弥二郎 180-182
柴田才一郎 316, 317
渋沢栄一 42, 74, 125, 304, 326
渋沢敬三 248
渋沢元治 326-329, 342
島田龍齊 174
島津斉彬 12
清水勤二 336-338
下出民義 64, 65, 132, 217, 332, 333
下出義雄 64, 65, 332-344
シュバンク 162, 163

す

杉浦銀藏 193
杉田成卿 12
鈴木鎮一 57
鈴木摠兵衛 319
鈴木禎次 208-211
鈴木久一郎 24-26
鈴木政吉 56, 57, 214
鈴木雅太郎 211
鈴木正春 56
鈴木道雄 238-241
鈴木光彦 337
スミス, アート 283

せ

関口隆吉 35
関虎雄 118
瀬藤象二 342
ゼドラチェック, ヘルベルト 268

そ

祖父江源次郎 295
祖父江重兵衛 86

た

高松豊吉 122
高柳健次郎 260-262
瀧定助 77, 106
田口百三 76-79
武居代次郎 27
竹内芳太郎 247-249
武田五一 210
タゴール 127
田阪千助 319, 334
立川勇次郎 66, 67
辰野金吾 208, 209
田中功平 193
田中善助 48, 49
田中武右衛門 16, 17
田淵寿郎 242, 243
ダン, アンブロース・C 174

つ

司葉子 214
柘植権六 116
辻新次 129
土橋長兵衛 202-205, 216
都築弥厚 290-292
恒川鐐之介 56
坪内逍遥 247, 248
鶴沢栄吉 89, 90

て

ディットリヒ, ドルフ 56
手島精一 316
鉄城 48, 49
寺崎遜 192

と

土井武夫 270, 280-282
時田光介 296

時任為基 311
徳川慶勝 295
徳富蘇峰 324
徳富蘆花 324
富田重助 30, 96-99, 106
豊田英二 160, 161, 275
豊田喜一郎 88, 144-147, 160, 201, 208, 230, 274
豊田佐吉 87, 88, 144, 160, 199-201, 220, 221, 230, 238
豊田章一郎 161
豊田利三郎 65, 145, 201, 230

な

内藤明人 162-165
内藤正一 254-256
内藤多仲 210
内藤秀次郎 162
中島鋭治 330
中島徳次郎 186, 188
永田喜之助 52
中埜半六 71
中埜又左衛門 69, 71-73
夏目漱石 20, 208, 209

に

西井直次郎 64
西川秋次 201
西澤眞蔵 296-299
西部市兵衛 50
丹羽賢 304
丹羽精五郎 196
丹羽正道 196-198

ぬ

抜山四郎 144, 273, 274

の

ノール 342

は

端山孝 166-168
服部兼三郎 86-88
服部金太郎 156
服部佐助 307
服部俊一 190, 191
服部太郎吉 307-309
服部長七 17, 31, 33, 180-182, 303, 311
服部東陽 190
ハトマン 52, 53
濱島辰雄 339, 340, 346-348
早川久右エ門 130, 131
林市兵衛 58, 59
林兼吉 162
林倉太郎 27
林達夫 266-269
林治定 324
原富太郎 114
バルトン, W.K. 313
坂薫 144

ひ

日比忠彦 210
平賀源内 217
平野仲三郎 116
晝馬輝夫 286-288

ふ

フォークト, リヒャルト 280
深野一三 306
福沢桃介 64, 80-83, 101, 112, 215, 216, 223
福沢諭吉 18-20, 80, 111
福住九蔵 193
藤野亀之助 200
伏見万次郎 54

へ

ペテルセン 85
ペリー 176

ほ

堀内平八郎 286
堀内信 296, 297
堀越二郎 270-272, 280
本多学而 197
本多光太郎 234, 266, 328
本田宗一郎 283-285

ま

前田伝次郎 187
牧田茂三郎 152
益田孝 114
マッカーサー 113
松方正義 23, 301
マックス 85
松永安左エ門 111-114, 124, 154
真野文二 190
丸山康次郎 218, 219

み

三浦幸平 252
水谷八重子 248
満岡允保 89
宮坂伊兵衛 157
宮田栄助 119
ミラー 122
三輪定右衛門 92
三輪春吉 46

む

武藤助右衛門 50-53
村上正局 174, 175
村松彦七 22, 23, 37, 38

も

毛利祥久 31
茂木惣兵衛 76, 77
茂庭忠次郎 330, 331
森田吾郎 212-214
盛田善平 68-70
森村市左衛門 18-20, 109, 226
森村豊 19

や

矢嶋楫子 324
安井正義 276-279
安場保和 291, 293-295, 300, 301, 303
矢田績 65
柳田国男 248
山岡宗之助 174, 175
山岡鉄舟 173, 174
山北藤一郎 166
山崎定吉 148-151
山崎照幸 150, 151
山崎久夫 156-159
山下信義 308
山田才吉 44, 45, 306
山田辰次郎 44
山葉孝之助 34
山葉寅楠 34-36, 57, 236, 237

よ

横井小楠 293
横河民輔 208, 210
吉川逸之助 195
吉田茂 113, 339, 340, 347
吉田禄在 38
吉浜勇次郎 206, 207
米元晋一 334

ら

ライト , フランク・ロイド 139

り

廖承志 268

る

ルスカ 342

わ

ワグネル 109, 184
渡辺義郎 39

［著者紹介］（50音順）　＊編集委員

＊朝井佐智子（あさい・さちこ）
＊浅野伸一（あさの・しんいち）
天野卓哉（あまの・たくや）
＊天野武弘（あまの・たけひろ）
天野博之（あまの・ひろゆき）
＊石田正治（いしだ・しょうじ）＊編集委員長
市野清志（いちの・きよし）
井土清司（いど・きよじ）
入江隆亮（いりえ・りゅうすけ）
岩井章真（いわい・あきまさ）
梅本良作（うめもと・りょうさく）
＊大橋公雄（おはし・ただし）
臥雲弘安（がうん・ひろやす）
＊加藤真司（かとう・しんじ）
亀山哲也（かめやま・てつや）
漢人省三（かんど・しょうぞう）
北原なつ子（きたはら・なつこ）
＊黒田光太郎（くろだ・こうたろう）
小西恭子（こにし・きょうこ）
杉山清一郎（すぎやま・せいいちろう）
髙田芳治（たかた・よしはる）
田口憲一（たぐち・のりいち）
＊寺沢安正（てらざわ・やすまさ）
冨成一也（とみなり・かずや）
成田年秀（なりた・としひで）
二宮健壽（にのみや・たけひさ）
野村千春（のむら・ちはる）
八田健一郎（はった・けんいちろう）
林 久美子（はやし・くみこ）
藤田秀紀（ふじた・ひでき）
真野素行（まの・もとゆき）
水野信太郎（みずの・しんたろう）
山田富久（やまだ・とみひさ）
＊山田 貢（やまだ・みつぐ）
横山悦生（よこやま・えつお）

装幀／三矢千穂

ものづくり中部の革新者

2023年12月20日　第1刷発行　（定価はカバーに表示してあります）

編著者　中部産業遺産研究会

発行者　山口 章

発行所　名古屋市中区大須1丁目16番29号
電話 052-218-7808　FAX052-218-7709
http://www.fubaisha.com/
風媒社

乱丁・落丁本はお取り替えいたします。　＊印刷・製本／シナノパブリッシングプレス
ISBN978-4-8331-0635-1